希望とは何か

HOPE
without optimism
Terry Eagleton

希望とは何か

オプティミズムぬきで語る

テリー・イーグルトン
大橋洋一 訳

岩波書店

HOPE WITHOUT OPTIMISM

by Terry Eagleton

First published by the University of Virginia Press in 2015.
Originally published by Yale University Press, New Haven.

This Japanese edition published 2022
by Iwanami Shoten, Publishers, Tokyo
by arrangement with Yale University Press, New Haven
through the English Agency (Japan) Ltd., Tokyo.

ニコラス・ラッシュに

私たちはオプティミストではない。私たちは、誰もが思わず惚れ込んでしまうような世界の美しいヴィジョンを提示したりはしない。私たちは、ただ、どこにいようが、ささやかな、その場に即した務めをもっている、正義の側に立って、貧しき人びとのためにという。

ハーバート・マッケイブ、ドミニコ修道会

はじめに

格言にあるところの、コップに入っている半分の液体、それをみて、もう半分しか残っていないと思うだけでなく、その残っている液体も、ひどい味で、飲んだら死ぬにちがいないとほぼ決めてかかるような人間である私は、希望について書くのにもっともふさわしい著者とは、およそ言えないだろう。[1]「食べて、飲んで、楽しくやろう、どうせ明日は死ぬ身だから」[2]が哲学である者たちがいるかと思えば、「明日は、みんな死ぬ身」——私にはこちらのほうがしっくりくる——が哲学である者たちもいる。こんな暗い性格のくせに、私が希望を主題とする本を書くことを選んだ理由のひとつは、希望が、奇妙なことに無視されてきた概念であるからだ。それもレイモンド・ウィリアムズの言葉を使えば「未来の喪失」[1]感覚を私たちにつきつけてくるこの時代に、よりにもよって無視されるとは。またさらに、希望という主題について書くのがためらわれる理由というのがあって、それは、希望について書こうとする者は、エルンスト・ブロッホの記念碑的大作『希望の原理』——本書第三章で扱うことになる——の読解に苦しみあえぐことを余儀なくされるからだ。西欧マルクス主義の変遷史においてブロッホのこの著作は、もっとも称賛に値するものではないかもしれないが、まちがいなくもっとも長い。

これまでずっと語られてきたことではあるが、哲学者は、おおむね希望という話題には見切りをつけてきた。図書館の蔵書目録をざっとみるだけでも、哲学者に嫌われた希望という主題は、こんなタイトルの本のなかでしかお目にかかれなくなった。たとえば『半分入っている――楽観主義と希望と信仰にかんする心踊る四〇の物語』、『わずかな信仰、希望、そして大騒ぎ』、『希望の歳月――ケンブリッジ、南海諸島植民地行政、そしてクリケット』〔3〕(これは私の好きなタイトル)、そしていうまでもなくボブ・ホープ〔4〕の伝記群。希望は、この惑星の涙もろいモラリストや精神界の指導者たちだけしかひきつけないような主題である。ならば、この話題を考察するために、たとえクリケットや植民地行政に縁がなくとも、希望というアイデアの政治的・哲学的・神学的含意に関心をもつ私のような者がしゃしゃり出る余地はまだ残っているだろう。

本書は、二〇一四年にヴァージニア大学に招かれておこなったペイジ゠バーバー講演〔5〕をもとにして生まれたものである。私の滞在期間中に温かい歓迎を身にしみて感じさせていただいたシャーロットヴィル〔ヴァージニア大学の所在地〕のすべての人たちに、またとりわけジェニー・ゲディスに心からの謝意を表したい。また、私の個人的な感謝を記すべきは、チャド・ウェルモンである。私の今回の訪問を、すこぶる手際よく計画され、ご自身が、もっとも心温まる、また配慮にこと欠かない主宰者であることを、身をもって証明されたのだから。

T・E

凡例

1　原著における引用符“ ”は、「 」によって示した。
2　原著における( )と[ ]は、翻訳文においても( )と[ ]で示した。
3　原著における―は、すべて再現したが、それ以外にも、文意を理解しやすくするために翻訳者が追加したものもある。
4　原著における斜字体は、書名・作品名の場合は『 』によって示した。
5　原著における斜字体は、強調の場合は傍点によって示し、鍵語の場合は、〈 〉で示した。なお原著における語頭が大文字の単語も〈 〉で示した。
6　原著における引用文中の省略記号…は、訳文において……で示した。
7　原注は、(1)、(2)、(3)…で示した。
8　訳注は、〔1〕、〔2〕、〔3〕…で示した。
9　翻訳文中における〔 〕は、翻訳者による補足説明、原綴の表示、簡単な訳注である。
10　引用されているもので既訳のあるものは、可能な限り、その訳文を一切変更せずに使用している。既訳を使わせていただいた訳者のお名前は必ず訳注に明記している。またそのため、翻訳文中の表記法と引用文の表記法との間に生じた差異は諒とされたい。
11　既訳が複数ある場合には、使用する翻訳を一定の原則に従って選んだ(岩波文庫を優先するとか、新しい翻訳を選ぶなど)。しかし選ばれなかった既訳は訳文に問題があったからということではない。
12　既訳がありながら、見落としも含む諸般の事情ゆえに、訳文を使用できなかったり、既訳を明記できなかったこともあり、この点は、ご寛恕を請いたい。
13　引用は既訳を使用したときは、該当ページを明記したが、他の既訳の該当箇所をみつけやすいように該当する章番号なども可能なかぎり併記した。

目 次

第一章　オプティミズムの陳腐さ

状況が好転すると信ずるにたるもっともな理由というものは多々あれど、自分は楽観主義者（オプティミスト）だから状況の好転を期待できるというのは、理由のうちに入らない。なぜなら、それは、アルバニア人だから、あるいは三日連続で雨だったから、事態が好転すると信じることと、不合理さにかけてはいい勝負だからだ。事態がとんとん拍子にすすむなっとくのゆく理由がないなら、事態がさほどひどいことにはならないなっとくのゆく理由もまたないはずで、つまるところ楽観主義者の信念など最初からあてにならない。それでも現実対応型の楽観主義者はいるかもしれない。あの問題はだめだが、この問題なら解決されるだろうと確信するような楽観主義者が。しかしプロの、あるいは筋金入りの楽観主義者と呼ばれてもよいような人が特定の状況に対して希望をいだくのは、最初から物事全般に対し明るい希望をいだいているからである。楽観主義者が、なくしたノーズスタッド〔鼻ピアスで、先端が円いストレートタイプのもの〕を奇跡的にみつけたり、あるいはジャコビアン様式〔英国におけるジェイムズ一世の治世(一六〇三―二五)ならびにその後の数年間における建築様式)の邸宅を幸運にも遺産として受け継いだりするのは、どんな人生にも良いことは起こると信じている楽観主義者にとっては当たりまえのことなのだ。しかしこの場合、楽観主義者が手に入れる希望は、あまりに簡単に手に入るがゆえに、ありがたみがなくなるという危機性が生ずる。実際のところ楽観主義(オプティミズム)を、希望の問題というよりも、一途に信じつづけることにすぎないとみることには一理ある。楽観主義は物事がいずれうまくゆくというただの思いこみに基づくものであって、希望にともなう悪あがきのようなものとは縁がない。ヘンリー・ジェイムズにとって楽観主義は人生と文学にあふれているものだった。「浅薄な楽観主義の異常さについて述べるなら」とジェイムズは「小説の技法」のなかで書いている、「この大地には(ことにイギリスの大地には)そのもろい破片がガラスの破片のようにばらまかれているということだ[1]」と。

世界観としての楽観主義はひとりよがりである[2]。楽観主義(オプティミズム)にたいして理詰めで反論しにくいのだとしたら、それは、楽観主義がシニシズムとか軽信と同じく、世界にたいしてひとりよがりな姿勢をとっているからだ。楽観主義は事実にたいして、独自の角度から光をあてるのだが、事実そのものによって反駁(はんばく)されることをひどく嫌う。ここから、世界をバラ色に染めあげるレンズをとおして見るという陳腐な比喩が生まれる。このレンズは、あなたのヴィジョンにそぐわないものをふくむすべてのものを、同じ色に染めあげてしまうのだ。道徳的歪曲主義とでもいうべきか、人は、みずからの生まれながらの性向にそわせるべく真実をゆがめるのであって、こうなると、重要な決断を下すのは、あなたではなく、生まれもった性向であることになる。悲観主義(ペシミズム)も同様の精神的歪曲行為をともなうので、楽観主義(オプティミズム)と悲観主義(ペシミズム)という二つの心的傾向は、一般に思われているよりも共通点が多い。心理学者のエリク・エリクソンが語る「不適切な楽観主義」とは、幼児が、自分の周囲の者たちの欲望を考慮できないがゆえに、またそうした周囲の者たちの欲望と自分自身の欲望とが相容れないことを考慮できないがゆえに、何でも思いどおりになると信ずることである。[3] エリクソンの観点では、現実の手強さを認めることは、自我形成に不可欠なことであるが、慢性的あるいは根っからの楽観主義者にとって、これほどむずかしいことはないのだ。

　楽観主義者というのは、たんに大きな希望(ハイ・ホープス)をもっている者のことをいうのではない。悲観主義者でも、習慣的に落ち込んでいても、特定の問題については肯定的な思いをいだくことだってある。人は、ものごと全般がよくなりそうだと感ずることなく希望をいだくことはできる。楽観主義者とは、むしろ、自分は楽観主義者だから人生が先行き明るいと感じていられるような人間なのだ。楽観主義者は、これが自分の性分に合っているからという理由でバラ色の未来を予感する。そんなふうだから楽観主義者は、幸せになるには理由が必要であるという考え方を受け入れることができない。[4] そのため希望の場合とは異なり、根っからの楽観主義者であることは、たとえば顔にそばかすがあったり偏平足であったりすることと同様に長所ではない。それは深い省察や研鑽(けんさん)を積んだうえで到達できる心的態度ではない。それはたんに気まぐれにすぎないのだ。「つねに(オールウェイズ)人生の明るい側を見る」ということは、「つねに(オールウェイズ)髪の毛を真ん中で分ける」とか「つねに(オールウェイズ)アイリシュ・ウルフハウンド〔アイルランド原産の犬種で、犬種全体のなかで最大の体高を誇る〕には敬意を表して帽子の端に手を添える」といった程度の説得力しかない。

同じく古臭いイメージだが、コップに液体が半分あるというイメージ、つまりコップをみて、半分も入っているとみるか、半分しか残っていないとみるか、みる者によってとらえかたが異なるという、よく例にあげられるイメージが、ここでは役に立つ。このイメージがゆくりなくも示しているのは、状況そのもののなかに、その状況への対応法を決定する手掛かりになるものはないという事実だ。状況には、あなたが常習的にいだいている偏見を変えさせる力はない。客観的なものは何もないのだ。あなたが見ている液体の量は、あなたが、のんきな性格の場合でも心配性の場合でも同じである。そうなるとコップの液体についてどう感ずるかは、完全に恣意的である。そして完全に恣意的な判断が判断であるかどうかは疑わしいのである。

たしかに、この点について議論するまでもない。なにしろポストモダニズムのなかでも認識論的にみてけっこうナイーヴな部類に入る銘柄にとって、信念について〔その優劣、真偽、正否を〕論ずることなどありえないのである。世界を、あなたは、あなたなりのやりかたで、私は、私なりのやりかたでみているだけである。私の観点とあなたの観点が〔その優劣、真偽、正否を決定するために〕ぶつかりあう中立的なグラウンドなど存在しない。もしそのようなグラウンドがあっても、どれも、ぶつかりあう観点に応じて解釈されるだけだから、中立性は、はなから失われているだろう。特定の見解が経験的にみて偽りであると証明されることなどない。なにしろ、あまたの見解ひとつひとつが、みずからの真実性を保証するようなかたちで事実を解釈するだろうから。同様に楽観主義（オプティミズム）も悲観主義（ペシミズム）も、自分に都合のいいように事実を解釈する宿命論だ。楽観主義者であることについてあなたはどうこうできない。ちょうど自分の身長が五フィート四インチ〔およそ一六三センチ〕であることについて、あなたはどうこうできないのと同じように。あなたは、奴隷船の奴隷がオールに鎖でつながれているように、自分の陽気な性格に鎖でつながれている。なんとも気の滅入る展望である。そうなると実際にできることは、認識論的相対主義についてもいえることだが、二つの陣営が寛容な精神を発揮してたがいに相手の意見を尊重し、それを不承不承受け入れることでしかない。二つの主張のうちどちらをとるべきか決定する合理的な根拠は存在しない。ちょうど、ある種の系統の道徳相対主義にとって、あなたの友人たちを晩餐に招待することと、あなたの友人たちを家の垂木に逆さにつるして、金を盗むためにポケットのなかをまさぐるのと、どちらをとるか決定する合理的な根拠がないのと同じように。これとは対照的に真正の希望は理由(リーズン)によって正当性を主張できないといけない。この点で希望は愛に似ている。神学論的にいえば希望は愛の特殊形態なのである。希望は、それを信憑性のあるものにする諸特徴を、状況のなかから選び取ることができなければいけない。さもなければ希望は直感めいたものになってしまう。それはベッドの下にタコはいないという直観的確信めいたものにすぎなくなる。陽気な気質というのはぐらつくことがないのに対し、希望はぐらつくようでなければならないのだ。

　楽観主義は、その観点に事実による支えがないことを認めても、いささかたりとも、ひるんだりはしない。チャールズ・ディケンズの『マーティン・チャズルウィット』[1]に登場するマーク・タップリーは、信じがたいほど陽気な性格で、ふつうなら誰もが絶望しかねない悲惨な状況を自分のほうから探し求め、そのなかで、いかなる苦境にあろうとも自分はめげないことを証明しようとするのである。タップリーが、自分の環境を可能なかぎり気の滅入るようなものにするのは、自己満足のためであって、彼の楽観主義はその実、この小説における視点のほとんどがそうなのだが、利己主義（エゴイズム）の一形態なのである。この利己主義（エゴイズム）は、感傷主義（センチメンタリズム）に近く、ひそかに自分だけがいとおしい部類のものなのだ。自己中心性は『マーティン・チャズルウィット』にはあふれていて、タップリーの精神の寛大さですら、ある種の個人癖あるいは気まぐれとして描かれ、道徳的現象とは程遠いものとなる。ある意味、彼は状況の改善をほんとうは望んでいない。状況が改善されてしまうと、自分のめげない快活さから道徳的価値が奪われてしまうからである。彼のどこまでも明るい性格は、したがって彼の周囲に悲惨をひろめる諸勢力と共謀関係にあるといえる。悲観主義者も同様に状況改善の努力には懐疑的である――改善されると悲観主義者がひそかにほくそえむ機会がなくなってしまうからではなく、悲観主義者は状況改善の努力がほぼまちがいなく失敗すると、はなから信じているからである。

楽観主義者は進歩を信ずる傾向にある。しかし、もし物事がいずれ改善されうるのなら、現在の状況そのもののなかに望まれるべきものはまだ存在しないことになる。この意味で、楽観主義は、一八世紀に最善説〔optimalism〕として知られていたものほど楽観的ではない――最善説とは、あらゆる可能世界のうち最良の可能性世界に私たちが暮らしているという、ライプニッツの所説である。[2] 楽観主義（オプティミズム）は、最善説（オプティマリズム）ほど楽観的（オプティミスティク）ではない。最善論者によれば、私たちは可能な宇宙の組み合わせのなかの最良の宇宙をすでに享受している。これとは対照的に楽観主義者のほうは、現状の欠陥を認知しているからこそ、より輝かしい未来に目を向けているといえるかもしれない。これは、完璧なものがすでにここにあるのか、それとも完璧なものとは私たちがそれをめざすところの目標なのかという問題である。とはいえ最善説が、道徳的無力感を癒やす処方箋となることは想像にかたくない。なにしろ世界はこれ以上改良されることはないという道徳的無力感の主張は、世界はいまが最高なのだという最善説によってやわらげることができるかもしれないのだから。

最善説論者が虚無主義者と同様に、希望を奪われているといえるのは、どちらも希望を必要としないからだ。最善説論者は、変革の必要を認めないので、最終的に保守派と同盟をむすぶことになる――保守派にとって、変革はなげかわしいものか、さもなければ私たちの状況は腐敗しきっていて変革の余地などないかのいずれかなのだから。ヘンリー・ジェイムズはかつてこう述べたことがある――「保守派は必ずしも楽観主義者ではないが、思うに楽観主義者はほぼ確実に保守的人間である」[5]と。楽観主義者が保守的人間であるのは、良き未来にたいする彼らのやみくもな信頼が、現在は本質的に健全なものであるという確信に根差しているからである。現に、楽観主義は、支配階級のイデオロギーの典型的構成要素である。政府は一般に、国民にたいして、恐るべき終末がすぐそこに迫っていると信じるよう促すことはないのだが、もしそのようなことをしようものなら、その政府は、政府を信頼しきっている国民に、政治的不満の種をまくことになるからだ。これにたいし、暗澹たる見通しはラディカルな政治姿勢になりうる。あなたが自分の置かれた状況を危機的なものとみなせば、それだけで、あなたは状況の変革の必要性を認めることになる。不満は、改革への引き金となりうる。

これとは対照的に楽天的な人びとは、上っ面をいじり、うやむやにするだけの解決策で安心しがちである。真の希望が必要とされるのは、状況がのっぴきならないときである。状況の極限状況を、楽観主義は一般に認めたがらない。人は誰しもできれば希望などもちたくないだろう。希望をもつ必要があるということは、とりもなおさず、なにか好ましくないことがすでに起きてしまったという指標でもあるからだ。たとえばヘブライ語の聖書にとって希望は気の滅入るようなサブテクストを携え、そこでは神なき状態の混乱が描かれていた。美徳が必要とされるなら、それは周囲に邪悪な人間があふれているからである。

フリードリヒ・ニーチェは『教育者としてのショーペンハウアー』[3]のなかで二種類の朗らかさを区別している――ひとつは、古代ギリシア人の場合のように、恐るべきものとの悲劇的遭遇によって生まれる晴れやかな朗らかさ、そしていまひとつは、とりかえしのつかないものがあることを無視して快活さを手に入れる上辺だけの朗らかさ。こちらの朗らかさは、それが戦う相手である怪物を真正面から見据えることができない。そしてこの限りにおいて、希望と気質的な楽観主義は真っ向から対立する。ニーチェの観点では精神の真の明るさとは、奮闘努力の所産、骨の折れるもの、勇気と自己克服の問題である。それは歓喜と真摯の区別をなしくずしにし、ともに同じ強度をもつものにする。だからこそニーチェは『この人を見よ』のなかで「苛烈な真理ばかりの中にあって平静で快活であること」[4]について書くことができた。たしかにニーチェは楽観主義を却下する人聞きのよくない理由というものをもちあわせていた。『悲劇の誕生』のなかで彼はマッチョな精神をむきだしにして、楽観主義を「弱者の原則」とこきおろし、それを、同時代の「奴隷階級」の危険な革命的願望とむすびつけていた[5]。

　テオドール・アドルノはかつてこう述べたことがある、私たちにありのままの飾り気のない真実を伝えてくれた思想家たち（彼はとりわけフロイトを念頭に置いていた）のほうが、天真爛漫（らんまん）なユートピア主義者たちよりもはるかに人類に貢献したのだ、と。私たちはこれからみてゆくことにもなるのだが、アドルノの同僚であったヴァルター・ベンヤミンは、歴史的進歩にたいする不信の念を基盤にして、またもちろん深いメランコリーをも基盤として、みずからの革命的ヴィジョンを築き上げた。ベンヤミン自身はこうした姿勢を「悲観主義」と呼んでいるが、それをリアリズムとしてみることもできるかもしれない。リアリズムもまた道徳的状態のなかでもっとも達成するのがむずかしい。シュルレアリスムにかんする有名なエッセイのなかでベンヤミンが緊急の課題として述べたのは、政治的諸目的達成のために悲観主義を「組織」することであり、これによって彼は左翼勢力の一部にみられる浮ついた楽観主義に冷水を浴びせかけたのだ。彼は書く、いまこそめざす必要があるのだ、「ペシミズムの全面展開に。そのとおり、徹底して。文学の成り行きへの不信、自由の成りゆきへの不信、ヨーロッパ人の成りゆきへの不信、だが何よりもまず、階級間・民族間・個人間のあらゆる協調への不信、不信、また不信。そして疑いの余地が少しもないものはといえば、もっぱらドイツの独占的化学工業I（イー）・G（ゲー）・ファルベン（第二次世界大戦前のドイツ化学産業を独占したトラストの略称。ナチスに接近し、毒ガスなども製造した）の活動であり、平穏のうちに進展する空軍力の整備なのだ[6]」。ベンヤミンの偏屈なまでの懐疑的姿勢こそ、人類の福祉に貢献するものだ。それは建設的な行為のために、どこまでも冷静で脱神秘化の姿勢をつらぬく試みである。またいっぽうで、たしかに、この気の滅入りがちなヴィジョンは政治的変革の可能性そのものをも疑問に付してしまうかもしれない。おそらく、ある種の無力感は、全般的大変動を前にして避けられない。こうなると、あなたの状況が悪化すればするほど、状況を変えることはむずかしくなる。だがこれはベンヤミンの観点ではない。ベンヤミンにとって楽観主義を退けることが、政治的変革のための本質的条件なのである。

*

オプティミズムとペシミズムは、個人の気質のみならず世界観の特徴にもなりうる。たとえばリベラルはオプティミズムに傾くのに対し、保守はペシミズムに傾きがちである。一般論としてリベラルは、人間の男女たるもの、たとえ自由気ままに羽を伸ばすことが許されても、節度あるふるまいに終始すると信ずるのだが、これにたいし、保守は人間のことを欠陥があり気まぐれな生きもので、もし彼らから有益なものを絞り出そうとするなら、彼らの行動に掣肘(せいちゅう)を加え徹底して規律訓練をほどこさねばならないとみる。ロマン派と古典派の間にも同様な区別が存在する。中世は、人間の評価にかんして全般的にルネサンス時代よりも楽観的ではなく、罪悪感と腐敗意識にさいなまれている。ジョン・ケネディ・トゥールの小説『愚者の連合』の主人公にして、中世文明のゆるぎない擁護者たるイグナティウス・ライリーは、声高にこう述べる――「オプティミズムには吐き気がする。それは変態的だ。人間の堕落以来、宇宙において人間にふさわしい場というのは、ずっと悲惨な場であったのだから」と。

保守は二種類の堕落論者にわかれがちである。私たちがそこから惨めにもはじきとばされた黄金時代なるものが存在すると考える堕落論者と、どの時代も、いずれ劣らず堕落していると考える堕落論者とに。T・S・エリオットの詩『荒地』は、この相互に矛盾する主張をひとつにむすびつけたものとして読むこともできる。また一九世紀のイデオローグのなかには、楽観的であると同時に悲観的でもある者たちもいて、彼らは文明とテクノロジーの長所を讃えながら、せっかくの長所がいたるところで――とりわけ増殖の一途をたどるなかば動物的な下層階級においては――エントロピーや堕落とむすびついているとみていた[7]。マルクス主義者もキリスト教徒もともに、人類の現状については、リベラルや社会改革主義者たちよりもはるかに悲観的だったが、人類の未来についてははるかに希望をいだいてもいた。どちらの主張も、同じコインの両面をなすふたつの姿勢にすぎない。未来に信を置くのは、最悪の状態にある現状に向きあおうとしているからである。このあと私たちがみるように、これこそが悲劇的な物の見方であり、これはおめでたい進歩主義者にとっても険しい顔つきの悲観主義者にとっても思いもよらぬものであった。

人類の歴史において、なんにせよ進歩があったことは疑う余地のないことである[8]。このことをあえて疑う人びと、彼らはポストモダン思想家たちを数多く含む集団なのだが、それでも彼らは、魔女を火刑に処する時代に、奴隷所有経済に、一二世紀の衛生状態に、麻酔をしない手術に後戻りしたいと本気で考えているわけではないだろう。問題なのは、個々の小さな進歩〔progress〕ではなく、大文字の〈進歩〉〔Progress〕なのである。歴史において進歩が存在すると信じているからといって、歴史そのものが右肩上がりに発展していくと信ずることにはならない。初期段階の、もっとも楽天的で自画自賛的であった中産階級は、人類を、より高次の、おそらくはユートピア的な状態へと自力で進化しつつあるものとみていた。こうした、いうなれば自己完成能力信仰〔perfectibilism〕[6]は、意外なことに手堅く実用主義的な科学者や政治家たちの信念のひとつになりおおせていた。私たちは、このあと、こうした信念の左翼版を、エルンスト・ブロッホの著作のなかに見出すことになろう。この歴史観〔ブロッホの主張ではないとしても〕を、ひとは、こう記述するかもしれない、すなわち楽観的宿命論と——たしかに、これは奇妙な取り合わせで、通常、宿命論は私たちの時代ではペシミズムのなかに見出せるからである。不可避的なものは、たいてい不快である。まだコップに半分もあるという〔楽観的〕イメージは、希望を、純粋に主観的なものに還元するのだが、進歩主義の原則は、このイメージを、客観的な現実へと具現化するのである。ハーバート・スペンサーやオーギュスト・コントのような人びとにとって、人間は、歴史を前進もしくは向上させる力強い諸法則と協調できるか、さもなければこの諸法則を妨害することになるかのいずれかであるが、神の摂理を修正しようとしてもできないのと同じように、人間は無力で、諸法則の本質を変えることはできない。ほぼ同じことがイマヌエル・カントにもいえて、カントにとって〈自然〉は、永続する平和を保証してくれるものだが、その保証は、貿易や商業といった人間の自由な諸活動をとおしておこなわれる。希望というのは、いうなれば、現実の構造に組み込まれてこそ、その力を発揮するのだ。希望は、ヒトデ（スターフィシュ）の形態を決定するもろもろの力と同様に、現実世界の内的特質でもある。たとえ私たちが希望について忘れても、希望のほうでは私たちを忘れはしないだろう。これは男女を政治的無気力へと誘いかねない危険な世界観である。なにしろ、もし栄光ある未来が保証されているのなら、なぜ希望を見出そうと奮起せねばならないのか理解できないからである。マルクス主義のなかでも確実に共産主義の未来が到来すると太鼓判を押すようなマルクス主義の場合、なぜそのような未来を実現するために苦闘せねばならないのか説明を迫られるはずである。

度を越した楽観主義は道徳的にみて疑わしいものになりうる。そうしたもののひとつに弁神論[7]があり、これは悪があるからこそ善が生まれることを根拠に邪悪なものの存在を正当化する試みであり、街場の楽観論を宇宙論的地位にまで格上げするものである。アレグザンダー・ポウプの『人間論』は、ライプニッツと理神論に多くを負っている詩だが[8]、そこでは悪とは、誤解された善にすぎないのである。もし私たちがレイプや奴隷制を、宇宙全体を視野におさめる立場から眺めることができれば、そうしたものが全般的至福のなかではたしている本質的な役割を認識することができるだろう。だから悪にたいする道徳的抗議は、実のところ近視眼的である。ゲオルク・ビューヒナーの劇『ダントンの死』のなかで、ある人物が考えているように、「我々の耳を聾せんばかりの阿鼻叫喚のざわめきだって、耳の使いようではハーモニーの流れのように聞こえるさ」[9]。そのうえさらに悲惨というものは、あなたを人間にしてくれる。哲学者のリチャード・スウィンバーンは書いている、神は「広島、ベルゼン、リスボン大地震、黒死病」〔ベルゼンはナチスの強制収容所があった場所、リスボン大地震は一七五五年一一月一日に発生〕の存在を許したのだが、男女をおとぎ話の世界ではなく現実の世界で生き残れるようにするために神がそうしたのなら、その行ないは正当化されるというわけだ。[9] おとぎ話の世界は私たちに手強い挑戦的試練を提供しないために、私たちの道徳的筋肉を使うチャンスを奪ってしまうということらしい。こんな主張をする人間を、大学人以外に想像することは困難である。

この種の独善的な弁神論の教えとは、悪は、それ自体、どれほど嫌悪すべきものであっても、時として善を生むことがあるということ——この主張は否定しがたいのだが——ではなく、悪は、善という価値の必要条件として受けとめ、さらには組み込むべきだということなのだ。こうした考え方を信奉する、ある種の啓蒙思想家たちにとって問題となるのは、宇宙が合理的で調和に満ちた全体であるかのようにみえればみえるほど、そのぶん、悪の問題も、いっそう大きく立ちはだかるということだった。[10] このような宇宙規模の楽観主義は自滅的になりがちだ。なぜなら、それは容認するのがむずかしいと判明するものを、いやが上にも浮き彫りにしてしまうのだから。自己完成能力信仰の信奉者たちは、戦争やジェノサイドの展望に、ひどくうちのめされやすいのだが、そのうちのめされるありようたりや、シニックな人間や人間嫌いたちの比ではない。なにしろ彼らシニックや人間嫌いたちのほうは、ここぞとばかり、不運な状況のなかに、人間は堕落するものだという彼らの考えが正しかったことを立証できるうれしい証拠を見出すかもしれないのだから。

一八世紀には悪の実在性を否定する者たちがいたが、そのいっぽうで一九世紀には悪がつきつける問題は進歩の原理によって解決できると考える者たちがいた。理神論者のヴィジョンは歴史化できる。たしかに悪は実在するが、それは撲滅される途上にあるということになったのだから。進歩の概念はしたがって、否定しがたいものを認知しながらも、そのいっぽうで人間の完成に向けての歩みを信じ続けることも可能にしたのである。ある種の歴史主義者のヴィジョンによれば、労苦なり喪失は、それらが人間という種の全般的向上の歴史のなかではたす役割によって正当化されうる。ある者たちには骨折り仕事だが、これなくして、別の者たちにとって文明化された存在は実現しないのだ。彫刻ひとつにつき、あるいは交響曲ひとつにつき、みすぼらしいあばら家が軒をつらねる。搾取なくして文明化された存在なしというのは、フリードリヒ・ニーチェがいだいていた観点だが、この観点は、多くの者たちによって支持されていた――たとえ彼らがこの観点を、声高に喧伝するほどの鉄面皮をもちあわせていなくとも。労働は文化の鼻祖であり、労働は、うちひしがれた親たちのごとく、みずからの苦難と労苦の慰めを子どもたちの成功のなかに見出すのだ。いっぽう文化というスーパースターは、路地裏に出自があるのだが、おのがみすぼらしい両親を認知することだけはなんとしても避けようと、とにかく知らぬ存ぜぬの一点張りなのである。

もし初期の資本主義のイデオローグたちが希望をいだいていたとすれば、それはとりわけ彼らが資本主義システムを自己完結したものとみなさなかったからである。生産は、これから完成を迎える物語であった。これとは対照的に後期資本主義は、目にみえて希望を失っている。もちろんだからといって資本主義が失意のうちにあるということではない。消費者的個人は、生産者的個人と異なり、物語に似たものを住みかとするのではなく、断片的に継起する時間の刹那的な瞬間のなかに生きている。この自己は、あまりにランダムで拡散的であって、知的進化をとげる主体になりそうもない。したがって希望を託すべき、今とは根本的に異なる未来なるものは存在しない。それに応じて、スケールの大きな希望は時代遅れのものとなった。世界史的な出来事は、もはや起こりそうもない。それが起こりうる空間は、塵と化してしまった。未来は、際限なく引き伸ばされた現在にすぎなくなるだろう。かくして未来がもたらすものを見るわくわく感と、未来はやっかいな変動をもたらすことはないだろうという安心感とがむすびつく。資本主義の初期段階で、ひとが希望に満ちあふれていたのは、輝かしい未来を予見できたからである。資本主義システムの後期段階で、貧弱な期待しか存在しなくなるのは、未来が現在の蒸し返しにすぎないというあきらめが生まれたからである。希望は、もう、そんなにころがってはいない。しかしこのこと自体は、希望に満ちた徴候である。なにしろそれが意味するのは、もう救済されるべきものは何も残っていないということなのだから[11]。

国家は、政治的信条と同じく、活気にあふれるか、停滞するかのいずれかである。いまやアメリカ合衆国は、北朝鮮と並んで、オプティミズムがほぼ国家イデオロギーとなっている数少ない国のひとつだ。国民の大部分にとって、楽天的であることは愛国的であることであり、いっぽう否定的であることは、一種の思想犯罪である。ペシミズムは、なんとなく反体制的であるとみなされる。どんなに落胆している時代においてすら、全能性と無限の力を確信する集団幻想は、アメリカ国民の無意識にずっととりついてきた。国民にたいし最良の日々は過去のものとなったと伝えるアメリカ合衆国大統領が選出されることは、チンパンジーが大統領に選出されるのと同じで、まずもってないだろう――もっともチンパンジーに近い候補者が選出されそうになった事例は過去に一、二度あったのだが[10]。とにかく悲観的なことを述べる政治的指導者は、暗殺の最有力ターゲットになるだろう。最近、アメリカの歴史家が述べたように「これまで大統領就任演説は、いかなる時であっても楽観的であった」。このコメントは、大統領を批判するものではないのである。アメリカ文化には強制的に陽気さを無理強いするところがある。〈望むことはなんでもできてしまう〉という修辞には、失敗に対するなかば病的な恐怖がすけてみえる。

重苦しいまでに平板な文体で書かれた『希望の生物学』なる著書においてアメリカの学者ライオネル・タイガーは、自国の希望イデオロギーに科学的根拠を見出そうとして、薬物漬けの猿や、気分転換をもたらす成分、そして死んだわが子を悲しむ親たちの分泌物にみられる化学変化を熱心に研究している。研究の結果、陽気さの生理学的基盤を見出すことができるのなら、それをもとに、政治的不満を消去したり永続的に陶酔的な市民生活を保証したりすることもできるだろう。希望は、政治的に有益な刺激剤である。「可能性は存在する」と、タイガーはこう論評する、「オプティミズムを増殖させることが、人間全体の共通の義務となることが[12]」と。スターリンも毛沢東も、ほぼ同じ観点をいだいていたように思われる。すべてよし、たとえどうみてもよくないときであっても、すべてよしと主張しつづけることが私たちの道徳的責務であるというわけだ。

同様の方向性を示しながら、『不安の時代における希望』と題された著書の執筆者たちは、こう私たちに伝えている、「希望に満ち溢れることは、最良の治療薬である、なぜなら、それは過度なストレス反応と何事からも身を引く諦念コンプレックスとの間の、どのようなことにも対応できる中間領域を形成するのであるから」と。希望は私たちに「適切なレベルの神経伝達物質、ホルモン、リンパ球、そしてその他の重要な健康関連物質[13]」を保証してくれる。そうした物質の欠如は、あなたの個人的かつ政治的健康に害をなす。おそらくカリフォルニアには、すでに、そうした物質を錠剤にかえる研究に取り組んでいる科学者たちがいるのだろう。アメリカの哲学者ウィリアム・ジェイムズは、この人工甘味料的ヴィジョンにいらだっていた。「最後の言葉は甘美なのか？」と彼は問うている。「宇宙においては一切が「然り、然り」なのであろうか？　人生の中核そのもののうちに「否」の事実があるのではないか？　人生は「厳粛」だとわれわれは考えているが、この事実そのものは、免（まぬか）れがたいさまざまな否（ノー）と喪失（そうしつ）とが人生の一部を形作っていることを、どこかに全くの犠牲があることを、そして永久に烈（はげ）しく苦いものが人生という杯（さかずき）の底につねに残るものだということを、意味しているのではあるまいか？[14]」と。

ジョージ・W・ブッシュ政権の「現実を基盤にする」のではなく「信念を基盤にする」政策は、おなじみのアメリカ的姿勢を無理強いすることで狂気じみたものになっている。なにしろ現実は、悲観主義者（ペシミスト）なので、ペシミストの人を惑わす語りに耳を傾ける必要はない。真実は、しばしば不快すぎるものとなるので、断固たる決意をもって、真実を打ち負かさねばならないというわけである。これはオプティミズムのなかでも精神疾患と容易に区別できない類（たぐい）のものだ。この種の陽気さは、心理的否認の一形態である。その何物にも屈しない活力とは裏腹に、そうした姿勢は実際のところ道徳的逃避にすぎない。それは希望の敵である。希望とはそもそも、状況の深刻さを誰もが認めることができるがゆえに必要とされるものなのだから。これとは対照的に、希望をいだかせるような心はずむ気分たるものはオプティミストたちをして、問題と取り組むときの障害を過小評価させ、かなり無意味な自信だけをつけさせて終わりがちである。オプティミズムは絶望を軽くみている。皇帝フランツ・ヨーゼフは、つぎのようなことを述べたと伝えられている、すなわちベルリンでは事態は深刻だが希望がないわけではないのに対し、ウィーンでは事態は絶望的だが、かといって深刻ではないのだ、と。

陽気さ・明るさというのは、もっとも陳腐な情動（エモーション）のひとつである。それは縞模様の上着をまとい赤いプラスチックの鼻をつけたどんちゃん騒ぎを連想させる。英語の「幸福 happiness」という単語そのものが、フランス語の〈ボヌール bonheur〉、あるいは古代ギリシア語の〈エウダイモニア eudaemonia〉とは異なり、けばけばしい感傷的な含意があるのに対し、「満足 contentment」には、のんびりとした響きもある。「分別のない者は」と「シラ書」の作者はこう述べる、「むなしい偽りの希望をいだく」[11]と。フランスの哲学者ガブリエル・マルセルは深い意味をもつオプティミズムがあるかどうか疑っていた[15]。どうやら楽観主義は、希望の堕落した、救いがたいほどナイーヴな形態とみるのがいちばんよさそうだ。オプティミズムには、どこかしら耐えがたいもろさがあるいっぽう、ペシミズムには、病的なまでの自己陶酔性があり、それ自身の陰鬱（いんうつ）な姿勢を餌に、実はひそかにほくそ笑みながら肥え太っている。ペシミズムと同様にオプティミズムも、こまかなニュアンスとか区別立てにこだわることなく、世界全体を単色の上薬で塗り上げる。それがすべてを包みこむ心的傾向であるため、すべての対象は一律に他と互換性をもつようになる。すべてが、一定の主潮と等価値を帯びることになる。芯からの楽観主義者も同じく前もって厳密にプログラム化された方法であらゆるものに反応し、偶然と偶発事を取り除く。この決定論的世界では物事はすべて好転すべく運命づけられている、それも百発百中の予測的中度でもって、またなっとくのゆく理由など皆無のままで。

一八世紀半ばに登場したサミュエル・リチャードソンの小説『クラリッサ』からヴィクトリア朝後期の英国に登場したトマス・ハーディの小説とのあいだに、悲劇的小説(不幸な結末の小説という程度の意味で)がほとんど見出せないというのは驚くべき事実である。なるほど、あと一歩で悲劇的小説になりえたという作品はある。『嵐が丘』は悲劇の瀬戸際まできているし、いっぽうシャーロット・ブロンテの『ヴィレット』は読者に、悲劇的な結末と喜劇的な結末の二つの結末を提示している――悲劇的結末だけで終えるのをためらっているかのように。ジョージ・エリオットの小説『フロス河の水車場』の主人公マギー・タリヴァーは物語の最後で死ぬが、小説の末尾で奇妙にももちあげられる傲慢でがさつ者の兄との陶酔的な一体感を達成する。エリオットの『ミドルマーチ』は押し殺したような調子で終わるが、最後の瞬間に、たとえどれほど重い条件付きでも改革精神へのゆるぎない信頼を失うことはない。ディケンズの『リトル・ドリット』の最後の言葉は、かなり暗澹たるものだが、それでもこの小説そのものは、同じ著者の他の作品同様、その幻滅感を純然たる悲劇へと変容させるのを拒んでいる。こうした悲劇回避の衝動に忠実たらんとしてディケンズは『大いなる遺産』の結末を変更し、主人公とヒロインを結びつけることにした。また、ディケンズの華麗な文体は、たとえ暗鬱な社会的現実を描いているときでも、とりわけ最初期の小説においては、陰湿な現実を心地よく眺められるようにしている。彼がヴィクトリア朝イングランドの悲惨きわまりない諸相を描写するときの活力と高揚感は、それ自体で、悲惨な現実を乗り越える手段となっている。

もしトマス・ハーディが彼の読者の一部を憤慨させたとすれば、その原因は彼の無神論でもなければ性にかんする啓蒙化された見解でもなく、ゆるがざる悲劇的リアリズムゆえである。虚構による、ならびに宗教による――ともに阿片の一種なのだが――慰藉を、彼が断固拒んだことは、小説にもっぱら慰藉をもとめてきたヴィクトリア時代の読者を不安にさせるのにじゅうぶんなものがあった。テス・ダービフィールドやジュード・フォーリイは本格的な悲劇的主人公であって〔前者はハーディの小説『テス』の、後者はハーディの小説『日陰者ジュード』のそれぞれ主人公〕、そうであるがゆえに、英国小説史のなかで驚くほど例外的な人物になりおおせている。サミュエル・リチャードソンは、彼のヒロインであるクラリッサの運命を不安げに見守ってきた心配性の読者からの、ヒロインを助けてほしいという嘆願に耳を貸さず、反対に冷酷無情な物語を展開し、主人公を死なせるほうを選んだ。もしヴィクトリア時代の人間が意気消沈させられることにとくに困惑したとすれば、ひとえにそれは、暗鬱な気分が社会秩序を攪乱すると受けとめられていたからである。社会的動乱の時代に芸術の第一義的目的のひとつは、啓蒙・教化であった。小説のもくろみは、フロイトが幻想全般について論じているように、限界のある現実の欠陥を是正することであった。英国小説は現体制の維持に貢献した。上下関係や評価基準や社会秩序に敬意を払うことをとおしてだけでなく、楽観的で明るい結末に執拗にこだわりつづけることによって。

私たち自身の未来なき暗い時代においてすら、本のカバーを飾る惹句のコピーライターたちは、暗澹たる小説のなかにも希望のひらめきをみつけようと躍起になっているのだが、これは、彼らが、過度に絶望的な小説は読者を意気消沈させやすいという前提に縛られているからである。とはいえ、いまの私たちは物語が明るさなど微塵(みじん)もない、未決感たっぷりの結末を迎えることに慣れっこになった。そのため物語の結末が適切なかたちで憂鬱なものになりそこねてしまうと私たちは啞然としかねない。そうした一例が、ジョゼ・サラマーゴの小説『白の闇』[12]の結末である。理由もなく視力を失った男女の集団が、同じく理由もなく突如として視力を回復する。視力を失った人物たちが、ひとり、またひとりと、闇から光へと移行する。現代の小説が、そのような喜ばしい変容を強調して終わることは、あたかも『高慢と偏見』がベネット姉妹虐殺によって終わるのと同様、無謀きわまりないことである。

＊

オプティミズムを、たとえ底の浅いものであっても、少なくとも合理的ではあると考える人びとがいる。マット・リドレーの洗練された博識な著書『繁栄』(原題『合理的楽観主義者』)は、その輝かしい未来を約束する世界観を、あくまでも事実として認識されているものにのみ根拠づけている点で、ただ明るい未来に浮かれ騒ぐ軽薄なお祭り本とは一線を画している。それはまた私たちに次のような荘厳な憤怒に貫かれた一節を提供しているのだ――

この半世紀、私たちは貧困との闘いに未曾有の成果を上げてきた。とはいえ、バランスを欠く食事によるビタミンA不足で失明する人は後を絶たない。子どもたちはタンパク質不足で腹が膨れ上がり、汚染された水によって本来なら予防できる赤痢に苦しむ。屋内の煤煙のために予防可能な肺炎で咳をする子、治療可能なエイズで衰弱してゆく子、罹らずに済んだはずのマラリアで身を震わせる子がいる。乾燥した土でつくった小屋、トタン小屋のスラム、味気ないコンクリートのビルに住み暮らす人がいる(西洋のアフリカ人社会も含めて)。書物を読んだり医師に診てもらったりする機会に一生涯恵まれない人もいる。機関銃を抱えた少年や、身を売る少女がいる。もし私の曽孫(ひまご)にあたる娘が二一〇〇年にこの本を読んだとしたら、私が自分の住み暮らすこの世の不平等を身にしみて知っていることを彼女にはわかってほしい。なにしろ私は自分の体重増を気に病んでいられるし、レストランのオーナーは法律のせいで冬場にケニアからインゲン豆を空輸できないとぼやいていられる。ところがダルフールでは痩せ衰えた子どもの顔にハエがたかり、ソマリアでは女性が石打ちの刑で死ぬ。アフガニスタンではアメリカ人起業家がたった一人の力で学校を建設し、彼の政府が爆弾を落とす。(16)

これは、どうみてもパングロス的ヴィジョンではない〔パングロスは、ヴォルテールの『カンディード』に登場する極端に楽天的な教師の名前〕。それどころか、これは、心動かす、情熱的な魂の叫びであり、瞠目すべき雄弁と憐れみの情に満ちている。ただ、この憤怒にもかかわらずリドレーは、近代を驚異的な進歩物語とみているし、また、そのかぎりにおいて彼はまちがってはいない。一般論として人類は、暴力と病気と貧困にあえいできたその歴史のなかで、いまや過去のどの時期よりも、豊かで、自由で、背も高くなり、健康で、平和友好的で、自由に移動でき、よい教育を受け、安全を保障され、快適な生活を享受している。カール・マルクスが生きていたらリドレーの考えに心から賛同していただろうと言われたらリドレーはさぞかし困惑することだろう。とはいえ、華々しい金融破綻を起こした銀行の元会長でもあったリドレーが、少なくとも生産諸力の着実な進展に全幅の信頼をよせていることを考慮するにつけても、彼がもしかしたら背広を着たマルクス主義者ではないのかという思いを禁じ得なかったことが、これまでに何度もあった。ただしリドレーが物質的豊かさと人間の福祉との間に直接的な関係をみるのに対し、マルクスは、そのような機械論的幻想をいだくことはなかった、そこにちがいが生ずる。なるほど物質的豊かさが人間の幸福の必要条件である――なにしろ飢えに苦しんでいるときに高揚感にひたれるのは聖人だけであろうから――、しかし、それは十分条件ではない。全般的にみて『繁栄』は、この事実を見過ごし、誇り高いマルクス主義者ですらたじろいでしまう粗雑なテクノロジー決定論にときおりのめり込んでしまいがちなのだ。たとえば女性の性解放は、「労力を省いてくれる電化製品によって女性がキッチンから解放された」ことに直接帰せられる(108[一七九〔第三章〕)。自由と人間の幸福は、商業と繁栄と手をたずさえて進むのだと私たちは念押しされる。そのくせ、この商業と繁栄が奴隷制やスウェットショップや政治的独裁、そして植民地ジェノサイドと手をたずさえているという事実は、意図的に一顧だにされない。

ただ、にもかかわらずマルクスは賛意を表することだろう、近代は、心踊る進歩物語でありつづけてきたということに。高貴な野蛮人神話を、リドレーはしかるべく嘲笑しているのだが、マルクスも高貴な野蛮人神話を侮蔑していた。いわゆる有機的社会についていいえる唯一の確かな事実とは、レイモンド・ウィリアムズがかつて述べたように、それはつねに消滅しているということだ。[17] けれどもマルクスの見解は、リドレーのそれよりももっとニュアンスにとんでいる。リドレーは近代を右肩上がりの成功物語としてみる——この物語は、所々に残っている貧窮地帯によって印象を悪くされているとはいえ。これに対しマルクスは近代を勝利と恐怖とが肩を並べる物語としてみるだけでなく、勝利と恐怖とが解きほぐしがたくからまりあっている物語ともみている。彼の見解では自由と豊かさにむかう諸力そのものが、人間の能力を損ない、格差と貧困を生み、人間生活に対する専制支配を長びかせるのである。野蛮なくして文明は存在しない。重労働と貧困の恐怖なくして大聖堂も企業も存在しない。人間にとっての問題は、エネルギーや資源の枯渇のみならず、人間がかくも壮大に進化させてきた諸能力そのものである。人間にとって脅威なのは、進化の滞りだけでなく、人間の思い上がり（ヒューブリス）でもある。もし歴史が、人間の進歩の記録なら、それはまた生ける者たちに重くのしかかる悪夢でもある。

マルクスはパングロスだとしても、彼はまたエレミヤ〔旧約聖書における大預言者で災厄を警告した〕でもある。これに対してリドレーの見解は、もっと無垢でもっと単純である。彼の世俗的叡智のなかには、困惑するほどナイーヴな面がある。マルクスが、市場に、交換価値に、グローバルな商品流通のなかに解放の潜在的可能性をみるのに対し、リドレーは、マルクスがこうした観点をいだいていたという事実を驚きをもって受けとめるであろうことはまちがいないとして、それでも、マルクスのように、なにかほかのものもいっしょにみようとはしない。ダルフール〔スーダン南部の州、州都、先の引用参照〕の子どもたちの蝿のたかるしわくちゃな顔に対しリドレーがいかなるかたちで進歩物語の敗北を認めようとも、彼の世界観は根本的に一面的なのである。市場経済諸力にかんする思慮深い擁護者ならば、急速な富の蓄積やグローバルな文明の全般的進歩において市場経済がはたしてきた役割をいっぽうで指摘しつつも、またいっぽうで、こうも認めるはずである――この市場経済が貧困と格差を生むだけでなく、打算的な道具的合理精神を、容赦なき貪欲さを、経済的不安を、利己的個人主義を、破壊的軍事的冒険を、社会的・市民的連帯の衰退を、文化的凡庸の伝播を、実利性をさまたげる不都合な過去の抹消をともなうこと、を。擁護者は、こうした点のすべてを、あるいはいくつかを、市場経済の悪として認めるだろうが、それでもなお資本主義は、その効率と生産性において他のいかなる経済システムよりも優れていること、社会主義は、その実践において悪夢のような破滅をもたらしたこと、そして現在の経済システムのなかでももっとも悪質な部分のいくつかはいずれ是正され改良されるであろうことを主張するはずである。

けれどもリドレーは、彼が擁護する経済システムのなかのこうした不都合な側面のほとんどすべてについて、とりわけそのシステムが定期的に産出している帝国主義戦争について無頓着で、だんまりを決めこんでいる。彼にとって、こうした不都合な事実は、近代史をかたくなに衰退としかみない人びとから発せられるあくまでも辛口の但し書きにすぎない。とはいえ、この辛口の警告はまたマルクスや彼の後継者たちの観点であり、彼らはみな根本においてテクノロジー推進者であり、人間の進歩の熱烈な信奉者たちである。『共産党宣言』と『繁栄』は、自由市場、資本主義的革新、グローバル化した経済を称賛する点において、よきライヴァルである。要は、『共産党宣言』のほうが、資本主義経済の利得に多大な損失が伴うことを考慮しているのに対し、どこまでも現実的とみなされるリドレーのほうは、損失など微塵たりとも考慮していないということである。

リドレーは、自分自身のオプティミズムを、現実に根差しているがゆえに合理的なものとみなしている。けれどもリドレーは冷静沈着な審判者であるどころか、筋金入りのイデオローグであって、自分の主張を強化するように事実のほうを主張に寄せてしまうのである。そうした実例のひとつが、核戦争の危機にかんする驚くほど鷹揚（おうよう）な扱いにみてとれる。なにしろ、これにかんしてはその本のなかで、なんとも驚くべきことに一段落も割いているのだから。核兵器は、リドレーが認めるように冷戦期間中は真の脅威となっていたし、核競争の危険性は決して消滅していないのだが、いまや核兵器の多くは廃棄され、この本があたえる全般的印象では、私たちはもう核の脅威について騒ぎたてなくてもよいのである。核ミサイルなど、ドリス・デイや細身のスラックスと同様、冷戦期の遺物にしか思えなくなった。これは底なしの多幸症である。核兵器から進歩主義者が懸念するのは、いうまでもないことながら、この惑星上における人類の暴走である。種が絶滅の危機に瀕するということが、未来への進歩につきつける重大な問題は、余暇を摂政時代の洒落者の服装コスプレに費やす人間のつきつける問題の比ではない〔ジョージ四世が摂政皇太子であった摂政時代(一八一一―二〇)のファッションは、ジェイン・オースティンの小説の挿絵とか映画化作品でおなじみのもので、男性の正装は現代でも人気がある〕。個々人がみずからを滅ぼす能力をつねに所有するまでになったので、私たちはいよいよ、瞠目すべき技術開発の成果によって、集団的にみずからを絶滅させることができるまでになった。いうなれば自殺が社会化され、公的な所有物となったのである。ポーランドの著述家スタニスワフ・レッが述べているように「もし世界が終わる前に、世界を終わらせることができなかったら、お笑い草だろう」[18]。自分自身を抹殺できる能力ほど、みずからの至高の能力を申しぶんなく証しだてるものはないだろう。自殺は、ドストエフスキーの小説のある人物の言葉を借りれば、つかのま自分が神になることである〔余計な注記をお詫びしつつ、これは『悪霊』のキリーロフの言葉〕。それは、神のごとく全能の力をもって自分自身を滅ぼすことができるのだから。

人類は、つねに、なんらかの恐るべき終末におののきながら生きてきた。最近まで人類が扱いあぐねてきたことは、この宇宙的カタストロフが人類自身の手でこしらえたものであるという可能性であった。しかしながらリドレーは、人類が、さして魅力的でもない自作公演に自分たちの手で幕を降ろすという展望にいっこうに動ずる気配はない。彼の手順は、まず人類に対する大きな脅威となるものをリストアップすること（飢饉、疫病、環境破壊など）、そしてつぎにまだ大惨事にはいたっていないこと、あるいは脅威は目に見えて小さくなったことを指摘して仰々しく喜んでみせることである。これではまるで一九一三年の時点で（第一次世界大戦直前に）、これまで世界全体を巻き込む戦争は起こらなかったとか、壊滅的なウイルス感染などありえないと豪語するようなものである（第一次世界大戦終盤にはスペイン風邪が全世界で猛威をふるった）。そのようなオプティミズムにどのような名称をあたえるにせよ、「合理的」というのはどうみても誤った名称である。リドレーは、まだ存命中だが、しかし彼がこの事実から、なにか楽天的な結論を引き出そうものなら、およそ不見識のそしりは免れないだろう。

『繁栄』が、正しく、歌いあげるすばらしきものとは、交流、貿易、交換、技術、労働分割、発明の蓄積、優れたアイデアの交換などである。こうした活動をとおして人間は真に普遍的な種になった。嫌いなものでも、よいところがあればいつでも褒める準備のあるマルクスにとっても、こうした人類史の特徴こそ、貧困と偏狭性からの真の大飛躍をしめすものであった。ただ当然のことながらマルクスはまた、こうしたグローバルな相互依存性のもたらす破壊的効果についても警鐘を鳴らしていたが、これは、ただひたすら視野狭窄的なリドレーには望むべくもないことである。破壊的効果についてリドレーが留意しないことは、ある意味、驚くべきことでもある。なにしろ彼は、二〇〇八年の英国金融溶解（メルトダウン）の渦中にあった銀行ノーザン・ロックの非常勤の会長でもあったのだから[13]。この点にかんする彼のゆるぎない信念の証左ともいうべきは、彼があるエコノミストのつぎのような言葉を引用していることにある――「市場を広く用いる社会は、協力と公平性と個人の尊重を旨とする文化を築く」(86〔一四六(第三章)〕)。市場の隠れた手への信仰に話がおよぶと、リドレーはアダム・スミスをヨシフ・スターリンばりの最高指導者にみせかけるのだ。個人の利己的な行為は、どれほどあさましいものであろうと、つねにいずれ変容をとげて、全体を利するものになるのだから。彼はまた、詐欺、貪欲、鉄面皮の欺瞞商法、背任行為がつぎからつぎへとわいて出ても動ずることなく、「現代の商業世界の集団的頭脳に深く浸っていればいるほど、人は気前良くなるということだ」(86〔一四六(第三章)〕)と私たちに信じ込ませようとする。市場は、と彼は私たちを安心させてくれる、「人類の将来について楽観を抱くべき強力な理由を与えてくれる」(10〔二九(プロローグ)〕)と。なにしろ市場は「不合理な多くの個人を集団として合理的な結果へと導き、個別には利己的な動機から集団として親切な結果へと導く」(105〔一七四(第三章)〕)からである。市場は壊滅的な帰結をもたらしうるという事実は意図的に抑圧される。リドレー自身、この壊滅的現象について個人的に知悉しているというのに、である。詐欺的な金融業者に住居や貯金を奪われ、彼らの強欲さのつけを支払わされることになった数限りない男女は、いまのような主張に眉に唾をつけてかかるにちがいない。資本主義の金融システムに対する信頼は実際のところ大きくなっているとリドレーは私たちに教えてくれるのだが、彼がそう書いている、まさにそのとき、世界中の市民の多くが銀行家を、変態的小児性愛者やダイオウイカをみるときにいだくのと同じような嫌悪感をもって眺めているというのに〔ダイオウイカは西洋では伝説上の海の怪獣クラーケンのモデル、またはそのものとして怖れられ嫌われている〕。

奴隷制と児童労働は一九世紀には違法とされたとリドレーは誇らしげに指摘する。彼が書き添えていないのは、この種の啓蒙的開化的施策のほとんどすべてが、彼の推奨する社会システムそのものからの激しい抵抗に逆らって実現したということだ。人種差別、性差別、そして小児性愛は、彼の議論によれば、今日では容認されることはなくなったということだ。そうしたものがいまもなおいたるところに見出せるという事実は、全体としてみると取るにたらない細部にすぎないということらしい。進歩への信頼は彼の場合、ゆるぎないものであって、地球上の多くで進歩が停滞している事実にたいしても、いっこうに動ずることはない。たとえヨーロッパが、アメリカが、イスラム世界が行き詰まっても、彼の主張では進歩の燈火は中国によって受け継がれるのである。いいかえれば、人類のバラ色の未来は、この残酷な専制国家の手ににぎられているということである。

　リドレーは公正ではないところがあるかもしれないが、まちがいなく彼は自己矛盾をおかしている。彼は資本主義を祝福するが、資本主義という言葉には引用符をつけて、それが消滅する瀬戸際にあることを暗示している。これによって彼はヴィクトリア朝的資本主義がポスト産業的資本主義に道を譲ったといわんとしているのかもしれないが、しかし資本主義システムそのものの存在に疑問を投げかけたほうが彼の議論の流れのなかではしっくりくる。無邪気にも彼は、もし私たちが今のやりかたをこのままつづけていけば、世界の破局は免れないだろうと認めるのだが、そのくせ輝かしい未来の予測を手放そうとはしない。「不実な支配者、聖職者、盗人があらわれるなら」と彼は認める――「未来の世界の繁栄も中途で頓挫（とんざ）するかもしれないのだ」(358〔五四三〔第一四章〕〕)と。ミコーバー〔ディケン

ズの小説『デイヴィッド・コパフィールド』に登場する人物で楽天家の代名詞ともなっている）的な楽天精神で
リドレーは、つねに何かいいことが起こるだろうという信念を消し去ることはない[19]。成長は、と彼は
私たちを安心させてくれる、とどまることはないだろう、と——たとえ悪しき種類の政策によって妨
害される可能性はつねにあるとしても、と彼は警鐘を鳴らすのだが、実際には、そうなることはない
というわけだ。いうまでもなくリドレーは私たちすべてが最終的に狩猟採集時代にあともどりしてし
まうかどうかについて、私たちと同様、確たるヴィジョンはもっていない。そのかわり、彼にあるの
はイノヴェーション〔革新〕の精神への一途な信頼である。天才的創案者や企業家たちにたいするヴィ
クトリア朝さながらの崇拝姿勢を語るなかで、彼はみようとしないのだ、イノヴェーションが複雑な
経済システムのなかの一要因にすぎず、つねに確定的要因になるとはかぎらないことを。素朴な進歩
主義のほとんどの銘柄と同様に、変化、成長、そしてイノヴェーションは、本質的に恩恵をもたらす
ものとみられている。けれども広島原爆投下にしても、それは新機軸の結果であり、化学兵器はイノ
ヴェーションによる創造であり、拷問と監視方法は日々進化している。サミュエル・ジョンソンは、
あらゆる変化を大いなる悪と考えていた——だからといって彼が変化の必要性を認めなかったという
ことではないのだが。

リドレーは、資本・資産市場には信を置いていないと公言し、その理由として、資本・資産市場は、
商品・サービス市場と敵対していることをあげているが、そのくせ資本・資産市場にとって不可欠な
経済体制のほうは熱心に擁護している。資産市場については「本来、バブルや暴落に見舞われやすい

ので、まともに機能するようにデザインするのが難しい」[14]（9〔二八（プロローグ）〕）と彼は譲歩する――市場の力を、チャールズ皇太子にとっての有機栽培ニンジンと同様、神聖なものとみなすリドレーにしてみれば、これは致命的な譲歩である。リドレーは、市場が本質的に恩恵をもたらすように機能すると熱烈に信じているのだが、同時に市場の規制を声高に求めてもいる。彼は、大企業などこれっぽっちも信用していないと語る舌の根の乾かぬうちに、大企業賛歌に走るのだ。ウォルマートは労働組合を潰し、小売業を破壊するかもしれないが、そのぶん顧客は商品を安価に手に入れることができる。あるならばリドレーの社会進化論的世界では、大企業のこうしたやりかたは容認できるものとなろう。ある時点で彼は「核テロや、海面の上昇、インフルエンザの世界的流行のせいで、二一世紀の世界は今後恐ろしい場所になるかもしれない」と譲歩するが、そのくせこの著書の最後から二番目の一文では、こう語って私たちを安心させてくれる、「二一世紀は生きるのにすばらしい時代となる」と（28〔五八（第一章）〕& 359〔五四四（第一一章、著書の最後から二番目の文）〕）。この矛盾を解消するには、ただこう想像するしかない、すなわち彼は、溺れ死ぬかと思うと爆弾で粉々に吹き飛ばされ、おまけに深刻な病気に感染するという経験を、またとない貴重な経験とみるだろう、と。

世界のなかには、リドレーが認めているように無政府状態あるいは独裁政治への転落によって動乱状態になっているかもしれない地域、また長く居座りすぎた経済停滞が大規模な戦争の引き金となる地域もあるかもしれない。だがたとえそうでも「どこかで誰かが他人のニーズを前よりもうまく満たす方法を見つけ出すように動機づけられていれば、合理的な楽観主義者は人間の暮らしの改善がいずれ再開すると結論せざるをえない」(32〔六四(第一章)〕)。しかし、もし話題になっている戦争が地球規模の核戦争ならどうなるのか。また「いずれ」とは、どれくらい先のことなのか。コンラート・ローレンツは、その著『攻撃』を終えるにあたって次のように主張している、非暴力的な人間が生まれる唯一の可能性とは、未来になんらかの遺伝子変異が起こり、私たち全員が互いに相手をいたわりあう動物に変化するときである、と。[15] けれども、そこまで長きにわたって私たちがしんぼう強く待ちつづけることができるかは定かでない。人間にとって、どのくらいの過渡的な悲惨状態なら、リドレーは、楽天的になるのをやめることなく、ひたすら我慢できる覚悟ができているのか。そしてもしイノヴェーションが利益をもたらさないとわかったらどうなるのか。その著書が、あからさまに無視してかかるのは、資本主義が創意工夫にとむ思考を支援すると同時に、そうした思考を押しつぶしにかかるということだ。明るい未来を確信する楽天精神の守護神たちがどうしても呑み込めない真実とは、偶然の変化があるかぎり、永続的な失敗の可能性もあることだ、まあ、たしかに、そこに心動かす進歩の可能性もあるとしても。

ついでながら重要なこととして留意すべきは、リドレーがある特定の社会秩序の道徳的浅薄さをみようとしないことだ。つまり個人が、おそらくは割りのいい見返りを約束されるときにのみ他人の役にたとうとするような、そんな社会の道徳的浅薄さのことだ。彼が憤慨するのは、反企業活動家たちが国民健康保険制度のような「巨獣（リヴァイアサン）」を全面的に信頼するいっぽうで「大企業(怪獣（ベヘモス）)」には疑いの目を向ける(大企業は市民にかかわりをもってもらうように懇願せざるをえないというのに)」(111〔一八三(第三章)〕という事実である。資本主義を月の光と同じように自然なものとみている人間にとって思いもおよばぬこととは、たとえばクレジット・カードをこれみよがしに見せびらかさないと傷口を縫い合わせてくれない病院とか、子どもたちに算数を教えてくれない学校よりも、利益を度外視した企業のほうを、多くの人が道徳的に優れているとみなすかもしれないということだ。リドレーは資本主義企業を「人びとの一時的な集まりで、彼らが生産するのを助け、それによってほかの人たちが消費するのを助けるものだ」(115〔一八九(第三章)〕)と述べる。あたかもマイクロソフト社やコカ・コーラ社は慈善団体で、〈サマリア人協会〉〔英国の慈善団体〕や〈ボーイスカウト〉とともに人びとの福祉のために無私の精神で貢献するとでもいいたいかのように。「ほかの人たちが消費するのを助ける」というのはエクソンやマイクロソフト社の企業活動を記述する、すばらしい婉曲表現である。これではまるで自動車泥棒のことを、あなたから車を奪って、あなたを歩かせることで、そろそろ脂肪のついてきたあなたのお腹をへこませるのに貢献する慈善家とでも語るようなものだ。

その熱く華麗な表現にもかかわらず、リドレーの明るい未来のヴィジョンは、奇妙なことにくぐもっている。たとえば産業革命初期のイングランドで炭坑や工場で働いていた人びとは「ひどく危険で汚くて騒がしい環境の中で働き、汚染された街を通って人がひしめく不衛生な家に帰り、雇用保険も食事も健康管理も教育もひどい状態だった」(219〔三三九(第七章)〕)ことを彼は認めている。それでも彼らはその先祖にあたる農場労働者にくらべればまともな暮らしをしていたと彼は主張する。一八五〇年における都市貧民の状況はひどいものだったが、一七〇〇年の農村貧民の暮らしぶりのほうがもっとひどかった。進歩はあるというわけだ。二〇世紀全般において軍事衝突で死亡した人びとの数はたかだか一億人であるとリドレーは主張する。この数字は、狩猟採集社会における部族衝突で死んだ人間の数にくらべればはるかに少ないという。これは、両手か両足を失うことは、両手と両足をいっぺんに失うことにくらべたら、目に見えて運がいいことだと主張するようなものである。スティーヴン・ピンカーも、その著『暴力の人類史』において同様な修辞を駆使して、こう指摘する。第二次世界大戦の死者五五〇〇万人というのは、当時の世界人口の規模からみてみると、常時トップテンの大災害犠牲者リストにかろうじて食い込む程度の数でしかない、と。これほど心温まるニュースを想像するのはむずかしいだろう。同様の精神でピンカーは気候変動がもたらす危険性についても驚くほど軽く見積もっている。この話題は、彼の気の抜けた説明をもって、たかだか一ページで終わっているのだ。彼はさらに、核戦争の脅威が減少したと、なんの説明もなく決めてかかりながらさらに大胆にもこうのたまうのだ、〔世界の破滅の原因が〕核戦争という恐怖から、「生態系へのダメージ、洪水、暴風雨、大干魃、極地の氷の融解」の可能性予測へと道を譲ったことは「ある種の進歩」を示している、と。[20]

「彼らは殺戮と奴隷化と強奪をほしいままにした」とリドレーは、原始時代の人類について言及し、「何千年にもわたって、この問題は解決しなかった」(351〔五三三（第一一章）〕)という。もしこれがいわんとしていることが、人類はようやく解決方法をひょっこりみつけることになったということなら、リドレーは、この発見を読者に教えねばならないだろう。リドレーは原始時代について、こう語る——「慢性的に暴力に脅かされていた」(44〔八二（第一章）〕)と。あたかも暴力的衝突は、翼手竜と同じく遠い過去の絶滅種だとでもいわんばかりに。私たちはこう語られる、人類の黎明期は「一部の人が他人に仕事をやらせる時代が到来し、その結果ピラミッドができ上がり、少数の人間が余暇を楽しみ、多数の人間がつらい仕事で疲れ果てることになる」(214〔三三一(第七章)〕)と。けれども、こうしたことすべては、テクノロジーの到来とともに変化することになる。あたかも大多数の者たちを少数の者たちがこき使うという慣習が、エジプトのファラオとともに死に絶えたとでもいわんばかりに。実のところ生産諸力の進化は決して大衆に余暇をもたらすことはなかった。それどころか、息つく暇もないテクノロジーの進歩は、近代の男女を新石器時代の先祖たちよりも酷使することになった。そうならざるをえないのは、彼らが労働するところの社会的諸関係のせいであって、これを科学技術優先のリドレーは悪びれることもなく無視しているのである。

別の意味で、リドレーは、みかけほどオプティミストではない。彼の希望にみちた明るさというのは、これまで人類を悩ませてきた諸問題が、いまや解決の途上にあるという信念からきている。しかしこれは、これまでの人類の歴史が実のところ暗澹たるものであったと認めているも同然である。そうでなかったら、尻をたたいて発奮させる必要などないことになる。また今日まで人類に起こってきたことは、その質ならびに持続時間双方において、リドレーが熱烈に祝福する近代以降の進歩をはるかにしのいでいる。したがって総体としてみると、人類史は幸先のよいめでたい歴史では決してない。なるほど私たちは癌の治療法をみつけるかもしれないが、過去に癌の猛威にさらされ、それに屈した何百万もの人たちにとって、これはなんの慰めにもならない。アフリカの子どもたちは、何十年か先にはふっくらしたほっぺの顔になるかもしれないが、だからといってすでに飢餓状態にあえぐ何百万の子どもたちの運命をかえることにはならない。そうした過去をあがなうにはバラ色の未来がどれほど長くつづかねばならないのか。そもそもあがなうことなどできるのか。キリスト教は、病み苦しむ者たちの涙が拭われる未来を、また病める者たちの身体が健康をとりもどす未来をめざしているが、だからといって病や絶望を歴史的記録から消し去ることはできない。神ですらも、すでに起こったことをなかったことにすることはできない。キリスト教の世界観から一歩外にでれば、死者たちに希望はない。私たちは、先祖のおかした犯罪ゆえに死者たちをあがなうことはできない。死者たちは私たちの影響力の及ばぬ遠くにいる、ちょうど遠い未来がそうであるように。ちなみに留意すべきはリドレー自身のキリスト教観が、彼と同類の世俗的リベラルがいかにもいだきそうな神学的無知をさらけ出していることである。たとえば彼の想像によれば、キリスト教徒は身体が魂の入れ物にすぎないと考えているとのことだが、この考え方はなにも新約聖書だけでなくコーンウォール・ナショナリズムにもほぼ等しく認められるのだが〔コーンウォールは英国南西部のケルト民族地域。二一世紀になって自治・独立をもとめる運動が活発化していたが、二〇一四年にEUの少数民族保護条約で少数民族としての位置づけを認定された〕。

リドレーなら、過去など簡単に消去してしまえると唱えそうだが、実際に、そうはいかないのは、とりわけ過去が、現在にとって、必要不可欠な構成要素となっているからである。確かに私たちは過去を超えて進むことができるのだが、それはひとえに過去が私たちに受け継がせてくれたさまざまな能力を駆使してのことである。そもそも何世代にもわたって、支配と服従、傲慢と無気力によって育(はぐく)まれた慣習は、一夜にして脱ぎ捨てることなどできない。それどころか、そうした慣習は、イプセンの戯曲が示すように、人間の創造力の根底を汚染する罪悪感と負い目もたらす遺産となり、現代史の骨格と血流に浸潤し、私たちのより啓蒙化され解放を求める衝動にたえずつきまとう。これにたいしリドレーは、進歩主義者のずさんな区分、暗愚な過去と啓蒙化された未来という区分を受け入れてしまったのだ。彼は、いかにして過去が現在とからまり、現在に害をなすかをみていないだけでなく、私たちにとって過去が、来るべき前途有望な未来において貴重な資源となりうることもみていないのだ。存続の頼みの綱とするものが同時代の経験でしかないような文明は、まことに貧弱な文明である。リドレーのようなリベラルな近代化推進派たちが過去によって困惑させられるとすれば、ひとえにそれは、過去の多くが近代化推進派のオプティミズムをむしばむからというだけではない。過去は、現在の変容をうながすような遺産をふくむのだが、そうした遺産はみかけよりもはるかに深いところまで根付いているからでもある。

　リドレーは、歴史において不変の要素のひとつが人間性(ヒューマン・ネイチャー)であると固く信じている。けれども人間性なるものは、今日までの物語から判断するに、繁栄の基盤となるものをほとんど提供していない。彼の保守主義は、こうして彼の進歩主義と齟齬(そご)をきたす。彼はまたこの問題において矛盾している。なにしろ彼は、人間性の不変不易性への信頼とならんで、かなり通俗的な、いわゆる商業的ヒューマニズムの押し売りに走るのだ。商業的ヒューマニズムにとって、商業の成長・発展は社会全般における礼節の広がりと手を携えている。私たちが商売をすればするほど、私たちは良い人間になる。そして最後にリドレーができることは、信ずることである、人間性のひとつの側面——卓越した新しいアイデアを全面的に受け入れることのできる私たちの能力——が、これまで、残酷さや利己心や搾取行為にしかむかわなかった私たちの性向を乗り越えることになる、と。これは、見込みがありそうもない賭けにみえる。

リドレーは、大文字の〈進歩〉〔Progress〕を信じているのであって、小文字のたんなる進歩〔progress〕を信じているのではない。この意味で彼は平均的な会社重役よりもヘーゲルやハーバート・スペンサーに近い。第一次世界大戦の戦場の廃墟に朽ちはてて横たわっているとかつて思われていたヴィジョンが、新しい千年紀の最初の十年に復活をとげた。『繁栄』が広げる大風呂敷は、人類種の起源から輝かしい未来へといたる大きな物語（グランド・ナラティヴ）であり、二一世紀に生きることのすばらしさをめぐってなされる一連のつつましい考察などではない。人間は集合的知性を進化させ、たがいに考えを交換できるようになり、それによってみずからの条件を改善することもできるようになる。そうした共同作業はまた拷問と戦争を生み出してきたという事実は、意図的に看過される。そのうえさらにこの著書が把握していないのは、集合的知性なるものは、マルクスが全幅の信頼を置いた生産力の進展なるものと同様、概念としては一般的すぎて人間の進歩の尺度にはなりえないということである。概念が曖昧模糊（あいまいもこ）としていることにひるむことなくリドレーは進歩を「男女の営みの明確な潮流」(350〔五三一—五三二(第一一章)〕)と語る。要は、彼が一時代前の実証主義者や歴史学者——ちなみに彼らのことを私たちは忘れていると彼は思っているのだが――なみの、度し難い決定論者にすぎないということだ。

この点で少なくとも彼はとことん後ろ向きな前衛主義者なのである。進歩は、関節炎と同じく抵抗し難いものに思われる。私たちは進歩の趨勢（すうせい）に対してはブルドーザーを前にした穴熊（バジャー）のように無力である。個々人の問題にかんしてリドレーは穏健な因習的中産階級のリベラルでしかなく、「どこに住み、誰と結婚し、自分のセクシュアリティをどう表現するか」(27〔五七〕)について自分自身で選択する以外のすばらしい達成感を想像できないようなのだ。荘厳な人間物語、広大な領域と無数の時系列を渉猟しながら展開するこの物語が行きつく先は、ハムステッドや北オックスフォード〔どちらも英国の高級住宅地〕で好まれているような事象にすぎない。しかも彼が個人レヴェルで高く評価している自由も、社会レヴェルにおいては消散するかのようにみえる。人間の歴史を容赦なく前進させる集合的知性は、新たなチャレンジをつぶしにかかる点において、傲慢な専制君主と選ぶところがない。まさに、神の摂理に逆らうことができないのと同じように、市場のみえざる手に対して逆らうことなど夢のまた夢なのである。

またそうなると、リドレーの精神の明朗さを一皮むけば、あらわれるのは、運命論者めいたいでたちである。たとえば彼は「収入格差は経済成長がもたらす必然の結果なのだ」(19〔四四（第一章）〕)と書く。それにしても未来の幸福を伝える使者たる彼が、なぜ、このような暗い運命の預言者になるのだろう。こうした運命が実現しないような社会存在の形態を彼は構想できないのか。なぜ彼は概念のイノヴェーションにはかたくなに眼をそむけるのだろう。彼が称賛してやまない創造的想像力はここではどうなってしまったのか。経済の膨張が同時に大きな格差を生むことのないような社会システムを構想することは、私たちの褒められるべき聡明さには及ばぬことなのか。リドレー自身の想像力は現在が不変であるという論理に束縛されている。彼にとって、未来の不確定性に真正面から向き合うことは、自分が止まっている枝を自分の手で切り落とすようなものなのだ。向き合わなければ、未来は現在の向上版にすぎないものとなる――とはつまり、それは真の未来ではないということだ。

リベラルに楽天家がいるなら、同じく左翼にも楽天家がいる。[16] レフ・トロツキーは、その著『文学と革命』の末尾で、共産主義の未来について彼なりのヴィジョンを描いてみせる――

山河を移動させたり人民宮殿をモンブランの頂や大西洋の底に建立することを学んだ人間は、もちろん、自分の生活に、富や華麗さ、緊張だけでなく高次のダイナミズムをも付与するであろう。……人間は、ついに、自分自身を真剣に調和させるようにめざしはじめる。労働や歩行、遊びのさいに、自身の器官の動きが高度に明瞭で目的に適い倹約的であり、またしたがって美しくあるようにめざす。自身の器官の半ば無意識的な過程、さらには無意識的な過程、つまり呼吸や血液循環、消化、受精などを掌握したいと思うようになり、必要な限度内で理性と意志の統制下におく。……解放された人間は、自己の器官の活動により平衡をもたらし、自己の組織の発達と消耗がより均衡がとれているように望むものであり、すでにそれだけによっても、死の恐怖を危険にたいする器官の的確な反応の枠内に導くことができよう。……

人間は、自身の感情を支配し、本能を自覚の高みにもちあげて透明なものにし、意志の導線を、隠れた地下のものにまでゆきわたらせ、そうすることによって自身を新しい段階に高めることを——より高度な社会的・生物学的タイプ、強いていうなら超人をつくりだすことを——、目的とするであろう。……人間ははるかに強く、賢明で、繊細なものになり、その身体はより調和がとれ、動きはより律動的で、声はより音楽的になるであろう。日常生活の形式は動的な演劇性をおびてこよう。人間の平均的なタイプはアリストテレスやゲーテ、マルクスのレベルにまで向上しよう。こういった山脈の上に新たな頂が聳えたつのである(21)。

おそらく、これはスターリン主義下のロシアの正確な全体像ではないだろう。ソ連の銀行員は乗り遅れたバスに駆け寄るとき、バレエ・ダンサーのように優雅な身のこなしをみせることはなかっただろうし、自分の血液循環をコントロールできる小売店店主などいなかっただろうし、労働収容所で命令をくだす声は、いつも音楽的であったとはいえないだろう。この、どこまでも楽天的なトロツキーの文章と較べると『繁栄』は、まるで旧約聖書の「ヨブ記」である。

＊

希望は、つねに進歩の教義と対になっているわけではない。実際のところユダヤ＝キリスト教は、希望と進歩とのつながりを断ち切る信仰である。たしかに歴史においては進歩といえるものが時として生ずるかもしれない、しかし、進歩は救済と混同されてはならない。歴史が、全体としてみると、〈全能の神〉へと徐々に着実に近づく右肩上がりの動きをしめし、最後には栄光のフィナーレへと滑りこむことなどないのだ。新約聖書にとって〈終末（エスカトン）〉あるいは未来の神の国は、歴史全体の到達点として、そしてそれゆえ漸次上昇する行程の輝かしい終点として誤解されてはならないものとなっている。〈終末〉は、輝かしい終点どころか、人間の物語へ予測できないかたちで突如侵入し、人間の物語のロジックをひっくり返し、人間の物語において優先順位をつけられたものを踏みにじり、人間の物語の叡智を愚かしいものと暴露する、そうした出来事として理解されるべきものなのだ。メシアは歴史の主旋律の最高音を響かせるのではなく、むしろ主旋律を唐突に中断させるものなのである。メシアについてまぎれもなく明白な事実とは、メシアが到来しないということであって、それゆえ、おのおのの世代に託されるのは、虐げられた人びとのためにメシアの力の片鱗を行使し、メシアの到来を早めるという希望をもってして、貧しき人びとを力づけることである。この意味でメシアの不在は偶然ではなく確定的なものである。メシアが不在であるがゆえに、歴史を救済する責務が人間の手にゆだねられるところの可能性の場（スペース）が確保される。もしヘブライ語の聖典によって約束されている革命的な転覆が私たちの時代に実現し、貧しき人びとが良きものに満たされ、富める者たちが丸裸にされて追い払われることになれば、そのとき歴史は唐突に終わりを告げることになるだろう。

とはいえ歴史と〈終末（エスカトン）〉との関係は、ただたんに不連続というわけではない。実際のところ両者のあいだには、ある程度まで連続性はあるのだが、ただ、その連続性が堂々たる目的論の態(てい)をなしてはいないということなのだ。神の国は、黙示録的に歴史時間に押し入り、その歴史時間に内在していた変容の諸契機を実現させ、また歴史時間の中心的プロットと呼んでよいものとは逆行して存在してきた正義と同胞愛の断片的物語を完成にもちこむのだ。このようにみれば、歴史という織物のなかに、希望が暗号化されたパターンとして織り込まれているかのようにみえる。この希望というサブテクストを構成する文字は、歴史時間の全域に散在し織り込まれているのだが、〈最後の審判の日〉に、はじめてひとつにまとめられて読解可能な物語となる。まさにそのとき、世俗の歴史をふりかえると、正義をもとめるあれやこれやの奮闘努力のあいだに存在していた秘密のつながりが可視化され、こうしたすべての出来事が、単一の救済プロジェクトの諸相であったことが露見するのである。

このサブプロット、すなわち、散逸しているが、つながりのある諸契機の星座的配置に対して、ヴァルター・ベンヤミンが『歴史哲学テーゼ』のなかで付与した名称は、伝統である。ベンヤミンの考えでは、この秘められた歴史のさまざまな〈断片(ディスジャクタ・メンブラ)〉の親和性をいまとここにおいて構成することによって、〈最後の審判の日〉の回顧的眼差(まなざ)しを先取りすることが革命的歴史家の責務である。(22) そうすることで歴史家は時間の流れを一時的に停止し、その黙示録的終末を前もって示すことになる。メシア的時間とは、ジョルジョ・アガンベンが論じていることだが、ありふれた〈時間的経過(クロノス)〉に対するなんらかの別の選択肢的(オルターナティヴ)な次元ではなく、そうしたありふれた時間がみずからを終わらせる時間、すでにあるもの(ジ・オールレディ)と、いまだないもの(ザ・ノット・イエット)とのあいだに宙吊りになっている内的ずれ(イナー・ディスロケーション)あるいはたがのはずれ(アウト・オヴ・ジョイントネス)

であって、そのなかで時間は縮小されたり成就されたり概括されたりする。[23] ちなみにこのヴィジョンと、アラン・バディウが「真理としての政治の儚(はかな)い継起的連続の稀有であると同時に貴重でもあるネットワーク[24]」と呼ぶものとは無関係ではない。

革命的歴史家の責務が喫緊のものであるといえるのは、その歴史家が救済しようとしている歴史が、いつなんどき消滅してもおかしくないからである。消え去ることは、所有せざる人びとの運命である。彼らは系譜や継承とは無縁の男女であり、異なる種類の記憶法を必要とする不毛／不妊の人びとである。彼らが表象するのは、アントワーヌ・コンパニョンが「変遷に取り残されたもの、敗者たちの、(まだ)何の結果も出していないものの、宙づりにされた起源の、進歩の落伍者たちの歴史[25]」と呼ぶものである――それは、正義をもとめる顧みられぬ闘争の歴史である、それもすでに消滅し公式の歴史における年代誌に爪痕を残さない歴史、それによって継承や特権や相続の概念全体の信用を失墜させる歴史、だがそうした歴史の顧みられぬ不可解な力こそ、虐げられた人びとの歴史記録者はなんとしても救出せねばならないものだ。歴史記録者は、虐げられた人びとを、彼らをつねにのみこんでしまいかねない忘却の淵から救わねばならない、そして彼らを〈最後の審判の日〉のために保存せねばならない、彼らをその一部とする破滅的運命の物語を粉砕し、彼らを救出することによって。私たちは、この地上で波風をたてようとするのである。もはや波風をたてることのできない、つまり死んでいる人びとのかわりに。

そうすることは、ベンヤミンの考えでは、時間を短絡(ショート)させることである。つまり歴史的非常事態の瞬間をメシア到来に直接関係あるものとすることで、時間の不毛な進化を妨害するのである。このようにして歴史記録者は、地に呪われた者たちを、彼らが生きていた時代に耐えてきた敗北の日々から、少なくとも記憶のなかで解放してやり、政治的現在に有効な救済の力を彼らに担わせるのである。マックス・ホルクハイマーが書いているように「つらいのは誤解され忘却のなかに埋葬されることである。闇のなかに光を投げかけることこそ歴史研究の栄誉である」[26]。ここで考えられているのは敗者の年代誌としての歴史記述であって、帝王の視点から語られる叙事詩ではない。ちなみにつねに想起される必要のある人びとのなかにはベンヤミンその人もふくまれる。ファシズムの犠牲者としての彼は、自身の置かれた状況を、現在時においては救済不可能なものとみなしたようだった。「私たちが、あとからやってくる人びとに求めるのは」と彼は書く――「私たちが達成した数々の勝利に対する感謝ではなく、私たちの数多くの敗北に対する回顧である。これこそが慰めである――自分が慰められるといういかなる希望ももてない者たちにあたえられる、これが唯一の慰めである」[27]。

ベンヤミンの眼には普遍史（ユニヴァーサル・ヒストリー）（「一般史」「世界史」とも訳せる）というものがみえていたが、それは語の通常の意味における大きな物語（グランド・ナラティヴ）を構成していない。それはむしろ苦難の消えることのない現実とでもいうべきもので、これは〈大きな物語（グラン・レシ）〉と普遍的形式を共有するものの、そこに目的論的方向性はない。そのような苦しみのなかに意味はなく、それゆえその歴史に意味はない。かくしてベンヤミンはヘーゲルやマルクスの究極的にはハッピーエンドで終わる喜劇的歴史観を、悲劇的、メシア的観点から造型しなおすのだ。もし彼に歴史をまるごと語ることができるのなら、それは彼がこうした歴史観を執筆していたときの非常事態状況、ナチスから逃れる途上での自殺直前のきわめて危険な瞬間が弁証法的イメージを構築したからである——このイメージのなかで歴史そのものは、シュールなかたちで圧縮かつ短縮され、ベンヤミン自身の個人的・政治的危機というレンズをとおしてみられるようになり、そして立ち現れたのだ、永続的緊急事態としての歴史が。

たとえそうであっても、ベンヤミンはまた歴史のもつはかなさを、希望の皮肉な資源としてみている。なぜなら歴史のとらえどころのなさという特性が、逆説的に、メシアの到来を指示するからである。世俗的時間の一瞬一瞬の消滅は、メシアの重要な契機となりうる介入との直接的な関係において、歴史そのものがその間、なにごともなく過ぎ去ったことの指標となる(キリスト教にとっては、メシアはすでに到来していたのかもしれないと付け加えてもよいかもしれない——ただし、このメシアは拷問され処刑される政治犯という出で立ちであって、およそメシアらしからぬ姿形のために実質的に不可視な存在となっているのだが)。歴史という名で知られる広大な瓦礫(がれき)の山においてベンヤミンの眼にもっとも貴重なものとうつったものこそ、一瞬一瞬が隠しもっている秘密の配置形態——それはまた暗さを増す空に光り輝く星座のように映えるのだが——であり、男女は世俗の不浄な歴史のなかで一貫してメシアの到来を早めようと奮闘努力し、メシアが最終的に彼らに付与することになろう正義と友愛を、おのおのの時代において目指し、そうすることで時間の成就完成を実現しようとしたのだった。こうした瞬間は、破綻なく連続した大きな物語の各局面としてみてはならない。いわんや、それらはただたんに特異点として存在するのではなく、かといって一連の栄光の実存的〈無償の行為〉として存在するわけでもない。そうではなくてそれらは、ひとつひとつが神の国の到来における戦略的な一手なのだ。それらは貨物列車が貨物を送りとどけるように、神の国を送りとどけるわけではない。問題は、どうしたらブルジョワ的進歩主義の流儀で未来を盲目的崇拝物にすることなく、行為の成果に希望を託せるかである。抵抗したい道具的合理性と角突きあわせることのない戦略的な行動というものも存在するのではないか。

したがってベンヤミンのもとめるのは、非進歩主義的な形態の希望であるとわかる。彼の歴史観は敗北主義とも勝利主義とも一線を画すものだ。それはある点でフリードリヒ・ニーチェの歴史観に驚くほど似ている。ニーチェもまた過去の恐怖をあがなうかもしれない未来を創造する必要性を信じていた――この未来はベンヤミンの〈歴史の天使〉さながら現在のまやかしの安定性へと暴力的に侵入し、現在を爆発的な「いまとここ」にかえることになろう。とはいえニーチェには、死者たちが搾取者の手によって苦難を強いられたことに対するつぐないを自分の手でするつもりは毛頭なく、ただ、この呪われた物語(サーガ)全体を正当化することしか念頭にない。もし輝かしい未来を、つまり〈超人(ユーバーメンシュ) Übermensch〉の未来を創造できるのなら、そのとき過去は、この偉業に欠かせぬプロローグであると回顧されることだろう。ニーチェにとって未来は勝利に沸きたっている。これに対しベンヤミンにとってすべての歴史時間は、メシア到来と比較すると、空虚なものとなる。けれども奇妙なことに歴史時間のそれぞれは充実したものともみなされうるのであって、これはそうした時間のいかなる瞬間も救世主が到来する狭き門を形成しうるからである。もし時間のあらゆる瞬間がただ空疎であるのなら、そうした瞬間が、メシア到来への強い予感によって活性化されることはないだろう――そうした予感には名称がある、すなわち希望と。けれどももしあらゆる瞬間が、ある種の歴史主義の流儀にならって、過度に負荷がかかり、爆発点寸前まで膨れ上がり、すべての過去の瞬間の重圧であふれかえっているとみなせるのなら、その瞬間なるものは、メシアの到来を受け入れるのに必要な開かれた状態をつくりだす暫定性を欠いてしまうことになる。時間は連続性を確保されるものの、それによって価値を喪失することはない。緊張関係があるのだ――予感と実現成就との間に、現在時の空虚さと、その現在時にメシア的なものがいまにもふくれあがりこぼれでるかもしれないという予感との間に。

これとは対照的に進歩のイデオロギーでは、あらゆる瞬間は価値を欠いているのであって、それは、それぞれの瞬間が、その瞬間の継承者へといたるたんなる踏み石でしかないからである。現在は未来へと駆け上がるときに踏まれるタラップにすぎない。時間のあらゆるポイントは、いずれ到来する無限のポイントとの関係からすれば取るにたらぬものとなる。ちょうどイマヌエル・カントの終わりなき進歩のヴィジョンがそうであるように。まさにこの展望、人間の歴史から、そのカタストロフ的性格を奪うようなこの展望こそ、ベンヤミンが道徳的自己満足にすぎず、政治的には静観主義にすぎないと却下したものだ。なにしろそれは男女を叛乱へと駆り立てるものが、解放された孫たちについての夢想ではなく、弾圧された先祖たちの記憶であることをわかっていないからだ。私たちに希望の資源を付与するのは、過去であって、より満足のゆく未来を約束する思弁的な可能性だけではないのだ。かくしてエルンスト・ブロッホ、ベンヤミンの友人でもあった彼は、「過去のなかにあるまだ片のついていない未来」[28]について語ることができた。

現に、ベンヤミンにとって過去は、奇妙なことにうつろいやすいものである。進歩主義者は過去の歴史を死んだもの終わったものとみなし、未来を開かれ不確定なものとみる。この場合、未来はおそらくまったく不定形なものとはならないだろう、なにしろ自己完成能力信仰の預言者たちにとって、未来は、永続的向上の法則に縛られているからである。未来は、向上するという面をみるかぎりでなら、少なくともなんらかの確実な科学的予測に従っておかしくない――未来は現在における進歩を表象することになろうから。とにもかくにも、未来が、過去よりもはるかに開かれたものであるのは自明であるように思われる。しかしながら、ベンヤミンの観点では、過去の意味は、現在が過去をどのように保管管理しているかにかかっている。過去の歴史は流動的で不安定で宙吊りであり、その十全な意味が確定するのはこれから先のことである。過去を回顧し、それに確定的な意味を付与することができるのは私たちにほかならないが、そのとき私たちは、たんに過去をなんらかの方法で読み解くことによるだけでなく、私たちの行為によっても意味を付与するのだ。たとえば一二世紀のアヴィニョンで育てられた子どもが、やがてみずからを粉々に吹き飛ばす運命にある人類の一員であったといえるかどうかを決めるのは私たちである。したがって私たちは過去を未完のままにとどめ置き、そのみかけの完結性を最終的結論として受け入れるのを拒否し、過去のみかけの運命性を、自由のしるしのもとに、いま一度書き換えることによって、その過去を開かれたものにすべく努めねばならないのだ。

芸術作品と同様に、過去の意味も、時間とともに進化する。芸術作品はベンヤミンにとってゆっくり燃える導火線に似ていて、新しいコンテクスト——それがどんなものかは誕生時には予見できないコンテクスト——に入るたびに新鮮な意味を産みだすのである。完成当初からこうした芸術作品に秘匿されていた真実は、その死後の生のなかでなんらかのめぐりあわせによってはじめて解放されるのかもしれない。くりかえすと過去の出来事の意味は究極的には現在の管理のもとにある。弁証法的ひらめきのなかで現在における一瞬が、過去の一瞬と親和性を帯びるのであり、この瞬間にたいし新たな意味を付与することはまた、現在が、みずからを新鮮なまなざしでみつめ、みずからを過去に約束されたものの潜在的な実現であるとみなすことができるということだ。

したがって、ぼんやりとした意味ではあっても、私たちは現在と未来だけでなく過去にたいしても責任があるといえる。死者が蘇生されることはない。しかし悲劇的形式の希望というものがあり、これによれば死者たちは、新たな意味付けがなされ、これまでとは異なるかたちで解釈され、これまで思いもおよばなかった物語のなかに組み込まれるのである。そのあげく死者たちのなかでももっとも人目につかない者たちですら、〈最後の審判の日〉には、いうなれば、功労者として言及される。なるほど彼ら死者たちと私たちとの間にはなんら現実的な連続性は存在しないかもしれないが、解放をもとめた彼らの闘争は私たち自身の闘争に組み込まれ、その結果、私たちが、みずからの時代に獲得するかもしれぬ勝利は、死者たちの頓挫したプロジェクトに意味と正当性を付与することになるかもしれない。私たちの時代の支配者たちの権威に挑むことによって、ベンヤミンの信ずるところによれば、私たちは過去の支配者たちの正当性をも覆すことに貢献するのであり、この意味で、過去の支配者たちによって虐待された人びとになりかわって、私たちが鉄槌（てっつい）を下すことになる。驚くべきことに、ベンヤミンにとってはノスタルジアですら前衛的なひねりを加えられて評価されうるのであって、これは悲哀とかメランコリーが彼の手にかかると階級闘争の武器となることと似ている。悲しみに、これほどまでに活力が注入されることは例のないことである。マイケル・ローウィはベンヤミンの「深く、慰めることのできない悲しみ」について述べている。この悲しみは、にもかかわらず、ベンヤミンの眼を未来へと向けさせる。[29] 過去に対するゆるぎなき郷愁（ホームシックネス）の革命的ヴァージョンをベンヤミンは打ち出そうとしている――これはプルーストの偉大な小説におけるがごとく、過去の出来事が現在からの回顧的眼差しのもとでなにか実を結ぶようにはたらきかけるもので、そうであるがゆえに過去の出来事は、その最初の生起のときよりも意味の負荷が大きくなるようにみえるのだ。〈一度は数のうちに入らない（アインマール・イスト・カインマール）〉と小説家のミラン・クンデラは述べる。[17] ベンヤミンにとって死後（アフターライフ）の生なき出来事は、存在論的もろさを漂わせるものであって、ラディカルな歴史記述がそうであるような回想の儀礼をともなわないと、つねに政治的無意識のなかに跡かたもなく沈んでしまう危険性にとらわれている。

　メシア的時間は、このように、進歩の原則とは対立する。メシア的時間は世俗の歴史のなかに希望を見出していない。世俗の歴史は、ただほうっておかれると、新たな戦争とカタストロフと蛮行の戦場を生み出すだけである。要するに、ベンヤミンは希望が歴史に内在するという信念を、悲観的宿命論や自己満足的勝利主義と同じものとみて早々に切り捨てたということだ。ベンヤミンの神学よりももっとオーソドックスな神学では人間の能力のなかに希望する能力もあらかじめ組み込まれているが、希望できるからといって、キリストの再臨の際に愛と正義が十全の開花をみるという保証にはならない。これとは対照的に、ベンヤミンの〈歴史の天使〉にとって肝要なのは歴史を廃棄することであった。積もりゆく過去の瓦礫に恐れおののく表情を浮かべながら、〈歴史の天使〉は死者を覚醒させ、そしていまとここに永遠をもたらすために歴史を拘束しようとするのだ。「出来事の連続」としてある歴史に非常停止ブレーキをかけることで〈歴史の天使〉がねらうのは、メシアが到来する空間を確保することである。この〈歴史の天使〉の試みを阻害するのが進歩のイデオロギーである。このイデオロギーは、無限と永遠とを誤解して、救済が、歴史の核にあるのではなく歴史の最後にあると想像してしまうのだ。さらにこのイデオロギーが当然視しているのは世俗の歴史が、それ自身の潮流のなかで人類が必要としている正義を授けることができるということだ。ベンヤミンの見解では、カント的な無限の進歩は地獄のイメージにほかならず、商品形態の永遠の反復をはらむものでしかない。このまことしやかな原理こそ、〈歴史の天使〉を情け容赦なく未来へと吹きもどそうとするものであり、そのため〈歴史の天使〉も、その大胆な救出作業の成功に必要なだけ時間の流れを停めることができなくなる。進歩の神話とはまた、過去のカタストロフ――〈歴史の天使〉が驚愕の眼差しをむけるそれ――こそ、よりよい未来に欠かせないプレリュードであるという大嘘である。〈歴史の天使〉は、そのような弁神論がまやかし（イリュージョン）にすぎないことを知っている。だからこそ〈歴史の天使〉は、そうした目的論などおかまいなく、いまとここに、楽園をわりこませようとするのだ。もし永遠などというものがあれば、それは時間の行き着くはてに存在するのではなく、時間の中核のなかにあるにちがいない。とはいえ、この進歩という難攻不落のイデオロギー的虚構には〈歴史の天使〉ですら抗うのがむずかしく、そうであるがゆえに死者は埋葬されたまま蘇ることはなく、長いカタストロフの歴史は、ひたすら前進しつづけるのである。

マルクス主義は、進歩の理念についてはユダヤ＝キリスト教よりも明確な姿勢を誇示している。マルクス自身、生産諸力の着実な進化をほとんどの場合信じて疑わなかったように思われる。しかし、この進化には、人間の幸福の累積的増加が付随することはないとも考えていて、これが、機械論的思考のリドレーとおおむね異なるところである。人間の力と繁栄とが全盛をきわめることは、幸福をもたらすどころか、すでにみてきたように貧困と不平等と搾取を生むことになる。最終的には、マルクスの考えによれば、あらゆる男女は、未来が過去から受け継ぐ精神的・物質的富を共有することができるだろう。その限りでは、人間の物語は喜劇的な結末をもつ。けれども、この富が蓄積されるメカニズムとは、階級社会のそれであり、そこから生まれるのは、搾取また搾取の連続の物語でもある。まさにこのことをマルクスは念頭において、歴史は悪い面を進んでいると主張したのだ。[18] ある角度からみれば歴史は前進（オンワード）と上昇（アップワード）の運動を表象する。なにしろ人類は、その物質的発展を後ろだてにして、より複雑な欲求と欲望を獲得することで、新たな力と受容力とを進化させるのだから。しかしながら、べつの角度からみると、歴史は組織的不正から不正へと、こそこそとうごめきながら進むものであり、そのため物語は悲劇的なものとなる。悲劇は必ずしも不快な結末にいたるわけではない。わずかばかりの幸福を手に入れるために人は地獄めぐりをせねばならないということを、悲劇は意味しているだけかもしれない。これはまちがいなくマルクス主義の主張であるかのように思われる。

このマルクス主義の主張には、重大な問題がある――マルクスが時として、生産諸力の長期的な停滞可能性を見すごしているということとはべつの問題である。その主張は、ある種の弁神論つまり悪の存在を擁護する議論ではないのか。マルクスは、現在の不正は将来の正義のための必要条件であると主張しているのか？　彼の信ずるところでは社会主義は、先行する生産諸力の膨張を基盤としてはじめて可能となる。そうでなければ人が手にするのは、彼が辛辣に「貧困の全般的普及」と呼ぶものでしかないだろうし、このことはソヴィエト連邦ならびにその衛星国の歴史が証明しているとおりである。とはいえ生産諸力をもっとも効率的に膨張させるのは資本主義であるが、資本主義はマルクスの眼からは不正問題そのものなのである。まさにそうであるがゆえ彼は主張する、「人間種族の能力の発展が……多数の個人や人間階級さえも犠牲にしてなされる[30]」と。長期的にみて良きものは、短期的にみると不運なものや苦難をはらんでいるようにみえる。結果的に自由の領域を促進させる豊かさなるものは、不自由の成果そのものである。たしかにこれは筋金入りの弁神論のように聞こえ心配になる。それでも、ここにはなんらかの重要な教えがあるかもしれない。たとえば、ひとつには、良いものが最終的にそこからあらわれることを希望して悪事をなすことと、既存の悪をみずからの利益のために役だてようとすることとはちがう。とはいえ、もういっぽうでいえるのは、社会主義の到来が、階級社会の犯罪を回顧し正当化するだろうとはマルクスの著述のどこにも示唆（しさ）されていないということとである。

たとえ公正な社会に運よく到達する人びとがいるとしても、旅路のさなかトンネルで死亡したり路傍で朽ちはてたりした人びとはどうなるかという問題が残る――こうした人びとは歴史の機構によって幸福な終着駅にたどり着けなかったのではなく、その名前そのものが歴史的記録からはじかれ、実りなき骨折り仕事の一生を送るほかなく、生まれてこなかったほうが幸せだったのではないかという、まさにショーペンハウアー的精神で問いかけてみたくもなるような人びとなのだ。実現もできず記憶されることもなく挫折していった数えきれない人びとはどうなるのか。「社会主義の建設のもっとも緊急な問題とは」とフレドリック・ジェイムソンは書く、「依然として個々人の犠牲の問題であり、現在の世代が自分では決してまみえることがない未来の世代の利益のためにおこなう自己抑制の問題である[31]」と。「倒れて行った人びとの運命」は、とマックス・ホルクハイマーは述べる「いかなる未来も修復できない。……この限りなき無関心のなかで人間の意識だけが、こうむった不正が正されうる場となり、また不正に屈することのない唯一主体的な場となりうるのである[32]」と。とはいえ記憶のなかでの死者の再生は、具体性のある回復行為の代用としてはあまりに貧弱である。また純粋に政治的ないかなる解決をもってしても修復できないような漠とした無数の悲劇はどうなるのか。たとえどんなに壮麗な光り輝く未来でも、はたして、この悲しみの系譜物語を凌駕できるのかと、みずからに問うマルクス主義者のすくなさには唖然とするばかりだが。とまれいま述べたような意味から、マルクスの理論は、本人の意図とはべつに、こう呼ばれるのが適切だろう、すなわち悲劇的と。

すべての論者が同じ考えではない。人間性にたいするゆるがぬ信頼は悲劇を消滅させると考えるジョージ・スタイナーは、その『悲劇の死』のなかで、マルクス主義もキリスト教も悲劇的信条の仲間入りはできないという前提にたって議論している。「悲劇の主人公に対して償いをなす天国という概念をもつ神学が、いささかでも割り込めば、すべてはぶちこわしなのである」と彼は力説する。[33] ただし彼が考えているのは、キリスト教説が掲げる肯定的な未来のヴィジョンについてであって、肯定的な未来のために人が払わねばならない法外な犠牲は考慮の外に置いている。復活は十字架の現実を解消するものではないし、共産主義は階級社会の恐怖を払拭するものでもない。それどころか、さらにこうもいえる、キリスト教的希望の原理が世俗的な進歩イデオロギーになったときに消えたもののひとつが、まさにキリスト教の悲劇的ヴィジョンである、と。エイヴリー・ダレスは、スタイナーと同様に、キリスト教は悲劇を水泡に帰せしめると主張する。「キリスト教徒は」と彼は書く、「貧困や屈辱や拘禁や身体的苦痛や顕著な身体衰弱さらには死すらも予感しつつ、恐怖のあまりたじろぐことは決してない。こうした最終結果がキリスト教徒を意気阻喪させることはない。なぜならキリストの苦悩を共有することこそ、キリストの栄光に参入する準備をするための正攻法であると、そうキリスト教徒は教えられてきたからである」[34] と。ダレスが忘れているように思われるのは、イエス自身がゲッセマネ〔キリストが苦悩し祈り、その後、ユダの裏切りで捕らえられたイェルサレムの東方にある園〕で苦痛や身体衰弱や拘禁や屈辱や死を怖れひるんだと描かれていることである。イエスが真の殉教者であるのなら、福音書の作者たちがなすべきはイエスが死を望んでいないと示すことである。そもそも殉教者は、貴重だと思っている命を差し出すのであって、価値のないと思っている命を差し出すのではない。天上の至福への踏み台にすぎないとあなたが思っている苦難を、あなたが受け入れることには何の意味もない。目前に迫った苦難や屈辱にひるまない者は尊敬にあたいするのではなくただ鈍感なだけである――たとえダレスがどれほど敬虔なおももちで主張しようとも。そのうえ新約聖書では、神の国の到来が黙示録的な大混乱を先ぶれとすることが示唆されているため、神の国到来の希望は、怖れとおののきと容易に区別はつかないことになっている。キリスト教の奇妙な特徴のひとつは、黙示録的混沌という壮観な大崩壊が、基本的に喜劇的な物語の一部となっていることである。

すでにみてきたようにキリスト教信仰にとって未来の神の国は人類史に内在しているのだが、同時に、人類史とは不連続でもあった。もし未来の神の国が現在において、ちょうどパン生地の塊のなかで発酵するイースト菌のようにひそかに息づいているとしても（「マタイによる福音書」13：33）、未来の神の国はまた夜中に侵入する泥棒のように男女を不意に襲うのである（「テサロニケ人への第一の手紙」5：2）。これをちがったかたちでいえば、恩寵は人間性のうえに立ち上げられるのだが、これは人間性が本質的に恩寵を受け入れることができるようになっているからであるのだが、しかしまた、恩寵は、人間性のうえに立ち上げられるなかで、人間性そのものを変えてしまう。そのため人間性に対する信頼は、人間をありのままに受け入れるリアリズムに支えられるとともに、人間のなかにあって改善すべきものは何かを冷静にみすえる査定評価によっても支えられていることになる。したがって希望があるのだが、生半可なオプティミズムはない。政治的観点に翻訳すれば、純然たる内在論を、ベンヤミンが強く反対した種類の左翼的歴史主義が内包しているといえる。その歴史主義の理論によれば、歴史のなかには、ある種の原動力が作用していて、これが時満ちて歴史を社会主義達成へと導くのである。これとは対照的なのが純然たる終末論〔千年王国到来論〕だが、ありそうもないことにかけては、こちらもひけをとらない。この観点からすれば、変化をもたらす出来事が突如として堕落した歴史――そこに評価すべきものはほとんどない歴史――に侵入するのだが、この歴史のなかには基盤となるものは見出すことはない。たとえそのような出来事は現在を救済するとしても、それは現在のなかに根付いてはいない。これはまたラディカルなプロテスタントの世界観だが、その政治的な相関物は、私たちの時代においては、アラン・バディウの著作のなかに見出すことができる。こうした思考スタイルにとって革命的な出来事は徹底して奇跡的でなければならないのだが、それは堕落した世界に革命を保証するようなものはどこにもないからである。もし歴史主義が時間のはたらきに信頼を置きすぎているとすれば、終末論においては時間のはたらきへの信頼がなさすぎるのである。

マルクス主義の、より正統的な潮流にとっては、キリスト教のカトリックの系譜にとってと同様に、価値のある未来は、現在のなかにおぼろげに判読できなければならない。マルクス主義にとってそれは、現行の体制によって育まれながらも、その体制の矛盾をつくことのできるような諸勢力のなかに見出すことができる。真正の希望が存在するには、未来は現在のなかに係留されねばならない。希望が、どこか形而上的な外宇宙からただ未来に侵入するなどということはありえない。と同時に、現在に仕込まれたイースト菌のような諸力は、最終的に限界を乗り越え、ある状況を志向することになろうが、その状況は現行の想像力を超えたものとなろう。そもそも現在の言語で適切なかたちで捕捉されうるような未来は、現状とは、ずぶずぶの共犯関係にあるわけで、そのため真正の未来とはおよそほど遠いからである。

希望をどのようにとらえようとも、それはオプティミズムの問題ではまったくない。とはいえ、実際のところ、では希望はどのようなものから形成されているのかについての哲学的考察はというと、これが驚くほどすくない。次に私たちが向かおうとしているのは、この問題である。

第二章　希望とは何か

神学上のいわゆる三つの徳目、信仰〔faith〕、希望〔hope〕、慈愛〔charity〕のすべてに、それぞれその劣化版が付随している。信仰は、騙されやすさ／軽信性に陥りやすいし、同様に慈愛はセンチメンタリズムに、そして希望は勝手な思い込み／自己欺瞞に陥りやすい。たしかに「希望」という語を口にすれば、どうしても、希望が打ち砕かれる心配にかられてしまうのだが、それは「希望」の縁語として“faint”〔「かすかな、弱々しい」という意味のほか「希望がはずれる」という意味もある〕とか“forlorn”〔「惨めな」という意味のほかに「希望を失った」という意味もある〕といった形容詞が即座に頭に浮かぶせいかもしれない。明るい希望という概念そのものには、なにか救いがたいほどの素朴さがあるように思えてならないのだが、対照的に、悲観的な陰鬱さには、なにかしら成熟したものがあるように思われる。希望が示唆するのは、気弱な、おっかなびっくりの期待、確固不動なものになりきれなかった確信の亡霊じみたもの、である。現代において希望は、その対極であるノスタルジアと、顰蹙（ひんしゅく）を買うことにかけてはほぼ互角でありつづけている。希望は、弱き葦であり、空中楼閣であり、人あたりのよい同伴者だが案内人としては最悪であり、貧弱な料理に添えられる豪華なソースとでもいえようか。もし〔T・S・エリオットの〕『荒地』が述べるように、四月が、もっとも残酷な月であるとすれば[1]、それは四月が復活蘇生という偽りの希望を育むからである。

希望を、なにか好ましからぬものととる人たちもいる。彼らの考えでは、希望は社会改革者たちにはお似合いだが、悲劇の主人公にはふさわしくない。ジョージ・スタイナーが「絶対的悲劇」形式を高く評価するのは、この形式が、卑しいプチブルジョワ的なもの、その最たるものこそ希望であるが、そうしたものに「汚染されることがない」からだ。「純然たる悲劇においては」とスタイナーは述べる、「虚無がブラックホールのようにすべてをくらいつくす[1]」と。この状況を台無しにするのが、希望のささやかなひとかけらである。悲劇の荘厳は、とスタイナーは宣言する、そのようなむなしい希望のかけらによって矮小化されてしまう。これは、アイスキュロスの『オレステイア』三部作やシェイクスピアの悲劇には、あいにくあてはまらない。アイスキュロスであれシェイクスピアであれ、その悲劇作品は、およそ万人向けではない高尚さを保っているはずなのだから。しかし悲劇は、とスタイナーは主張する、シェイクスピアとは反りがあわない、だからシェイクスピアは必死になって絶望という純然たる本質を希釈しつづけたのだ――救済の可能性のいかにも俗受けするさまざまなヒントをちりばめることで。これとは対照的にクリストファー・マーロウの、ひどくいびつで、むらの多い戯曲『フォースタス博士』のヴィジョンは、仮借なく冷酷で、それゆえこう語るしかない、「根底において非シェイクスピア的」と。この形容は、けなしているのではなく褒めているものだ。悲劇は、あらゆる社会的希望をはねつける、したがってその本質は反左翼的なのだ。ペシミズムは政治的立場である。[2] カトリックの哲学者ピーター・ギーチは、理由は異なるものの、希望にたいして同じように冷淡な態度をとっている。もし希望が、キリスト教の福音に基づくものでなければ、希望などなきにひとしいとまで彼は言ってのける。[3] これは、にわかに信じがたい。なにしろ、もしじゅうぶんな食事をとりたいと切に願っても、その願いがイエスの死と再生になんらかのかたちで根ざすものでないのなら、なきにひとしい扱いをうけるというのだから。キリスト教が人類にとって最後の唯一の希望であるとしても、だからといって、神の国にそぐわぬ願望は、いかなるものであれ、所詮かなわぬものと運命づけられているということにはなるまい。

政治的左翼も、スタイナー的右翼と同様、希望については警戒しがちである。たとえばクレア・コールブルックは「希望なきフェミニズム」という考え方をもてあそんでいる。「フェミニズムは」と彼女は書く、「希望を捨てたほうがよいように思われる――金持ちの男友達をもちたいという希望、胸が大きく、ふくらはぎがスリムであればという希望、流行の入手困難なハンドバッグを手に入れたいという希望、こうした希望を捨てるのだ――これまでうんざりするほど詰め込まれた数々の紋切り型の希望から「私たち」が解放される未来を夢みるために。ユートピアは希望と完全に縁を切るとき、はじめて達成されるのである」[4] と。これはコールブルックがなんの保留もつけずに支持する政治姿勢ではないし、それには、まっとうな理由がある。すなわち女性たちは、たとえいくらたくさんの偽りの、あるいはくだらない希望をもっているとしても、広範囲にわたる真正の希望もまたいだいているからである。ただ、たとえそうであっても希望に対する左翼側の懐疑はまったく根拠がないわけではない。ユートピアをあれこれ想像することで、本来ならユートピア建設に使われるべきエネルギーを、いたずらに消費することになるからだ。

希望をもつ者たちは、希望をもたぬ者たちにくらべて精神的にタフではないように思われがちだ。たとえ、ペシミズムほど非現実的なものはないと思われている時代においても、そうなのだ。ブーヘンヴァルト〔ナチの強制収容所があった場所〕や広島以後の世界において、希望とは、未来が現在よりもなんらかの進歩をとげているであろうという根拠のない漠然とした信念以外の何物でもないように思われている。ここで、サミュエル・ジョンソンの辛辣（しんらつ）な結婚観が思い浮かぶ、ジョンソンいわく、再婚というのは、希望が経験を抑えつけた勝利の証しである。けれども私たちの時代において、もっとも恐ろしい出来事すらも希望へと道を譲ることがある。レイモンド・ウィリアムズが指摘しているように、ナチの収容所で死んだ人びとがいるとすれば、そのいっぽうで、そうした収容所をこしらえた者たちを、この世界からなくそうとして命を捧げた人びともいたのだから。(5)

総じて希望は、神学的徳目のなかで軟弱な徳目であり、他の徳目であるところの、信仰ならびに慈愛にくらべると、学問的探究を刺激することはほとんどなかった。ピーター・ギーチの著書『真実と希望』は、そのタイトルに反して、希望についてはほとんどなにも語っておらず、その著『徳目』における彼の希望論は、その信仰論にくらべると誰がみても貧弱である。とはいえ留意すべきは、三つの徳目が緊密にからみあっていることだ。聖アウグスティヌスは『エンキリディオン』〔キリスト者必携〕のなかで書いている、「希望なき愛もなければ、愛なき希望もなく、またこれら両者も、信仰なしにはあり得ないのである」[6]と。信仰とは、一種の愛をもってつくすことの約束、もしくは情熱的で一途な確信であって、正統的なキリスト教徒にとって、そもそものはじまりは神が人間に惚れ込んだことによる。「思うに信仰者とは恋する者である」とキェルケゴールは『死に至る病』のなかで書いている。[2]信仰は信頼〔trust〕の問題であり、この信頼が、慈愛あるいは自己犠牲の形式をともなう。それは、他者が決してあなたを見捨てることはないという強い確信であり、自分が見捨てられることはないと信頼（トラスト）することが、希望の基盤となるのである。事実『オックスフォード英語辞典』には「希望hope」の古い意味として「信頼の感情 a feeling of trust」を挙げている。希望は、おのが企図が成功することに対する確信であり、ある論者が述べるように、それは「ある種の目的の望ましさや実現可能性を積極的に支持し関わること」[7]である。そのようなものとして希望は欲望をともない、さらに語の広い意味でいうところの愛をともなう。人が理にかなったかたちで希望してよいものが何であるか指し示すのが信仰であり、信仰と希望という二つの徳目は、究極的には慈愛に根差しているのである。

トマス・アクィナスにとって愛は、すでにその対象と少なくとも精神的に結びついている点において、希望とは異なる。これに対しデニス・ターナーは、アクィナスの考えをかみくだいて説明するなかでこう述べている、「真の慈愛が生む希望とは、まさに友人どうしのあいだに信頼感を生むような種類の希望である、というのも私たちは、慈愛をとおして友人となった者たちにたいしては完璧といってよいかたちで信頼をよせるのだから」[8]と。アクィナスの考え方では、信仰と慈愛は論理的に希望に先行する。これに対しカントやジョン・スチュアート・ミルにとっては、神への希望こそが、神の存在を措定させるよう私たちを導くのである。同じことはミゲル・デ・ウナムーノについてもあてはまる。ウナムーノは『生の悲劇的感情』のなかで、私たちは希望するがゆえに信ずるのであって、その逆ではないと主張している。[3]ビル・クリントン元大統領は、かつて信仰と希望という二つの徳目をひとまとめにしてこう宣言したことがある、「私は〈ホープ＝希望〉と呼ばれる場のあることをいまもなお信じている」と。彼が生まれ育ったホープ市〔アーカンソー州ヘンプステッド郡の郡都〕と希望（ホープ）とを掛けたのである。もし彼がこの宣言を少し変えて、「私は〈ホープ＝希望〉と呼ばれる、私の愛する場のあることをいまもなお信じている」と語ったら、神学上の三つの徳目をもらさずひとまとめにできたことだろう。

一般論として信仰のための基盤が合理的になればなるほど、人は希望をいだくようになるのかもしれない。なぜならそのぶん信仰が擁護されやすくなるからである。たとえば、人間には正義を求める強い願望があると信ずることは、たしかに正義への希求については人間の歴史が証明しているところでもあって、理にかなった希望でもある。たとえ正義への希求が最終的に広く支持され凱歌をあげることはないとしても、正義への希求がただおとなしく地上から消滅することはないだろうと希望をいだくことは理にかなう。キリスト教にとって、イエスを死から蘇らせた神を信仰することは、人類も最終的に死からの蘇りを経験するだろうという希望に根拠があることを示すことになる。ところが、私たちは、人間の潜在能力の開花を、たとえ首尾良く開花する確率はなきにひとしいと踏んでいても、熱烈に信ずる〔信仰する〕ことはありうる。そうなると希望は必ずしも信仰に踵(かかと)を接して生まれるわけではない。まさにそのとおりで、あなたは、平和や正義をもたらす力が人間にあるなどとは、ほとんど信じてもいないのに、それでも平和と正義を希望するかもしれない。あるいはあなたは、種としての人間をこれっぽっちも信頼していないのに、あるいは人間の状況が今後際立って向上するかもしれないとごくわずかの希望すらいだいていないのに、人間に熱い愛を感ずるかもしれない。絶望的な愛というのは、決して、ありえないわけではない。

それにしても、希望がまやかし(イリュージョン)であったらどうなるのだろう。イリュージョンだからといって、そのような希望をきれいさっぱり消し去ってよい自明な理由というのはないだろう。アレグザンダー・ポウプの『人間論』のなかでは、希望とは治療のための虚構である。それは私たちに手の届かぬ目標を次から次へと追いかけさせることで、私たちを存続させるはたらきのある虚構である――

希望は湧きあがる、永遠に、人間の胸に。
人間は祝福されていないが、常に祝福されてしかるべきだ。
Hope springs eternal in the human breast;
Man never is, but always to be blest.〔4〕

この二行は、欺瞞的な言明となっていて、その内容は、簡潔な英雄詩体対句(ヒロイック・カプレット)（各行十音節で、行末が韻を踏む対句形式、前記引用ではbreastとblestが韻を踏む）が響かせるような肯定的な調子とは裏腹に、かなり暗いものとなっている。「永遠にeternal」という語は、希望の観念に神聖な栄光の片鱗を付与しているのだが、実のところそれは「はてしもなく、性懲りもなく」というようなことを意味している。私たちについて変わらぬものといえば、私たちの欲求不満である。「人間は祝福されていないが、常に祝福されてしかるべきだから」は前の行をうけてそれなりに敬虔な響きを生み出しているが、その実、冷笑的である。私たちは希望せずにはいられない、なぜなら私たちはつねに幻滅しているからだ。この執拗さは敗北をかたくなに認めぬ姿勢か、さもなくば経験の教えを無視しつづける姿勢とみなされうるものだ。ポウプとサミュエル・ジョンソンにとっても、いやそれをいうなら後期近代の主要な思想家たち（ショーペンハウアー、ニーチェ、フロイト）にとっても、意識とはつねに虚偽意識という夾雑物(きょうざつぶつ)とからまりあっていて、意識は虚偽意識なくして機能することができない。希望は、アポロン的な蜃気楼あるいはイプセン的な人生の嘘であり、これによって虚無は抑え込まれ、神々はなにくわぬ顔で人間を冷ややかにみて高笑いということになる。希望はないかもしれないが、希望があるかのようにふるまえば、希望の可能性はいつしか現実のものとなる。『ある錯覚の未来』の著者としてのフロイトは、宗教的希望を、乳母が子どもに聞かせるおとぎ話とみなし、世界から、そうした癒やし系の虚構をなくすことを望んでいる。[5] エリク・エリクソンは希望を、最初、親に対する幼児の信頼というかたちで顕在化するところの「生きているものに内在している、もっとも早い時期になくてはならない人格的活力（ヴァーチュー）」とみているが、彼はまた、子どもの成長過程は「いろいろな望みを具体化していく成長の中で、さらに発展した一連の望みが広がっていくことを確認するからである」[9]と書いている。これが遠回しに示唆しているのは、私たちは欲しいものが手に入るやいなや、さらにべつのものが欲しくなるということである。

　こうした懐疑は近代にかぎったことではない。総じて古代ギリシア人は希望を恵みとみるよりも災いとみている。エウリピデスは希望を人間への呪いと呼んでいる。[6]プラトンは『ティマイオス』のなかで、希望は人間を迷わせると警告している。[7]トマス・アクィナスは希望にみちあふれているのは若者と酔っ払い、そして熟慮を欠いた愚か者の類[10]」だと辛辣に述べている。「こうしてわれわれは決して生きていない」とパスカルは『パンセ』のなかで述べている、「生きようと願っているだけだ」[8]と。バイロンは希望を頬のこけた魔女と呼んでいる。[9]キェルケゴールは『反復』のなかで希望を、人の手からすり抜ける魅惑的な乙女と述べている。[10]ただし彼が念頭に置いているのは宗教的な願望ではなく、世俗的な願望なのだが。ジャン＝ポール・サルトルは〈汚い希望〉について述べている。[11]何世紀にもおよぶ多くの思想家たちにとって、思い違いは人間存在の原動力であり、それを肯定すべきか嘆くべきかは、奮闘努力と自己欺瞞のどちらを重視するかによっても変わる。そもそも私たちは健忘症的存在であるので、過去の希望がむなしく潰（つい）え去ったことを忘却して、べつの魅惑的な幻影を追いかける。そしてこの終わりなき自己忘却の創造こそ、人間存在として知られているものなのである。

　このような観点からみると、希望とは未来に対するフェティシズムである。それは過去を、長きにわたるプロローグに還元し、現在を、ただのむなしい期待の時に還元してしまうのだから。またそうであるがゆえに希望が絶望とさほどかわらぬように思える時代も存在することになる。[12]もし希望が、パンドラの箱から出現した数々の不幸のうちもっとも悪質なものであるのといえるのなら、それは私たちが自分自身に終止符をうつことを、またさらにそこから私たちを取り巻くあらゆる不幸に終止符をうつことを希望が阻止してしまうからである。希望が病であるのか治療であるのか、あるいは同種療法〈毒をもって毒を制する式の療法〉を思わせるように、病にして治療でもあるのか、この問題についてパンドラの箱の伝説は曖昧なままである。私たちの苦しみが癒やされることを希望するのは、実際には苦しみの一部なのか、そういえるのは自殺することで苦しみを出し抜くことを希望が妨げるからなのか。希望は、ショーペンハウアーの悪辣な〈意志〉と同様、私たちをさらに苦しめるために、私たちを生かしつづけるのか。ちょうど拷問者が気を失った拷問被害者の頭に水をかけて目を覚まさせるように。

　こうした観点からすれば、希望というのは、現在時に生じたひび割れであり、そこを通して未来が垣間見(かいまみ)えるのだが、しかしそれはまた人間主体をからっぽにして非存在へとかえるものでもある。希望は、一瞬一瞬のもつ価値を減らし、その一瞬一瞬を、決して訪れぬ未来における成就のために、犠牲にして祭壇にそなえるのだ。いまいるところから、つねに先へとせかされるというこの永続的なプロセス、手にした瞬間溶けてしまう満足を必死でつかもうとするこの永続的なプロセスなくして、人間固有のといえる生は存在しないだろう。「幸福はないし、ある筈がなく、またわれわれのためにはないであろう」とチェーホフの『三人姉妹』のヴェルシーニンは語り、こうも述べる、「われわれはただそれを望むだけです」[13]。希望は、欲望そのものと同じように、ヒトという動物が、みずからと一致しないことの、また人間存在が永遠のいまだなき状態（ノット・イェット）、人間の実体が一種の宙吊り状態であることの、証しでもある。希望が表象するのは、たんなる心的姿勢ではなく、カール・ラーナーが「人間存在の基本的様態」[11]と述べたところのものである。

サミュエル・ジョンソンにとって、この自己との非同一状態は、気を滅入らせるのにじゅうぶんな理由となる。とはいえ希望に対するジョンソンの姿勢は興味深くも曖昧である。というのも彼はまた希望を人間の営為にとって不可欠の刺激であるとみなしているからだ。その詩「ロバート・レヴェト医師の死において」[14]のなかで彼は希望は「人をあざむく」と述べ、にべもない。しかしジョンソンはまた『ランブラー』誌において「希望するのは必要なことである、たとえ希望はつねに裏切られるものだとしても。なにしろ希望がかなわぬことは、たとえどれほど頻繁に起ころうとも、希望の消滅に比べればまだ耐えられるからだ」[12]と書いている。欺瞞あるいは実りある虚偽、いずれにせよ、それは絶望に比べれば好ましい。アイスキュロスの『縛られたプロメーテウス』においてプロメーテウスはコロス〔大洋の神オーケアノスの娘たちで海のニンフ〕にむかって、彼が人間にもたらした贈り物のうち、火以外に素晴らしい贈り物は「盲目の希望」だと語っている。これを受けてコロスは一斉に「それはまた人間たちにずいぶんためになるものをお与えでした」[15]と答えている。おそらく私たちに手に入る唯一の幸福は、いつか幸福が訪れるという希望をもちつづけることなのである。

ジョンソンは、その懐疑的姿勢にもかかわらず、希望を「人間の主要な恩恵のひとつ[13]」と述べることもできた。もっとも彼は、私たちをだますことがないと確信できる希望だけが理にかなった希望であると付け加えている。彼が次のように考えていたことはじゅうぶんにありうる。すなわち、希望の集合のなかで、ひとつの希望(キリスト教徒の救済願望)だけが、その徳をきわめて高く評価されつつも、同時にその中身を浅薄きわまりないものとみなしうる(彼の小説『ラセラス』[16]におけるように)、まさに明瞭な事例として存在するのだ、と。神聖な希求と世俗的な希求との違いがものをいう。おそらくジョンソンにとって希望は、一種の認識的違和と救済的アイロニーをふくむものだった。ちょうど人が肯定しつつも同時に信じていないのと同じように。意志のオプティミズムが知性のペシミズム(本章、訳注(26)参照)と拮抗(きっこう)しているということかもしれない。ある現代の哲学者が苦し紛れに述べているように、「pが「最善と想定している」かのようにふるまうことを希望する者――ふたたび、それはそうなることを願う者。けれども、その者はそれを信ずる必要はないし、あるいはおそらくそうなることもない。その者は、それがおそらくそうではないとすら考えるかもしれない[14]」。しかしながら、あとでみるように、希望は蓋然的なものとかかわる必要はないが、可能なものを軸にして成立するのである。

F・スコット・フィッツジェラルドの『グレート・ギャツビー』の功績は、なにをおいてもまず、主人公の誇大妄想狂的夢想に対して私たち読者が曖昧な態度をとらなくともよいようこの小説がまえもって用意してくれていることである。ギャツビーは詐欺師で堕落した夢想家と判明するが、にもかかわらず彼のデイジーにたいする抑えがたい欲望には輝きがある。欲望のいかがわしさの核心においてて真実が分泌されるのである。ギャツビーには、語り手がいうところの「人生のいくつかの約束に向けて、ぴったりと照準を合わせることのできるとぎすまされた感性……尋常ではない希望……強い夢想……僕は今までほかの誰の中にも見いだすことができなかったし、これからもおそらく目にすることはあるまい」「そのような心」がある。[17] なるほど彼の希望はかなえられることはないだろう。なにしろ過去からの牽引力は、未来への推進力よりも強いことがわかるのだから――

ギャツビーは緑の灯火を信じていた。年を追うごとに我々の前からどんどん遠のいていく、陶酔に満ちた未来を。それはあのとき我々の手からすり抜けていった。でもまだ大丈夫。明日はもっと速く走ろう。両腕をもっと先まで差し出そう。……そうすればある晴れた朝に――
だからこそ我々は、前へ前へと進み続けるのだ。流れに立ち向かうボートのように、絶え間なく過去へと押し戻されながらも。〔三二五―三二六頁（第九章ならびに作品全体の末尾）〕

過去は未来と同じく存在していない。けれども過去は、かつてその威容を誇ったということもあって未来に対して優位にある。かかるがゆえに過去は、これから到来するものには拒まれている権威なるものをふりかざすことがまだできる。もし現在が、過去の軌道からはずれることができないのなら、それは過去というものの大部分が、私たちを形成したものであるからというだけではなく、ギャツビーの不毛な反復衝動がそうであるように、現在が過去から逃れるつもりがないからだ。現在の大部分は、回復不可能なものを、なんとかして取り返そうとする試みからできている。あたかも現在は、過去が再び生起する、それも二度目は喜劇として生起するための一機会にすぎないかであるようだ。世界そのものは、と諷刺家のカール・クラウスは書いている、誤謬（ごびゅう）にみちた逸脱的で遠回りの楽園回帰の途上にある、と。

たとえそうだとしても、ギャツビーが痛ましいまでの自己欺瞞に陥っているからといって、彼のオーラがかすんだり、彼の謎めいたところが払拭されたりはまったくしないのである。あたかも最初にアメリカの土を踏んだヨーロッパからの移民たちのヴィジョンが、その後のアメリカの光と闇の交錯する歴史によって損なわれることがなかったのと同じように。『グレート・ギャツビー』が狭小な視野のもと差し出がましくも「人類すべてにとって最後の、そして比類なき夢」と呼ぶものにおいて、「束の間の恍惚のひととき、人はこの大陸の存在を眼前にして思わず息を呑んだに違いない。審美的な瞑想（そんなものを本人たちは理解もしなければ、求めもしなかったはずだが）の中に引きずり込まれ、自らの能力の及ぶ限りの驚嘆をもって、その何かと彼らは正面から向き合ったのだ。二度と巡り来ぬ歴史のひとこまとして」（三二四―三二五頁（第九章））。同じような調子でポール・オースターの『ガラスの街』の語り手は、こうした先駆者たちの新世界移住について「ユートピア思想を推進する力となったのであり、人間の生活が完全なものになりうるという思いに希望を与えた[18]」刺激であったと考える。たとえこの植民地冒険の帰結が決して一律に肯定的だったとはいえないことを私たちが知っているとはいえ。

　このかなり問題ぶくみの見解に従えば、あまたある希望のなかでももっとも有害な、あるいはもっとも誇大妄想狂的な希望においても、ユートピア的核なるものが存在することになる。ちょうどエルンスト・ブロッホの後期の著作のなかに私たちがこれからみてゆくように。まさにそれゆえにフィッツジェラルドのこの小説は、「『ギャッツビーの』幻想の持つ活力があまりにも並外れたものだった」（一七七頁〔第五章〕）ことを、たとえその幻想がもたらすものが死と破滅であるとしても称賛できるのである。適切に解読すれば、この物語のいわんとするのは、死をもたらすあらゆる希望も、生をもたらす希望のおぼろげなひずんだ反響を私たちにもたらすことができるということだ。まさに人間の行為のなかで、もっとも破滅的な行為が、幸福を求める蹉跌にみちた苦闘を表象する。この意味から、非真正なるものが、真正なるものの媒体として役にたちうるのだ。おそらくここに息づいているのは、いかにもアメリカ文学的なモチーフなのだろう。『白鯨』においてエイハブ船長は、致命的な妄想にしがみつくまさにその粘り強さによって荘厳な悲劇性に到達する。そして同じことは、たとえ叙事詩的壮大さには欠けるとしても、アーサー・ミラーのウィリー・ローマン〔『セールスマンの死』の主人公〕についてもいえるかもしれない。何事かに一途にこだわる人間の、情念と頑なさをにじませる行動様式を崇拝するよう、人は誘われるのである――そうした行為の破壊的なまでの内容を不問にふしながら。

*

希望〔hope〕と欲望〔desire〕とのあいだに違いはあるのか。両者の違いがかなりちぢまるようなときがある。「I hope so〔私はそう希望する／望む〕」というのはたんに「I wish so〔私はそう願う〕」という意味にすぎない。タバコをもとめること〔wishing〕とタバコを願うこと〔hoping for〕のあいだに形而上的深淵が横たわっているわけではない。哲学者のガブリエル・マルセルは希望のほうを愛の一形式として、また欲望のほうをねだりがましく自己中心的なものとみているが[15]、このような仕分けは、逆に、希望にも悪性のものがあり、欲望にも良性のものがあるという事実をみすごしている。希望も欲望も、ともに道徳的状態となるかもしれないが、どちらも道徳的なものでなければならぬということはない。たとえば、あなたは雪が降らないよう望むこと〔hope〕もあるし、ピクルスエッグ〔ゆで卵のピクルスのことで英国では定番料理〕を欲すること〔desire〕もあろう〔いずれも道徳的状態とは関係がない〕。欲望はしばしば特定の対象に向けられるが、これにたいし希望の目標は、個別的なものではなく、なんらかの状況全体である。けれどもあなたは、なんらかの事態が出現することを欲する〔desire〕こともあれば、きめ細かい肌の状態を望む〔hope for〕こともある。人は誰かを信頼する〔hoping *in*「〜を信頼する」〕という表現をつかうこともある〔これは何かを望む〔hope *for*〕こととは異なる〕、それは、あなたが誰かにたいして、あなたを裏切ることなく、あなたがもとめるものを届けてくれると信じているということだ。

あなたは、自分がすでにもっているものに執着する〔desire――これは「欲しい」という意味ではなく「欲情する、執着する」という意味〕（そしてこの場合まちがいなく愛している）こともあるが、総じて、あなたは、自分がすでにもっているものを望む〔hope for〕ことはできない。[16] ときとして希望〔hope〕と欲望〔desire〕とはたがいに相反するものとなるかもしれない。あなたは夕バコが一本欲しい〔desire〕と思うかもしれないが、そうした願いには屈したくないと望んでいる〔hope〕かもしれない。あるいはあなたはなにかを意識的に望んでいる〔hoping for〕かもしれないが、無意識のうちにそれに反発しているかもしれない。希望〔hope〕と信念〔faith〕もまた相容れないこともある。たとえば、あなたは狂犬病で死ぬことを希望するかもしれないが、ほんとうにそうやって死ぬ可能性をこれっぽっちも信じていないかもしれない。確固たる信念に基づかなくても、わずかながらの証拠に刺激されて強い希望をいだくことはありうる。あることが起こるはずだと信ずることは、そのことが起こるのを期待することである。しかし、あることが起こることを希望するのは、必ずしも、それが起こると期待していることにはならない。[17]

「今度の十月にはニューヨークにいることを希望します〔I hope〕」というのは、あなたがそこにいることの可能性に対する期待を表明するものだ。これに対し「ミック・ジャガーになれたらいいのに〔I wish I were Mick Jagger〕」というのは、そうではない。[19]「この苦しみから解放されることを望みます」というのは願望〔wish〕を表現しているが、しかしまたおそらく可能性に対して期待していることも表現している。希望は、ただ欲望するのではなく期待もするために、希望がしなければいけないのは、可能なもの、あるいは少なくとも希望にとりつかれている人が可能であるとみなすものを志向することだが、このことは必ずしも欲望にあてはまるというわけではない[18]。世界銀行の総裁になることを希望する者は、たんに総裁になることをただ夢みている者に比べれば、この怪しげな名誉ある職に就ける見込みはかなりある。なぜならそのポストを希望するということは、それを獲得する現実的可能性を含意しているからである。トマス・ホッブズは『リヴァイアサン』のなかで希望について「獲得できるという意見をともなった欲求」と述べている〔20〕。いっぽうポール・リクールは周知のごとく希望を「可能なものに対する情熱」と述べている[19]。スタン・ヴァン・ホーフトはこう指摘する、人は状況を希望がない／見込みがない〔hopeless〕と語るかもしれないが、願望なし／望めない〔wishless〕とは語らない。なぜなら人は、手に入らないとわかっているものでも願望〔wish〕することはあるからである[20]。人はいつでも欲望〔desire〕できるが、いつも希望できるわけではない。あなたは、オコジョ〔イタチ科の哺乳類〕に、あるいはペリクレス時代のアテネ市民になりたいと欲する〔desire〕かもしれないが、あなたは、どちらになることも希望することはできない。自分が生まれてこなければよかったと願う〔wish〕人はいるかもしれないが、生まれてこないことを希望〔hope for〕することはできない。

　希望がかなわぬことは必ずしも愚かなことではないが、やみくもに希望することは愚かである。ガブリエル・マルセルの主張によれば、何であれ、不可能であることが確定していないものであるのなら、人はそれを希望することができるし、それゆえ達成可能性が驚くほど低いとわかっても、その希望が無効になるわけではない。不可能なことを希望するのは不合理であるが、実現可能性がひどく乏しいものを希望するのは不合理ではない。希望は、信念〔belief〕ほど強い根拠を必要としない。なんらかのことが生ずるようにと願う／希望することは理にかなうかもしれないが、そのなんらかのことがほんとうに生ずると信ずるのは不合理であるということもあろう。たしかに人は、やみくもに希望することはありうる。たとえば、あなたがもとめる結果はどうみても得られそうもないときでも、あなたはそうした結果を期待しつづけることはある。しかし自分の希望がかなえられるかもしれないと、やみくもに信じてしまうことは、実現可能性を誤って信ずることだ。人はまた理不尽に欲望することがある。精神分析理論にとって理不尽に欲望する者は神経症に陥りがちである。理不尽な希望のほうには、あまりに小心翼々とした希望もふくまれるかもしれない。希望とはナイーヴなものであるという偏見が、忘れているのは、希望を強くもつことが総じて適切なことであり、希望をあまりもたないことのほうが、むしろ現実にそぐわないというような状況である。なるほど、戦争とジェノサイドの二〇世紀においてもてる希望などほとんどないかもしれないのだが、それでも、たとえばW・G・ゼーバルトのような、時代の肖像を描かせたら右に出る者はいない作家の、その執拗なまでの陰鬱さが、ほんとうに現実的なものかどうか、かえって現実離れしているのではないかという疑いはありうるのだ。

不可能性は希望を破棄させることになるが、欲望を抑えることにはならない。あなたは、現在の北朝鮮の指導者を籠絡(ろうらく)してデンヴァーの繁華街のゲイ・ナイトクラブに誘うことを欲する〔long for〕かもしれない――そのいっぽうで、あなたは自分のこの願望〔wish〕が荒唐無稽なものであることを認めている。アブラハムは、いま自分が振り下ろすように命じられている、その手のナイフから、自分の息子が逃れることを欲望〔desire〕するとき、アブラハムは不可能なことを希望〔hope for〕しているようにみえる。しかしヤハウェにかんしては、なんでもありうる／可能であるので、アブラハムの希望は、実際のところとむなしい希望ではない。また留意すべきことは、私は、自分には不可能でも、あなたには可能なことを希望することができるということだ（たとえば、あなたが三つ子の誇らしげな母になることを私が希望したりすること）。私たちにとって希望は死によって潰え去るが、他者にとって私の希望は、死を乗り越えて存続することもある。これは、そのような希望がつねに私利私欲とは無関係なものであることを意味しない。私は、自分でライヴァル視しているエルヴィス・プレスリーのそっくりさん連中に対する私の生涯をかけた復讐を、あなたが引き継いでくれるよう私は切に希望するかもしれない――私自身、もはや余命いくばくもないときに。

ロバート・アウディが指摘しているように、あることが起こるという信念をもつということは、それが起きても通常は驚くことはないということだ。これにたいし、それを希望するだけの者は、それが起こったら驚くかもしれない[21]。アウディはまたこうも主張している。あなたは、あることが起こることを希望するのは恥ずかしいと思うこともあるが、そのあることが起こるだろうという信念をもつこと自体は恥ずかしいとは思わないかもしれない。もっとも、世界征服をめざすあなたの秘めた計画は気づかれずにすむにちがいないという信念は、恥ずかしい思いをいだくのに足るじゅうぶんな理由となるのだが[22]。実現された希望というのは通常、期待（エクスペクテーション）を修正するものである。欲望の場合と同じで、希望の対象は変形され偽装されたかたちで到来するのかもしれないし、あるいは希望の対象があらわれるまでに、希望そのものが変化してしまったり、跡形もなく消えてしまったりするかもしれない。フロイトにとって欲望は的をはずしがちであり、それがからめとられている深層の渇望プロセス（無意識）によって、脇にそらされたりしがちである。また希望が実際に実現されたときにはじめて人は自分の希望の真の性格について発見するのかもしれない。おそらくイエスの弟子たちは彼の復活を希求していたにちがいないのだが、実際に復活が起こるまで、そうした希望を自分たちがいだいていたとは思わなかったのだ。

トマス・アクィナスはこう述べている、「人間は自分自身の能力を全面的に超えたところにあるものを希望しない[23]」と。そしてこう付け加えている、希望は、その対象へと到達することがむずかしくあらねばならないという意味から、奮闘努力を要するものである、と。アクィナスにとって希望は「入手困難な善にむけての欲求の運動あるいは伸張である[24]」と。不可能なものを希望することはできないが、アクィナスの考えでは、希望のなかでも、手近にあるものや手に入りやすいものを対象とする希望は、その徳目の最善の例証とはならない。希望の対象となるものはと彼は書く、未来にあるところの、また到達困難だが到達できないわけではないところの善きものである[25]、と。ことほど左様に、希望は絶望の敵のみならず、怠惰なユートピア待望の敵でもある。けれども希望は私たちが自分の力で――奮闘努力するにせよ、しないにせよ――なんとかできるものとはかぎらない。人は自分の能力では原則としていかんともしがたいものを希望することもあるかもしれないが、これは不可能なものを希望すること〔ないものねだり〕とは異なる。たとえば、あなたは雨が降らないよう希望するかもしれないし、また、あなたの最近のささやかな社会機能面でのパラノイア的失調が本格的な統合失調症にならないことを希望するかもしれない。

アクィナスには失礼ながら、〈かなりとるに足らない欲望・プラス・期待〉について「希望」という語をなぜ使ってはいけないのか、はっきりしないのだ。たとえば学位授与式のあいだどうかズボンがずりおちませんようにと希望することはある。「あなたに明日会うことを希望します」と語るとき、私たちは、この出会いが相当やっかいなことで、英雄的に乗り越えるべき幾多の障害をともなうといいたいわけではない。またさらに希望の達成を実現可能だとはまったくみていないような希望の形態もある。「新年は新しいイェルサレムで」[21]というのが恰好の例となろう。この種のスローガンを唱える人びとのほとんどが天国あるいは共産主義が一年たてば実際に実現するなどとは信じていないだろう。いくら歴史が光速で変化することもあるとしても。ただし言葉には遂行的（パフォーマティヴ）な力があり、スローガンを発する者たちに元気を吹き込むことになり、望ましい未来の到来をわずかながらでも早めることはあろう。共産主義が来年の七月までに地球全体に広がるようにと希望することは、人が理にかなう希望とみなしていることを表明する修辞的にひねった表現である。この意味で命題の誇張表現という殻のなかには、合理的な核が隠されているのである。

希望はアリストテレスが理性的な欲望と称したものの部類に入り、その対極にあるのは、食べたいとか眠りたいと欲することと同様、たんなる欲求の問題にすぎないような欲望である。たとえば君主制の転覆を希望することは転覆を欲望するだけでなく、転覆実現を信ずること、転覆を良いことと認めること、転覆が起こると信頼すること、転覆の到来を、期待の念と、おそらくはある程度の確信をもって待ち望むことであり、これらすべてに理性がからんでくる。イマヌエル・カントにとって、希望は、徳のある個人がいだく場合にかぎり理性的なものとして正当化される。そうした徳のある個人だけが、誰もが欲望する幸福と思われるものを理性的に予期できるからである。[26] 希望（ホープ）も欲望（デザイアー）も、ほとんどの場合、未来に目を向けるのは、ともに、今現在において達成されていないことの実現へと導かれるからである。いま私は希望が未来を向いていることについて「ほとんどの場合」と限定したのは、たとえば、私が、今現在、運転免許試験を受けている娘のことを思い、彼女が自動車免許試験で最近よくそうなるように自制心を失うようなことにはまだなっていないよう望むこともあれば、昨夜のパーティではしゃぎすぎて記憶がとんでしまった私が、穴熊の着ぐるみに体をすべりこませて恥ずかしいおこないにおよばなかったことをただただ望むということもあるからだ。こうした点が希望を論ずる者たちに見落とされている。そうした論者には、すでにみてきたようにトマス・アクィナスもふくまれるのだが、彼らのほとんどが、希望という徳目を未来志向にだけ置き換えて考えている。いうまでもないことながら、どうしようもない瑣事（さじ）によっても、あなたは未来に導かれることはありうる。未来を信ずる人びとは、ふたりのとりわけ慧眼（けいがん）な人間観察者が書いているのだが、「「なすべき」ことのリストをつくり、カレンダー手帳を使い、腕時計をはめること、また出納帳をチェックすること――こうした活動すべてが未来志向を含意しているのだから」[27]と。聖アウグスティヌスからはるか遠くまで来たものだ。未来志向型希望についていえば、その対象が、たとえ実現はまだだとしても、すでに存在しているかもしれない点に留意していいかもしれない。聖パウロは、「ローマ人への手紙」のなかで、誰も、自分の目前にあるものを希望したりはしないと述べているが[22]、かといってあらゆる希望が終末論的希望に範をとっているわけでもない。あなたは、いま自分の目の前にあるポークパイ〔豚肉で作るパイ、冷やしたものを食べるが、パブやカフェでの軽食として食され、また食肉店、コンビニ、スーパーなどでも入手可能、英国の伝統料理〕を、すっかり平らげたいと希望するかもしれない。たしかに、たいらげる行為はいまだない未来に属するとしても。なお、希望も欲望も、どちらも実現したあかつきには消滅するという点で似ている。願望を成就することをとおして、人は、同時に、願望を消滅させるのである。

　希望は、ある程度、期待（エクスペクテーション）をともなうものだから、一般的にいって希望は物語的に屈折が多く、これは欲望にはないことである。欲望は、ひとつの対象から次の対象へと往ったり来たりするだけで、際立って明白な物語展開があるわけではない。これとは対照的に、希望にはプロットの影がある。現在の願望が未来の実現へとつなげられる。約束するという行為にも同様のプロット化が認められる。希望することは、自分自身を想像の中で未来へと投げ込むことであり、このとき未来は可能なものとして、またおぼろげながらすでに現前しているものとして把握されるのであり、とにかく希望することは欲求に鷲づかみにされ悶々として苦悶の日々をすごすこととはちがう。たしかに未来は存在していない。それは過去が存在していないのと同じである。しかし過去が、その余波というかたちで存続するのと同じく、未来もまた潜在的可能性として現前するといえるかもしれない。これこそエルンスト・ブロッホが「いまだ‐ない‐意識」と命名するものだ、つまり未来は過去と現在の両方のなかに胚胎している、それも来るべきものにたいする、ぼんやりとした予感というかたちで、またそうであるがゆえに反転され、未来の思い出として見出されるのだ。[28] ブロッホの観点では、こうした予感は心的行為ではなく物質的現象というかたちをとる、すなわち芸術作品として、都市風景として、政治的出来事として、大衆の習慣として、そして宗教的儀礼として。私たちは未来を直接知ることはできないが、にもかかわらずブロッホによれば私たちは未来のおぼろげな牽引力、あたかも空間をゆがめる磁場のごとき力を感じとることができる。未来は現実的なものの未完的性格のなかに見出せるし、現実の核心にある空洞としても判別できる。潜在的可能性は、現在と未来とを接続するものだ。そしてそれゆえに希望の物質的下部構造を形成する。厳密にいえば現在は存在しないがゆえに——つまり現在のことごとくが、本源的に、それ自身を過剰に超過し、現在とは、過去の痕跡を維持しつつ瞬時にして未来へと入りこむというふるまいにおいて捕捉されるがゆえに——希望は構想されるのである。しかしまた、もちろん恐ろしい予感や陰鬱な期待もまた胚胎する。

　希望は、そうなると欲望よりも前向きな傾向(ディスポジション)を示す。欲望は欠如を軸として動く傾向にあるのにたいし希望は、今述べたような焦燥感と、一定強度の期待感とを混ぜあわせている。アクィナスにとって希望は、欲望のもつ不安定感——なにしろその対象はまだ確保されていないのだから——の、なにがしかをもっているが、この落ち着きのなさを、目的にむかって突き進む貪欲さで相殺している。

希望は善きものに向かう運動であって、たんなる渇望〔craving〕ではない。希望は欲望に端を発するが、欲望に、ある種の流動性なり一抹の高揚感なりを付与するのであって、これはありきたりな渇望〔craving〕とは一線を画す。これから訪れるであろう至福と、現在の状況との間には、実感できるつながりが存在する。そしてこれが、欲望——少なくとも精神分析的意味でいう欲望——の場合には明白ではなかったところの目的論的勢いを、希望にあたえることになる。欲望は最終的に満足のゆく欲望充足というものを知らず、さらなる充足をもとめて何度もやりなおしつづける。しかしながら、たしかに、希望のなかにも、かすかな希望あるいはそこはかとない希望というものもあって、その場合、現在と未来とのあいだのつながりは弱くなっている。なにしろ、この場合、目的を達成するチャンスが微々たるものであるからだが。

希望も欲望も、現前と不在との相互作用をともなう。ちょうど未来が、それを強く希求する行為によって、徐々に明確なものになるように。また同じことは想像力についてもあてはまる。けれども強い希望は、現実という深淵をとびこえた彼方にあるところの未来における願望充足をみすえているだけでなく(この点だけなら、欲望のありようとかわらない)、未来の願望充足の兆しを受けとり、ある種の幸福感と、未完結感とを融合させるのである——現在のなかに未来のしるしや証しを見出すことによって。はたしてキリスト教は、現状を、喜ばしい期待と結びつける。エルンスト・ブロッホが述べているように「幸福な現在を、ただちに未来への抵当としてとらえる」[29]と。これにたいして欲望は、ほとんどの場合、心地よいものとはいえない。欲望する者は、希望する者とは異なり、笑ったり宙返りをうったりはしない。これは欲望するものが、希望する者と異なり、欲求不満状態（フラストレイティッド）であるからだ。希望する者は、希望がとおらなかったときにかぎりフラストレーションに陥るにすぎない。

ルートヴィヒ・ヴィトゲンシュタインの観点では、希望のもつ暫定的構造は言語と関わっている。「動物が怒っている、怖がっている、悲しんでいる、喜んでいる、驚いているというのは想像できる」と彼は書く、「だが、希望をもっているのは？　どうして想像できないのだろうか？」(30)と。彼の論は、問題提起しながらも答えをだしている。動物が言語を所有していないから、と。彼のいわんとすることを敷衍（ふえん）すれば、犬は、自分の主人がもどってくることをぼんやりと予想しているだろうが、しかし主人がもどってくる正確な時間や特定の曜日を予想することはない。なぜなら犬は、言語をもたない生き物であるため、たとえば水曜日や三時といった概念がないからだ。これを踏まえれば、言語を獲得した人間だけが希望すると言えるだろう。未来の大きな可能性を開くのは言語である。フィロンは書いている、希望は、人間と他の動物とを区別するもっとも枢要な特徴のひとつであるが、しかし、どのくらいの規模の願望をいだくかによって区別の度合も異なってくる、と。なるほど犬が、イスラエル・パレスチナ紛争を解決したいという高邁な願いをいだくことも、また、ろうそくの火に照らされたレストランでスカーレット・ヨハンソンと静かなディナーを楽しみたいという、ひそかな野望をいだくこともないとしても、犬が、主人から骨を投げてもらいたいという希望をもっていることはまちがいなくいえる。たとえ犬には主人が三時にもどってくると予想することはできなくとも、自分の鼻をもう一度主人の顔にすりよせることへの強い期待と予感めいたものはもっているだろう。ヴィトゲンシュタインは犬が嫌いだった、だからであろう、犬の能力を低く見積もりがちだった。[31] アクィナスは、ヴィトゲンシュタインよりは犬好きであったかもしれなくて、犬は他の動物と同様、希望することができると信じていた。[32]

＊

希望にたいする広範囲にみられる関心は、近代における歴史主義と密接にむすびついている。伝統遵守の時代から未来志向の時代への移行、無時間的形而上的真実から歴史的に未完のものへの移行において、希望は鍵となる役割をはたすシニフィアンである。少なくともマルティン・ルターはこのように希望をみていた。彼の見解では「哲学者たちは眼を事物の現在に向け、ただ特性や本質を考える。しかし使徒［パウロ］は、眼を事物の現在の相や、それらの本質や特性からそらし、事物の未来に向ける。使徒は被造物の本質や作用、行動(actio)や熱情(passio)、あるいは運動については語らず、新しい、珍しい神学的単語をもって被造物の期待(expectatio creaturae)について語る」。[33] 近代は、現在を未来に照らしてながめる、とはつまり現在を、潜在的に現在時を否定する観点からながめるということである。本質は、いまや未来における可能性となった。現象を定義するのは、直線的進化の方向を反転させ、現象内部にあって、現象を〈いまだ実現していないもの〉の方向へと屈折させる形態ということになった。まさにベンヤミン的な反転によって、現象の現在を確定するのは現象の未来なのである。この重要な真理を宣言するのは使徒パウロであることを考慮すれば、近代の起源は驚くほど昔にまでさかのぼるといえるのかもしれない。

ルターの影響下でユルゲン・モルトマンは次のように述べる。古代ギリシア人にとって真理は確定的かつ永遠のものであるが、これに対しヘブライ人にとって真理は、神聖な約束とその約束の歴史的履行との間の緊張関係のなかにある[34]、と。「キリスト教は」と彼は書く、「徹頭徹尾、希望なのであり、すなわち、単に終末論という附録においてのみではなく、すべてにおいて希望であり、前に向かっての展望であり遂行であり、それゆえ現在が打ち破られ変化することなのである[35]」と。ユダヤ教聖典によれば、とヴォルファールト・パネンベルクは次のように主張する、すべての存在は未来を志向するものとして把握せねばならない。終末論は「現在との関係のなかで、未来がおびる存在論的優先性」と関係するのだが、彼の観点では、そうであるがゆえに終末論こそがユダヤ＝キリスト教の中心をなすカテゴリーなのである。「神は、いまだない（ノット・イエット）」と彼は書く、しかしそれは「これからある（イエット・トゥー・ビー）[36]」と。未来に対するこうした偏愛は、近代思想における不変の特徴でないのはたしかだ。ポール・リクールはヘーゲルの著述を希望の思想に対抗する「回想の哲学」とみなし、これはカントの歴史観と一線を画そうとしてのことであるとも考えた[37]。ニコラス・ボイルも同様な主旨に沿って、こう述べている、ヘーゲルには未来に対する哲学的関心はない[38]、と。

希望を感情（エモーション）あるいは経験（エクスペリエンス）としてみることは誰もがかられる誘惑である。アリストテレスは『弁論術』のなかで希望について、未来の事物にかんする心地よい興奮をともなうものと書いていて、それは記憶が、なんらかの過去の出来事について心地よい興奮を覚えるのと同じであるとしている。[39]ジョン・ロックは希望を、未来に楽しみが待ち構えていることを予感するとき私たちが感ずる「心の快」とみた。[40] エルンスト・ブロッホはときおり希望を情動（アフェクト）ないし感情（エモーション）としてみなしていたようで、これはルネ・デカルトやデイヴィッド・ヒュームも同じだった。ヒュームにとって希望は、恐怖、悲しみ、喜び、忌避といった大きな中心的情念（パッション）のひとつにランク付けされ、未来に待っている楽しい出来事――しかもまだ不確かだが不可能なことではない出来事――を考えるときにおのずと湧きあがるものであった。[41] けれども実際には希望と連動する固有の感覚、徴候、興奮、行動パターンといったものはない。ちょうど憤怒や恐怖にも連動するものがないのと同じように。こうしたことは、希望が欲望の一種であることになかば起因する。欲望は経験であるけれども、いかなる確定的な興奮あるいは情動（アフェクト）とも結びついてはいない。[42] 人は、とくになにかを感じていなくとも、希望することはできる。

同じことは期待〔expecting〕についてもあてはまる。「期待しているexpecting」〔この語には「子どもを産む予定の」という意味もある〕状態にあるといわれる女性が、毎日一瞬も欠かさず子どもの誕生を熱烈に願っているということはないだろう。ヴィトゲンシュタインが指摘しているように約束するとか意図することは、ともに経験ではない。さらに付け加えるのなら信ずること〔believe〕も経験ではない。それは希望と同様、興奮感覚ではなく生来の傾向（ディスポジション）である。ヴィトゲンシュタインが論証しようとしたように、私たちは生来の傾向あるいは社会実践を、感じているという状態であるとずっと誤解している。たとえばひそかに約束を破ろうと決意していながらも約束をする場合、これは約束したことになるのだ。なにしろ約束することは社会制度であって、心的行為ではないからだ。ひそかに結婚式だけはごめんこうむりたいと思いつつ結婚をする場合、それでも配偶者と結婚したことにかわりはない。来週、皇太子に会うつもりだ〔intending〕と語ることは、心の状態を報告しているのではなく、状況を記述しているのである〔intend には「意図する」「望む」という意味のほかに「予定である」という意味もある〕。このような意図／予定〔intention〕は感情（畏れ多さ、恐慌、反発など）をともなうことがあるかもしれないが、ともなわないかもしれない。たとえともなうとしても、意図が感情によって規定されることはない。

同じことは希望についてもいえる。たとえ希望のほうは、切望、興奮、予感といった感情状態（エモーショナル・ステイト）にくるまれて登場するとしても。スタン・ヴァン・ホーフトが指摘しているように、たとえば、語り手が、ある人物について「彼は成功するという希望をいだいていない」と語るとき、たとえその語り手が、心のなかでは、その人物が成功する希望を抱いていることを確信していても、発言は完璧に意味がとおる。私たちが話題にしているのは、個々人の心の決意や確信ではなくて、状況なのだとすれば、問題ないのである。[43][23] 希望にみちた〔言葉で鼓舞するように〕話しをする〔speak hopefully〕ことは、個々の言葉の使い方が独特であることの指摘であって、言葉に特定の情動（アフェクト）をまとわせて語っていることの指摘ではない。他人をなぐさめているとき、突然湧き起こった重苦しい虚無感に心の中がすみずみまでみたされていたとしても、そのときに相手を慰めるために発していた希望にみちた言葉は、希望にみちたものでありつづける。来週、友人に会うことを希望すると宣言することは、一般論として、自分が何らかの興奮感情の支配下にあることを主張するものではない。幼児に労働させることを終わらせたいという希望を表明することは、精神状態の表明ではなく政治的意見表明になるだろう。ジェイン・ウォーターワスが皮肉っぽく述べているように「ある女性が自分の夫や息子が帰ってくるのを希望するということは、二週間、数箇月、数年間にわたって引き延ばされる情動的（アフェクティヴ）状態を意味するのではない[44]」。その女性の希望行為は、夫の姿をみかけた瞬間、激痛が突然緩和されたかのように終わってしまうのか？　あるいは希望行為は、消えていくところだが、完全に消えるまえにしばらくのあいだつづいているということか？　それは、腹痛のように、彼女が寝ているあいだもつづいているのか。もし希望が感情（エモーション）ではなく生来の傾向（ディスポジション）であるのなら、人は眠っているあいだも希望を失わずにいると語ってよいかもしれない[45]。もし、あなたが、はなはだ暴力的に誰かの胸ぐらをつかんで、世界平和を希望しているかどうか尋ね、その人が苦しそうに「はい」と返答したら、それで、世界平和を希望するか否かの問題は一件落着としたといえるだろう。このことは認めてよいと思うのだが、希望は、たとえその希望についてなんの感情をいだくことがなくとも、現実のものであるということだ。実際のところ、どうしようもなく自殺したい気分になっていても、希望をいだく合理的根拠が存在することを人は認めることもあろう。これは、どんなに気質的に陽気であっても、状況が修復不可能であることを認めずにはいられないような場合と同じく、感情によって状況の意味が変わることはないのである。

　オックスフォード学派の哲学者ギルバート・ライルは、同僚から、ライル自身の次の著作には、いつお目にかかれると希望してよいのかと尋ねられて、「あなたは、ご自分の好きなときに希望すればよい」〔“You may hope whenever you like.”〕と答えたという〔質問の要点は、いつ新著が出版されるのかであるが、ライルは、要点を故意にすりかえ、いつ希望してよいのかととらえ、希望するならいつでも好きなときにどうぞと切り返した〕。これは大学の教授食卓(ハイテーブル)での古典的なやりとりである。まちがいなくライルは、さりげなく悪意をこめた語り口で、発言者である同僚の問いの文法上の曖昧さに乗じて、この同僚のある種の不作法／語法上の不明瞭(ソリシズム)〔solecism〕をそれとなくとがめているのである。「あなたの新しい本を、私たちはいつ見ることができると希望していいのですか？」が意味するのはもちろん「いつ私たちは、あなたの新著を目にする喜びをもてるのですか？」であって、「あなたの新著が出版されることを、いつの時点から希望しはじめていいのですか？」ではない。しかしライルはまた即興で哲学的な問題を提起していたのかもしれない。おそらく彼は、希望を自由意志による事象であるとあえて誤解することによって〔私たちは実際のところ自分の好きなときに希望などできない〕、あるいは、希望をその始まりを正確に測定できるところの情緒的興奮と、あえて誤解することによって、希望の本質にかかわる主張をしていたのだ。「何をなしとげたいと望み〔希望し〕ますか？」〔What do you hope to achieve?〕と問うことは、なしとげることについての説明を求めているのであって、〔何を望んでいるのかという〕主体の状態についての報告を求めているのではない。ここで問われているのは、状況に刷りこまれている志向性の構造〔何をなしとげるか〕であって、経験〔何を希望するか〕ではないのだ。ただ、人は、自分がつらい心痛に悩まされていることについて誤解することはありえないのだが、これとは対照的に人は、自分が本物の希望をいだいていると誤解することはある。たとえば人は、期待が劇的にはずれても少しも気落ちしていない自分を発見するかもしれないが、その場合、人は、期待していたものが実はつまらないもの、もしくは高嶺の花と、最初から無意識のうちに気づいていたのかもしれない。あるいは自分が希望をいだくことを期待されていると勝手に思い込んで、希望するふりをしつづけたということもあるかもしれない。

希望を徳目（ヴァーチュー）と呼ぶのは、希望を経験ではなく傾向（ディスポジション）と主張することである。アクィナスは神学版の希望のことを「精神の傾向」と記述している。もっとも彼は通俗的な希望のほうは、それを、怖れや悲しみや喜びといった基本感情のひとつにランク付けしているのだが[46]。ジョン・スチュアート・ミルは希望という徳目を「五感に拍車をかけ、あらゆる活動的エネルギーを好条件に保つ」傾向とボーイスカウト風の物言いで語っている[47]。デカルトは希望を、望むものがいずれ現れると確信する魂の傾向としてみている[24]。他の徳目と同様、希望は特定の方法で思考したり感じたり行動したりする獲得習慣なのである。希望とは一回限りの出来事ではなく、生活様式に属さねばならない。忍耐している状態であるのと、忍耐という徳を所有していることとは異なる。人生に一度だけしらふでいた人間が、自分に自制心という徳がそなわっているとは主張できない。さらに慣習や許容能力というのは経験ではない。そもそも習慣的に希望することをやめない個人は、ある種の感覚的興奮に酔っているのではなく、未来に関して肯定的に行動したり反応したりする傾向をもっている人間なのである。この限りでは、こうした彼ないし彼女は、楽観主義者と似ているが、希望という徳を実践することは、必ずしも、楽観主義者さながら事態は好転することを前提としているわけではない。むしろ事態が思わしくないときに希望をもちつづけることのほうが得られるものが大きい。そのうえさらに希望を失わない人間は、潜在的な破滅の深淵をのぞきみることができなければいけないのだが、楽観主義者は通常、暗い面はみようとしない。希望を習慣とする者たちは、なぜ希望するのか、その理由を示すことができる(たとえば、一般論として、人間というものは信頼できるから、というような)。これにたいして気まぐれな楽観主義者は、そういう合理的な説明はできない。

もし希望が感情(フィーリング)にすぎないのなら、希望は、アウグスティヌスにとってもアクィナスにとっても、徳目に数えられることはないだろう。あなたは徳をもつように勧められることはあろうが、ある種の感情をもつように勧められることはない。すくなくとも自発的に生まれるような種類のなんらかの感情をもつように勧められることはない。許しの感情を抱くために血のにじむような努力をする者たちは、その努力を称賛されることもあろうが、しかし本能的に共感すること自体は、たとえそれがどれほど道徳的に良い結果をもたらそうとも、道徳的達成ではない、なぜならそれは努力して達成されたものではないからだ。希望は訓練や自己鍛錬によって育成されるので、希望とは報償にあたいする善行である。エルンスト・ブロッホが正しく主張しているように、希望は習得されなければならない。希望を徳と呼ぶことは、とりもなおさず希望が人間の幸福へと導くものであると主張することである。この理屈に基づけば、希望を抱くことは私たちの自己達成にかかわることなので、私たちは希望を抱くべきなのだ。私たちは希望すべきである、すくなくともそうするのが理にかなっているときには。反対に、私たちは肉切り包丁で自分の手足をたたき切ったり、他人の功績をねたんだりしてはいけないのは、それが理にかなっていないからである。希望は選択でもなければ気まぐれでもない。このことを、認めない論者もいる。希望は欲望の一形式であり、そうであるなら、欲望とは通常、私たちには制御不能だからという理由で。とはいえ私たちは通常、自分で欲しているものを選択しているとはかぎらない。そもそも神学上の三つの徳目のうちどれも、最初から、意志の問題ではないのだ。おそらく、私たちは希望すべきであるという考え方に反対する者たちは、希望が積極的に育まれることを過小評価している。ただし、たとえ希望が義務であるとしても、だからといって私たちはつねに明るくふるまう義務があるということではないし、また希望することが明らかに無意味なときにも希望するという義務があるわけでもない。たしかにキリスト教徒は、たとえ状況がどれほど絶望的にみえても習慣的に希望を抱いているものなのだが、しかしこれはキリスト教徒が復活の約束ゆえに希望をいだくことを理にかなっていると考えているからである。

留意すべきは、希望が、希望と同様に称賛される特性、すなわち忍耐、信頼、勇気、一貫性、回復、自制、堅忍、辛抱などといった一群の特性をふくむ美徳であることだ。ルターは希望を「精神的勇気」[48]と定義している。哲学者のアラン・バディウは希望をもっぱら忍耐と永続性の観点から「堅忍不抜の原理」としてみている。[49]希望は「忠誠に対する忠誠」の形式である。なにしろ希望は、人に、もっとも過酷で動揺する出来事にもめげず自分自身の信念にどこまでも固執することをもとめるのだから。これとは対照的に気質的な楽観主義のほうは、希望ととりわけよく結びつけられる美徳〔忍耐、信頼など〕のほとんどを必要としない。自然発生的なものとしての楽観主義は、わざわざ、そうした道徳習慣を育む必要がないからである。

希望と欲望一般を、すでに私たちがしてきたように区別することは可能であるが、そのいっぽうで広義の希望は欲望の様式のひとつであると認めることも可能である。ざっくりいって、希望とは〈欲望プラス期待〉から成り立っている。人は、欲望せずに予測(エクスペクト)／期待することはできるが、人は、欲望せずに希望することはできない。称賛されると同時に自分には好ましくもないものをあなたは希望することができる(最優秀選手が優勝することを希望するものの、あいにく、それはまちがいなくあなたではないというような場合)。あるいは満足がいくとともに不快でもあるようなものを希望することもできる(たとえば犯罪に加担したことで罰せられることを希望する場合)。しかし欲することなく希望することはない。絶望は希望を否定するが、絶望は欲望を否定しない、たとえば絶望している者が、死んだパートナーと天国でいっしょになるために、この世の命を捨てようと願うことはあると、ジェイン・ウォーターワスは指摘している。希望は、私たちがすでにみてきたように、欲望のなかでも私たちが合理的とレッテルを貼るようなクラスの欲望に所属しているけれども、だからといって希望はつねに正当化できるものでも良性のものでもない。希望とは、道徳的に洗練された欲望の一種で、これは欲求の対極にあるが、だからといって、希望は、語の肯定的な意味において道徳的である必要はない。あなたは七歳以下の子ども全員を皆殺しにすることを希望することもあれば、あなたの本を酷評した書評者たちを全員を地獄送りにすることを願うこともあろう。私たちが、自身にとって望ましいと思われることを希望するという事実は、必ずしも、その希望がいだくにあたいすること、あるいは私たちがそれをいだくにあたいすると思いこむことを意味しない。私たちは自身が希望するものが価値のないもの、有害なものであることを、それを希望しているまさにそのときに認めることだってあるかもしれない。

この最後の可能性は強調しておく価値はある、なにしろ希望は、それ自体で、なんとなく貴重なものであるという広くゆきわたった幻想があるからだ。希望は、「家族」とか「想像力」とか「未来」といった用語と同様に、人を欺きかねない肯定的な用語である。けれどもアクィナスが私たちに思い出させてくれたように、偽りの、あるいは悪辣な悲願というものもある。この点はエルンスト・ブロッホも、実際にそうしている以上に有益なかたちで念頭に置いていたかもしれないのだ。〔待ち望まれていた〕ゴドーがやってきても大惨事にならないと誰に言えようか〔サミュエル・ベケットの演劇作品『ゴドーを待ちながら』への言及〕。英国国歌は、君主の敵が打ち破られるようにという希望を伝えている。[25]一応キリスト教信仰の国としてはなんとも奇妙な希望である。私たちが希望というものを本能的に肯定的なものと考えてしまうひとつの理由は、おそらく、希望が想像力と関係するからだ。想像力のはたらきというのは、由緒正しいロマン主義の伝統のなかでは、他に並ぶものなき善としてみられている。しかし想像力には、健全な用法と有害な用法とがある。たとえばジェノサイドは、想像力の巧みな応用なくしてなしえないのである。

希望も欲望も訓練し育成することができるし、両者はともに、客観的に良いことを到達目標に定めるなら、どちらの場合も、理性の介入を必要とする。理性は――ホッブズやヒュームが想像したように――希望や欲望をどのように実現するかという問題が浮上したときにかぎり介入してくるわけではない。理性は、たとえどれほどぼんやりしたかたちであれ、最初から現前していなければならない。トゥキディデスは希望と理性を対照的なものとして考えているが、両者の峻別はかえって誤解を生む[50]。「希望はありますか」〔Is there any hope?〕というのは、「希望することは理にかなっていますか」を意味する。欲望のありようは、大部分において、思惑とかかわりあうという点において認知的なものである。なるほど、あなたはいわくいいがたい願望をいだくこともあるかもしれない。ちょうど、恐れている対象についてまったく思いあたらないのに、それでも恐怖を感ずることがあるように。しかし、あなたは、自分ではまったく説明できない何かについて、それが欲しくてたまらなくなることはない。これは、低レヴェルの認知内容をともなう欲望の形式（たとえばあくびをしたい衝動に駆られたとき）が存在することや、その他の、あきらかに現実離れした欲望の様式（たとえばたくさんの銀行家たちが法廷で裁かれるのをみたいというような）があることを否定するものではない。同様に希望も、純粋にとるにたらないものということもありうる。たとえば死ぬまぎわになってくしゃみをしたくなるような。さもなければ希望は、高度に認知的な事象にもなりうるのであり、嘔吐感や名づけ得ぬ癇癪がそうであるのとはまったく異なるかたちで、知識や信念そして思考力などをともなうのである。

エルンスト・ブロッホが〈学習性希望〉と呼ぶものがこれである。この種の希望は道徳的方向づけであって、たんなる願望あるいは自発的衝動ではない。理性は希望なくして開花しないとブロッホは『希望の原理』で書く、そして希望は理性なくして増殖しない、とも。おそらく希望は、他の欲望様式よりも深く理性に棹さすのだが、それは、私たちがすでにみてきたように、希望の目的が実現可能なものであり、そのような実現可能性は優れた判断を必要とするからである。またこれもすでにみたことだが、希望は、ある種の筋立て（プロッティング）あるいは投影化（プロジェクティング）――現在と未来との想像的接続という意味での――をともなう。これもまた希望の合理的側面である。赤ん坊は、なにか食べさせてと欲望するかもしれないが、食べさせられることを希望することはできない。デニス・ターナーは「合理的に結びつけられた欲求の、しばしば複雑に重なりあう諸系列のなかに、欲望の連続性を貫き通す力」について書いているが、アクィナスは、この力のことを〈意欲 voluntas〉と呼び、これは、現代に固有の血の気のない主意主義銘柄よりも、はるかに豊かな意志概念を表象している。[51] 希望もまた、まさにこうした観点に似たなにかとして記述することができるかもしれない。

もし希望が理性と関係するのなら、アントニオ・グラムシの有名な政治的スローガン「知性のペシミズム、意志のオプティミズム」は、どう考えたらよいのだろう。[26] この格言は左翼政治勢力に向けて、彼らが対決の対象とする諸問題にかんして、その慧眼によって先を読みすぎて、決意を鈍らせることのないようにという警告である。けれどもこの知性と意志のあいだに認識法の齟齬を想定することは、ほんとうに最良の政治的考慮なのだろうか。ふたつの認知方法は、そんなにたやすく分離可能なのだろうか。たしかにふたつは、ある程度までなら分けることができる。たとえば事態が好転するだろうと考えるが、ほんとうはそうならないように希望することもあるかもしれない。これは多かれ少なかれグラムシが推奨しているのと逆の事態である。一般的にいって、あきらかにグラムシがよく理解していたように、意志は、もしそれが建設的な行為を起こそうとするのなら、合理的な思考によって支えられていなければならない。しかしながらグラムシの闘争スローガンも突き詰めると、自律主義あるいはさらには冒険主義に堕する危険性がある。最終的にそのスローガンは厳密には不可能なことと判明するかもしれない。あなたは状況を希望のないものとみなしているときですら肯定的(ポジティヴ)／積極的に行動することができるかもしれないが、状況を希望のないものとみなしているのなら希望に鼓舞されて行動することなどできないのだ。

＊

希望とは気高き、それこそ胸に手をあて厳かに誓うときの言葉になりうるのだが、そのいっぽうで、俗っぽい月並みな事象にもなりうる。「相対的にみて」とウォーターワスはこうコメントしている、「希望は主体的行動の構造そのものにあらかじめ組み込まれている」[52]。誰かが希望を抱いていると私たちにわかるとき、それはその人物の内的生活を精査してわかるのではなく、その人物がいましていることを観察することによってわかるのである。彼女が台所の窓をこなごなにしたときのようすからあきらかになるのは、玄関ドアの鍵をいつもとは違った場所に置いてしまい、その場所が思い出せなくなった女性が、いらだちながら勝手口の窓ガラスを割ってでも自分の家に入ろうとしているということである。反射的に生ずる、ありふれたかたちの希望行動は人間存在のいたるところに満ちあふれている。なんの変哲もない想像行為が人間存在のいたるところに満ちあふれているのと同じように。人は、手にしたコップが、その目指すところ〔自分の唇〕に到達する高い可能性があることを過去の経験から推測して、ぼんやりとでも想像し予測できなかったら、そのコップを唇までもちあげることはないだろう。この意味からも、希望は「人間存在の基盤となる存在構造[53]」として記述できるのである。

けれども、そのようなありふれた日常的願望とは超然と一線を画した、より絶対的な希望形態があると考える論者もいる。希望という徳目に関する現代における考察のなかでもっとも有名な論考のひとつ『旅する人間』のなかで、哲学者にしてキリスト教実存主義の大御所たるガブリエル・マルセルは、希望が「最初に結びついたように思われる個々の対象を超越する抜きがたい傾向をもっている[54]」と主張する。このため希望は、精神分析でいう欲望と似たものになる。欲望もまた超越モードである。それは絶対的なものの世俗版であり、〈全能者〉と同様、根源的に特定の居場所をもたず、また彼岸的な存在である。精神分析理論にとって、あらゆる個別的な欲求には、基盤的願望——純粋に自動詞的な〔対象／目的語が定かでない〕ふるまいをみせ、またそれゆえに決して満たされることのない願望——が浸潤している。キリスト教にとって、この深く無条件な渇望が表象するのは、人間存在が、おのが〈創造者〉を志向すること、そして〈創造者〉のもとで安らぐことではじめて願望充足を見出すありようである。この願望こそ、人間存在の構造における〈創造者〉の現前の痕跡であり、個々の渇望すべてに付随するサブテクストなのである。「私たちの自然な希望はすべて」と神学者のヨーゼフ・ピーパーは書く、「願望充足へと傾くが、この願望充足こそ、永遠の命のぼんやりとした鏡像でありまた予感のようなものであり、永遠の命に対する無意識のうちの心の準備のようなものである[55]」と。このあとみることになるが、エルンスト・ブロッホの哲学が表象するのは、こうしたパウロ的ヴィジョンの世俗版である。ブロッホは、彼を論ずる者たちのひとりが書いているように、「個々の希望のなかに、先駆的に出現する絶対的な希望、あるいは全体的希望を捕捉する歴史家である」[56]。

希望のなかで、もっともとるに足らぬ希望ですら、ユートピア的衝動によって密かに活性化されているとすれば、欲望のなかでも、もっとも陳腐なものですら、その核心においてある種の崇高性を分泌しているといえるだろう。精神分析は宗教信仰から無条件の欲望という概念をただ受け継いだだけでなく、信仰の超越的対象‐源泉を廃棄し、そこからキリスト教の〈ハッピーエンディングで終わる〉喜劇を、悲劇的ヴィジョンとみなせるものに転換したのである。いまや私たちが忠誠を誓うのは神ではなく、神にとっても抑えがたい欲望〈ラカン的用語でいえば〈リアルの欲望〉〉であり、この欲望は、いかなる神にも劣らぬほど絶対的であり満たされることのないものになりうるのだ。この意味で神への思慕は、伝統的に神を特徴づけると考えられてきた超越的特性のいくつかを帯びていたのだ。マルセルにとって絶対的希望とは、無限の無条件の可能性をもち、個々の対象すべてを超過し、それが劣化しうるのは、表象に従属するときだけである。「希望は」とマルセルは書く、「つぎのように想定することから成立する、すなわち存在の核心に、全所与の彼方に、全目録と全計算の彼方に、私と共謀するところの神秘的原理が存在するという想定である」[57]。こうした希望観が、天気がよくなることを希望するとか、預金利率の変化を希望するといった、ありきたりな日常的な思いにたいしどのような意味をもつかはみきわめるのがむずかしい。

マルセルが絶対的希望と呼ぶものは、経験に基づいていないし、いやそもそも経験など無視し、あらゆる個別的願望が潰え去った廃墟から不死鳥のごとくよみがえるものである。それは合理的な計算を軽蔑し、いかなる限界も条件もみずからに課すことなく、ゆるがざる確信を維持し、落胆にめげることなく、「形而上的な、難攻不落の安全地帯を設け、そのなかに安住する」(48〔六一〔「希望の現象学と形而上学にかんする草案」以下同じ〕〕)。そうであるがゆえに希望は歴史を拒絶し、歴史を門前払いする。なにしろ、この希望は、物質的条件に左右されることがなく、決して打ち砕かれることもないのだから。ただ、そうなるとこの希望は、病的な楽観主義とどうちがうのかみきわめがたい。この部類の希望は、その意気軒昂たる雰囲気ともども、ただの思いこみと怖いくらい似ている。

そのため『旅する人間』が、ナチス支配下におけるフランスで、愛国的フランス知識人によって書かれたと知っても、さもありなんと思うだけである――時まさに、人びとの希望が、ひとりよがりの願望充足思考とか不屈不敗の夢想へと、いつなんどき屈してもおかしくない時期だったのだ。マルセルは宣言している、フランスがいつの日か解放されると信じないことなど、そもそもありえない、と。なぜなら絶望は裏切りであるからだ。人は希望せねばならないと彼はいう、「願望や知識の反対を超越」(67〔八八〕)して。したがってこれは信仰の分野でいう理性を排斥する信仰主義の、希望の領域における等価物である。「希望と算定的理性とは」とマルセルは主張する、「本質的に別個のもので」(65〔八四〕)あると。理性は、道具的合理性につらなるもので、希望という気高き徳目の代用とはならない。希望は、経験的領域とは絶縁しているがゆえに、またそのため経験に水をさされることがないゆえに、マルセルにとって、ある種の確実性を意味することになる。希望は歴史を却下するだけでなく、悲劇を否定する。悲劇的解体を経るどころか、希望は平然と悲劇をのりこえ飛翔する。母親が、息子の死を誰もが確信しているときに、それでも息子が生きていることを希望するとき、マルセルによれば、その母親は「客観的批判も手が届かない」(66〔八六〕)希望をいだいているのである。この母親に対して、長い目でみれば真実を告げたほうがいいと示唆することは、こうした観点からすれば、まちがいなく状況に対する卑しい降伏ということになるだろう。『旅する人間』が、そうした文章をとおして現実に推奨しているのは、イデオロギーとしての希望である。それは人を元気づける疑似宗教的な方法であり、あらゆる反論に対して堂々と胸を張り、ぶれない姿勢をつらぬくことだ。ただ、疑いに開かれていないような信仰は、真正の信仰ではないのと同じように、ゆるがない希望は、確定的な知識のようにみえてしまい、希望にはみえない。これは怖れとおののきのなかで掲げられる信仰とか希望ではない。それは十字架上のイエスが父なる神に発した嘆きを、[27] 真摯に受け止めることのない信仰と同じである。

マルセルは個別的な特殊の希望とか確定的な希望という考え方には警鐘を鳴らす。なぜなら、それはあまりにもありふれて経験的であるからだ。これは後期デリダのメシア主義が、もしメシアがほんとうに到来するなどというつまらない確定的な暴挙に出たら、ゆらぐのとどこか似ている。だが確実性を欠く希望こそ希望なり、というのは、到来を確実に約束する救済形式など、まったく必要としない人びとの特権的な見解であり、そうした人びとにとって、希望とは、個別具体性のないものを延々と待ちつづけることだと考えるほうが訴えるものが多いのである。希望がくじかれないためには、希望は、いまだ満たされずという状態を維持しなければならない。私たちをがっかりさせることのない唯一のメシアとは、絶対にあらわれないメシアである。

ナチスはいつの日か滅ぶだろうという信念を失わないためにマルセルが育まねばならなかった希望とは、ぶれることのない、ゆるがざるものであり、それは個別的具体性を欠いたものであるがゆえに、いかなる挫折をも乗り越えて存続することができたのである。そのような暗い時代において、希望が、唯一存続可能なものとなるには、名前をもたないものとなるしかない。「希望の時代は」とアンドルー・ベンジャミンは書く、「未完の開かれ――強度な現在――となるだろう、現在を、いつも開かれたもの、いつも和解していないとして維持しつづけることになるだろう[58]」と。文章のしどろもどろ感は、思考のもやもや感を反映している。そもそも開かれていることと和解しないこととは、無条件に善いことなのか。それらは絶対的な価値として提示されているのか。奴隷制が支配する未来へと開かれていることがよいことなのか、あるいは人種差別撤廃に対して、撤廃と和解しない（撤廃を容認しない）ことがよいことなのか。本来のユダヤ的約束は、このような雲をつかむようなものではない。それは貧しき者への正義の約束であり、抑圧された者への解放の約束であり、これはベンジャミンのようなポスト構造主義思想家が不快に思うほどの確実性をほこるものなのだ。彼は、「実現達成という政策と実践」とみずから呼ぶものを警戒している[59]。もっとも、自分たちの置かれた状況を改善するための具体的提言を少しでも必要とする人びとが、同じように考えるとは思えないのだが。

ただ、そうであれ、空疎なとまではいかなくとも、ただぼんやりとした不確定な希望というものはある。マルセルが絶対的希望ではなく基盤的希望と呼ぶものがそれだ。このような希望は、失敗や敗北の現実的可能性を認めるが、それを前にして敗北することは断固拒否し、未来への不確定な非目的論的な開かれをあくまで維持する。[60] 聖パウロは希望のことを「〔至聖所の〕垂れ幕の内側にはいっていくこと」として語っている〔「ヘブライ人への手紙」６：19〕[28]が、その意味するところは、私たちが手を伸ばしてとろうとするものは、私たちから隠されているということだ。それは、それ自身のためにのみ開かれるとデリダ風に語れる問題ではない。なぜなら希望の内容については語ることができるのだから。聖パウロの希望の対象はとらえどころのないものかもしれないが、しかしパウロは少なくともそれに神の名前をあたえることができる。ただ、たとえそうでも、彼の言葉から推論すれば、キリスト教徒は、みずからが希望するものが何であるかを正確に定義できないということになる。きわめて奇妙なことではあるが、希望そのものは確実である――このあとすぐ私たちがみるように。しかし希望の対象はぼんやりしているのである。エルンスト・ブロッホも同様に、私たちが希望するものは究極的には私たちに知らされないと主張している。「ヘブライ人への手紙」は、アブラハムについて「どこに行こうとしているのか熟知しないままに」〔11：８〕召喚されたと語っている。これによって聖パウロの流儀にならって確定的なものと不確定なものとが結びあわされるのだ。同様の趣旨でカントは『たんなる理性の限界内の宗教』のなかで、「自分の希望することがどのようにして生じるかも知らずに、信頼している人[61]」について語っている。信頼は、ゆらぐことはないが、どのように目的が達成されるかは定かではない。自分の希望が実現するかどうか疑うこと——たとえば「そう望みます（I hope so）」というフレーズのような場合（この場合たいてい「ただし定かではありません」という追記が付随する）——と、未来に対する全面的信頼（この信頼は、未来についての把握を凌駕する）とのあいだにはちがいがある。ライプニッツは、あることがらについて私たちが知っていながら同時に知らないというような、あるいは実際に知っているというより潜在的に知っているというような、語られざる知の形態について語っている。はたせるかな、合衆国の元国防大臣ドナルド・ラムズフェルドは、「知られている知られていないこと」（"known unknowns"）という名高いフレーズによって、まさに熱心なライプニッツ派であるとみずから証明したことは留意しておいたほうがいい[29]。もっともこのことはほぼまちがいなくラムズフェルド本人には知られていなかったとしても[62]。私たちがそれぞれ異なる未来について語っているとき、自分たちが希望しているものについて正確に知っているのなら、その希望は、希望がそうあるところの、私たちが身の回りにみているものから遠くへだたったものではなくなり、そのためじゅうぶんに異なるものとはいいがたくなる。おそらく私たちは、自分が何を希望すべきかについては、希望の対象が最終的に明らかにされたときはじめてわかるのだろう[63]。これは精神分析において、私たちが欲望しているものは教えてもらわないとわからないこととどこか似ている。

＊

Ｔ・Ｓ・エリオットは『四つの四重奏』のなかで、希望が悪しきものに対する希望かもしれないと恐れるあまり、希望することなく待機することについて書いている。[30] これは、ハイデガーの〈放下〉概念[31]に、あるいはマルセルの「活動的待機」に近い考え方だが、要は、世界が提供することになるかもしれないものを受けとめるために、人は奮闘努力をともなうプロジェクトとか確定的目的などを放擲できるということだ。この種の決定不可能性は、貴重な受動性とむすびついている。エリオットの詩行は希望を駆逐しているかもしれないが、にもかかわらずなんの変哲もない待機状態そのものに、なんらかの可能性を信じているようにもみえる。現実が薄暗く曖昧なものになると、可能性が照らし出され浮かびあがる。ちょうどジョン・キーツの「ナイチンゲールによせるオード」の次のような魅力的な詩行が語っているように――

僕の足もとにどんな花があるのか、僕には見えない。
どんな柔らかな香りが木の枝についているのかも。
けれど、香しい暗闇のなかで、一つ一つの花を当ててみる。
花の季節にふさわしいこの月が
草や灌木や野生の果樹に与える花々を。
白い山査子、牧歌的な野薔薇、
すぐに色褪せる葉に包まれた菫、

それに五月半ばの花の長女、
ワインのような露を一杯ためた今を盛りの麝香(じゃこう)薔薇、
夏の夕べに羽虫がぶんぶんと群がるところ。[32]

D・H・ロレンス(「男根詩人」とブロッホは道徳家ぶったものいいで、こう命名しているが)[33]もまた、こうした敬虔な受動性のスタンスに魅せられている。このスタンスは、みずからの目的や利益を世界におしつけるのを拒み、むしろキーツ的な消極的能力原理を踏襲するかのように、謙虚に暗闇のなかで、曖昧さのなかで、名状しがたき生の新たな流れのはじまりを待つことであり、存在論的な確実性をあせってもとめたりはしないのである。ロレンスにとって、自己とは私たちが所有できるものではなく、それ自身の奇妙なロジックを顕在化させ、それ自身の好ましいやり方で進化するプロセスそのものである。もし勇気というものが能動的な徳目であるのなら、人が自分自身を放棄する大胆な勇気をもつということは、なんとも奇妙な自己撞着(どうちゃく)を生きるということである。『恋する女たち』(ロレンスの長編小説)のルパート・バーキンはすべてを手放す覚悟ができているが、それというのも廃墟から、なんらかの新たな荘厳な存在の啓示が出現すると信じているからである。アーシュラ・ブラングェンは『虹』(ロレンスの長編小説)の最後で、自分がこうした絶望的だが創造的でもある状況にいることを知る。エーリッヒ・フロムは書いている、「希望を持つということは、まだ生まれていないもののためにいつでも準備ができているということであり、たとえ一生のうちに何も生まれなかったとしても、絶望的にならないということである」[64]と。

『希望の原理』のなかでエルンスト・ブロッホは、同じように自己は所有物ではないと考え、現在の瞬間を、とらえどころのないもの、読み取れないものとみている。それは概念化をすりぬける余剰であり、まさにこの意味から、未来をぼんやりと暗示するものとなる。私たちは、神秘的で不可解な現在を掌握できないがゆえに、あるいは自己の謎を解明できないがゆえに、まさにそのことのなかに未来を予見することになる。もし私たちが――エドワード・トマスの含蓄あるフレーズを使えば――「一日を芯までかじりつくす」[34]〔bite the day to the core〕ことができるのなら、私たちはまちがいなく、未来の門口ではなく永遠の門口にいるのである。おそらく余暇というものは、時間の専制支配を突破するものであり、私たちにとってそれは永遠にもっとも接近した近似値的なもののひとつであろう。ブロッホの見解では、「今」は生きられるが把握されえない。そしてこの感得される不透明性――経験的なものと概念的なものとのギャップ――のなかに未来のおぼろげな輪郭が判別されうるのだ。フレドリック・ジェイムソンはプルーストのなかに同様の断絶を見出している。プルーストにとって現在という原材料は静謐（せいひつ）のなかで回想され、芸術と言語によって媒介されねばならない。もし〈体験（エアレープニス） Erlebnis〉が〈経験（エアファールング） Erfahrung〉へと変換されうるならば[35]、そして経験が、あたかも初めてであるかのようにリアルなものとして生きられるものに変換されるのならば[65]。

おそらくロレンス的な魂の暗夜[36]は、厳密にいうと、希望というよりも信仰の問題である。けれども希望は、ほぼ、信仰の未来時制であり、フォイエルバッハがいうように「希望は単に未来に関する信仰にすぎない[66]」。もし人が、予期せぬかたちで突然存在しはじめるかもしれないものにたいし覚悟ができているとすれば——これは信仰の問題であるが——、それはまた、将来なにかが生まれる新たな萌しがあるだろうからという確信ゆえに見張ることでもあろうし、その場合は、希望の問題である。信仰と希望、このふたつの徳目は緊密にからまりあっている。そしてふたつとも慈愛のなかに基盤をもつ。みずからが愛されているという確信があればこそ、人は信仰するというリスクをおかすことができる。そしてこの信仰は、今度は未来へと顔を向けることで、希望へと溶け込むのである[67]。

神学者のカール・ラーナーは希望を過激な自己放棄とみている。これは、みずからの統御と計算のおよばぬところにあると認められるものに傾倒することである。この意味でもまた希望は信仰に似ているし、希望は、信仰と同じように、自己所有の倫理に対して疑義を呈することになる。希望は計算できない領域へと人が参入するのを可能にする。それはなじみ深いものから未知なるものへの移行に触れるのと同じである。そのような希望とはロレンスが「意識への果てしなき冒険[37]」と呼ぶものの一ヴァージョンである。レイモンド・ウィリアムズが『文化と社会』で述べているように、「われわれは、われわれの共同の決定にしたがって、計画されうることを計画しなければならない。しかし、文化の観念の強調は、それがわれわれに、文化は本質的に計画できないものであるということを想起させるとき、正当なものとなる。われわれは生活手段と共同社会の手段とを確保しなければならない。しかし、それらからこれらの手段によってなにが実践されるかは、われわれは知ることもいうこともできない[68]」のである。過去は達成された現実として把握できるが、未来は〈動くことで ambulando〉、つまり未来を構築するプロセスをとおしてのみ知られうるのである。ついでながらウィリアムズは神学者ばりに、希望とはそもそも自分ひとりのための希望ではなく私たちのための希望であることを当然視している。

ラーナーの見解では、希望に伴う自己放棄には政治が暗黙のうちに存在している。信頼をはぐくむことによって希望は、私たちが「たえず現在から未来へと脱出（エクソダス）することを可能にする」[69]。「世界の諸構造を永続的な再検討と批判に開くことこそ」と彼は書いている、「キリスト教的希望の具体的形式のひとつであり、これは、計算できないものや制御できないものへ自己を滅却して傾倒するという勇気のしるしでもあるがゆえに、世俗的な生活における何事にたいしても、それなくしては人間が絶対的な虚無へとまっさかさまに投げ込まれかねないという必死さで執着するようなことがあってはならないのである」[70]。希望は、到来することになるあらゆる時間から、絶対的未来という偽りの外貌を剝ぎ取る。ラーナーにとって絶対的未来はひとつだけ（すなわち神の国）だが、その役割は、私たちが物欲しげに望んでしまうような未来を、すでに実現した未来ともども脱フェティシュ化することにある。したがって希望は、永続的革命の一形式である。その敵は形而上的絶望がそうであるような政治的自己満足にほかならない。この永久革命には原則として終わりがないために、いかなる個別的な希望も偶像崇拝の対象とすることはないのだが、だからといって選（よ）り分けがおこなわれないわけではない。ユルゲン・モルトマンが論評しているように、希望はわたしたちを現在と敵対させるので、希望は歴史的破断を引き起こす永続的源泉として立ちあらわれる[71]。これに対し、より保守的な神学者ジョン・

マクウォーリーは希望の未来志向的偏向性には警戒しているのだが、それはまさしく、そのような希望の特性が「現実離れしたユートピア的希望」[72]を奨励しかねないからである。明るい未来にかんする愚にもつかないおしゃべりは左翼政治勢力には慰めになるだろうが、というわけである。とはいえ、ユートピア的希望〔空想的社会主義〕への懐疑の出どころは、民衆一般の総決起をおそらく信じていた者〔マルクス〕であったのだが。

希望には受動的な面があるとすれば、この点、対極にあるのは絶望ではなく純然たる自己決定である。人が自分自身の作者であるときに、希望をいだくことにいかなる必然性があるというのか？ 古代のストア派の哲学者は、自分自身を完璧に制しようと努めていたため、希望を甘えと未熟さをふくむものとして、疑いの目でみていた。『リア王』の中心的主題は成熟と忍耐と苦難であったが、いっぽうマクベスやコリオレイナスといった熱心な自己造型者たちは、あらゆる甘えを卑しいものとして拒絶する。シェイクスピアの悪役たちに典型的なのは、働きかけられても動じないことである。これに対し希望は私たちに、私たちの自己確立のもろさを思い知らせる。「そうするよう希望します〔I hope to do so〕」と語ることは、暗に、自分の力には限界があることを認めることである〔この表現には通常「それができればいいのですが」という含意がともなう〕。エピクロスは書いている、「未来のことはわれわれのものではないが、さればとて、全くわれわれのものでないのでもない、ということも記憶しておかねばならない、というのは、未来のことについては、われわれは、それがきっと来るであろうと、全き期待をかけることもないし、また、全く来ないであろうと、望みを棄てることもしないからである」[73]と。傲慢の罪にけがれている者たちは未来を所有しようとするが、いっぽう絶望する者たちは、未来を実現しようとするあらゆる努力を捨てさってしまう。もし希望が、人間の能力の限界を知らせるものであるならば、それは、ひとつには希望が最終的に意志の問題ではないからである。私たちは欲望することを選べないのと同じように、私たちは希望することもおおむね選べない。なるほど私たちは、特定の結果についてだけ肯定的に感ずるように時として自分自身を説得することがある。あるいは反対に、人はみずからの希望を抑えつけることもあるだろう。その希望が、あまりに非現実的であったり、道徳的に受け入れがたかったりするがゆえに、あるいはその希望を達成するにはたいへんな労苦が待ちかまえているかもしれないがゆえに。人は希望をいだくことを軽率と決めてかかるかもしれないし、ただ希望にあたいしないと決めてかかるかもしれない。たしかにこの意味でなら、あなたは希望するかしないかを決定できる。ちょうどあなたが不機嫌になると決意することができるように、あるいは恋に落ちることを自分自身にやめさせようとすることができるように。イマヌエル・カントの問い、「私は何に対して希望してよいのか」は、希望は私たちのコントロール下にあるといわんとしているのだと受けとれる。しかしながら、こうした決意にも限界がある。希望は、私たちが簡単にスイッチを入れたり切ったりできる何らかの状態ではない。同じことは、妬みとか嫌悪感にもいえる。

マルセルのいう絶対的希望というのはイデオロギーの一形式かもしれないが、そこには希望が諸条件に左右されないものであるという、より示唆的な意味があるのかもしれない。これは、たとえあれやこれやの個別的な願望が水泡に帰したとしても、人間そのものへのゆるがぬ信頼を維持すること〔絶対的希望をもつこと〕は理にかなっているという考え方である。未来は予測不可能である以上、なにか未知の善きものが時満ちて、または次の二四時間以内に、出現する可能性などないと決めてかかるのは早計である。たとえば二一世紀初頭の驚異の十年間のことを考えてみてもいい。世紀のかわりめ、冷戦における西側の勝利を言祝ぐ風土のなかで、しかもまだ相対的に活力のあった西洋経済情勢において、歴史は終わっただの、画期的な事件は出尽くしただの、現状に対する長期的な別の選択肢は信用を失墜しただの、大きな物語は息の根を絶たれただのと論ずる評論家たちはたくさんいた。未来は現在の再現反復にすぎなくなるだろうと決めつけられた。しかし、まさにその時点において、世界貿易センターは崩壊し、いわゆるテロとの戦いが始まり、前例のない規模の財政危機が資本主義世界をゆさぶり、多くの独裁者たちがその地位を追われ、広範囲の人びとが一団となって支配者に反旗を翻したのである。こうした出来事が、なにか画期的な進歩向上を帰結させるはずだといいたいわけではない。ただ、こうした出来事は、歴史変動という大博打にのめりこむのではなく、マルティン・ルターなら歴史を超越した無時間的命令とみるであろうものにのめりこむことの愚を立証しているといいたいのだ。マルティン・ルターにとって、無時間的命令が形而上学的なものであったとすれば、〈歴史の終わり〉を唱える者たちにとって、それはイデオロギー的なものであった。これとは対照的に、ベルトルト・ブレヒトにとって変化というたんなる事実は、たとえそれが悪化という事実であったとしても、それは絶望しないための予防薬であった。なぜなら歴史が衰微するというのなら、歴史は進歩するかもしれないからである。

基盤的希望とは、あらゆる個別の希望が潰え去ったとき最後のよりどころとなるものである。ちょうど精神分析理論にとって欲望が、あらゆる個別の要求をすべて抜き去ってもまだ残るものであったように。したがってこの希望は、往々にして絶望と区別できない。けれども絶対的絶望は、あれやこれやの個別的な希望を捨て去るという問題ではなく、希望全般を捨てることである。はたせるかなキエルケゴールはこう主張する、絶望はすべて、ある意味、絶対的なものであり、このことを認めないのは、虚偽意識の一形態であると——「彼〔絶望者〕は地上的な或る物に関して絶望しているつもりでおり、いつも自分がそれに関して絶望しているものについて語るのであるが」とキェルケゴールは述べる、「実は彼は永遠的なものについて絶望しているのである」[74]。けれども絶望に形而上的系列があるとすれば、希望にも無条件なかたちの希望がある。ジョゼ・サラマーゴが『リカルド・レイスの死の年』で書いている、「希望を保つためのです、どんな、希望、ただ希望だけ、それだけです、希望のほかには何もない点にまで到ってはじめて人はまだあらゆるものをもっていることを知るのです[38]」と。この小説がマルセル風に暗にいわんとするのは、ある種の純粋に自動詞的な希望の存在である。それは人の存在にある基盤的な偏向性あるいは組み込まれた傾向性であり、これは、あらゆる現実の願望が剝ぎ取られたときはじめて顕在化するのである。

これは悲劇的な観点といえるかもしれない。ただし、だからといって悲観的なものというわけではない。悲劇というジャンルが関心をよせるのは、人間が破滅的打撃をうけてほぼ無と帰したときに、それでも、もしあればの話だが、残存しているものに対してである。生き延びる残滓（ざんし）、いまだ屈服するのを拒むもの、これこそがまちがいなく悲劇の基盤となるものなのだ。かくして無（ナッシング）が、それ自身を軸として何か（サムシング）になる。『マクベス』のなかでロスが語るように「事態もここまで落ちれば、止まるかまた元に戻るかです」(第四幕第二場)[39]。『希望と歴史』においてヨーゼフ・ピーパーは同様なことを論じている、希望の基盤的形式というものがあり、これが明確になるのは、人間存在そのものの棄却という意味での絶対的絶望が可能性として浮上したときである。まさにこのとき、あらゆる個別的な希望の彼方に、またそうした希望のもろさをいやというほど認識するなかで、希望のこうした純粋な本質がみずから姿をあらわすのである。「希望は」とガブリエル・マルセルは書いている、「失われることが可能であるところにだけ、根ざすことができる」[75]と。これが希望と楽観主義を分かつ理由のひとつである。楽観主義にとって破滅は端的にいって想像不可能なのだ。自分の息子の喉を掻き切ろうとナイフを握ったアブラハムは、それでも希望をいだいていたのだが、それゆえに彼のことを楽観主義者と記述することには誰もが躊躇（ちゅうちょ）することだろう。

　キリスト教が罪深いものとしてランクづけている種類の絶望とは、長期的展望にたつ救済の可能性を却下するものであって、あれやこれやの個別的試みがあきらかに失敗すると早計に結論づけるものとはちがう。長期的展望にたいする絶望なるものが、道徳的に問題があるとみなされる理由のひとつは、それが他者の努力を反故（ほご）にするからである。つまり他者の努力の成功めいたものはいまだけのものであって、やがて失敗に転ずることは目に見えていると示唆することになるからだ。そうなると人は特定の状況を見込みがないとして切り捨てるかもしれないが、そのいっぽうで未来への漠然とした希望は維持することもあるかもしれない。この希望こそ、マルセルが基盤的希望として語っているものだ。このような希望は特定の目的をもたず、むしろ開放的な精神全般のありようと連動している──それは、ある論者が「人が未来に向き合う……ときの調子あるいは性向であり、ひたむきな固着あるいは目的なき期待」と呼ぶものだ[76]。これが楽観主義と異なるのは、ひとつにはそれがたんなる気質の問題ではないこと、また、ひとつにはそれがみずからの破滅に向き合う覚悟ができていることである。おそらくこの種の基盤的希望とは、災厄の真っただなかでも、人生は生きるにあたいすると私たちを説得しにかかるものなのだ。これはもう生き延びたいという願望の問題にすぎないのかもしれない──ただし、特定のなにかのために生き延びたいということではなく、生き延びることそのものが、特定のなにかを欲したり獲得するようになる前提条件なのである。生存は、希望の十分条件ではなくとも必要条件ではある。基盤的希望あるいは無条件の希望は、かくして、メタ希望〔metahope〕の一種となる。メタ希望とは、私たちの具体的な願望すべてを超越する可能性をひめた希望ということだ。

フランツ・カフカは友人のマックス・ブロートから、私たちにとってなじみの世界を超えたところに、なにか希望はあるのかと尋ねられて、こう答えたといわれている、希望はいっぱいある、無限にあるといってもいい──「あいにく私たちのためにはない」[40]のだ、と。おそらくカフカがいわんとしたのは、私たちが知っているかぎりの宇宙は、神の不機嫌の産物、厄日に創造されたものであり、もし創造時に神の機嫌が悪くなかったら、地球の事物はいまのような痛ましいものではなかっただろうということだ。あるいは、いま、この時点で、物事がさほど悲惨ではない別の世界はいっぱいあるということだったかもしれない。人類は、宇宙の力のごくわずかな調整不良で救済の可能性を失ったのかもしれない。ここで思い出されるのはユダヤ教の神秘的信念である、すなわちメシアが到来すれば、メシアはほんのわずかの微調整ですべてのものを変容させるだろう。ある意味、カフカの主張は、私たちの置かれた状況をより痛ましいものにしている。なにしろ希望をいだくことになる根拠というものはたくさんあったのかもしれないので。ただ別の意味において、この主張は、べつのところには希望がいっぱいあるかもしれないと示唆することで悲哀を和らげている。「たくさんの希望、だが私たちのためにはない」はチェーホフの登場人物の何人かのモットーとなっていてもおかしくないだろう、なにしろ彼らは自分たちが未来の至福から閉め出されていることを承知しながら、それでも未来の至福を待ちつづけるのだから。

自分の命を絶つ人びとは、しばしば絶望しているといわれる。けれどもこの点についてはもっとニュアンスをふくませて語るべきだろう。自殺する者は、存在そのものに価値がないことをわざわざ知らされるにはおよばない。それどころか自殺する者が希望をいだいておかしくない理由はごまんとあるとわかっているのだが、ただそうした希望的期待は自分のためにはないこともわかっているということかもしれない。あるいは自分が希望をいだいていい理由があることはわかってはいても、その理由の存在をどうしても実感できないということかもしれない。自殺者は自分がかかえている問題もいつか消えてなくなると考えているかもしれないが、ただ、そんなに長く待てないとも思っているのだろう。自殺者にとって苦しみは耐えがたく、事態の好転に期待をかけることはできない。ガブリエル・マルセルは絶望について、苛立ちの一形態だと述べているが、人がもう待っていられないということは、身もふたもないリアリズムかもしれない。したがって自殺行為は、本人にとっても、あるいは人類全般にとっても、なんらかの絶対的な絶望を含意する必要はないだろうが、だからといって、希望そのものを無条件に棄却するという意味での絶対的絶望が、すべからく理にかなっている状況があることは否定はできない。そのような状況にたいして、ただなすすべもなく屈することは道徳的弱さとみなされがちだが、しかし屈することが事態を真正面から見据えての最後の決断であるという事例は、たしかに存在する。末期症状の患者を治療することにたいして医師がいだく絶望は理にかなっているといってよいのだから。

自殺とは希望の問題である。あなたは、苦しむことが終わると希望／期待して自分自身を殺すわけだから。人類全体の破壊を希望する者さえいよう。ちょうど政治哲学者のジョン・グレイのように。「〈貪食種（ホモ・ラピエンス）〉は」と彼は書く、「無数に存在する種のひとつにすぎず、明らかに、保護するには値しない。遅かれ早かれ、人類は滅亡する。そのとき、地球はよみがえることだろう。人間という名の動物の最後の痕跡が掻き消えてよりはるか後、人類が血眼になって絶滅しようとした種の多くは生き延びて、遅れてきた新しい種とともに繁栄を誇っているにちがいない。地球は人類を忘れ去り、生命の饗宴はなおつづく[77]」。キリスト教にとって希望は最終的には人間的なものを超える広がりをみせるのだが、ただ人類種そのものを超えることはない。グレイの場合は人類種を超える。かくしてみずからの消滅への希求は、それとともに、奇妙な種類のやすらぎをもたらすかもしれない。ショーペンハウアーが主張していたように。こうした希求にともなう冷静な自己放棄は美学的なものに近い。この観点にたてば、希望の、最高に貴重な形式は、希望する主体が完全に消滅するために、あらゆる希望が不可能なものとなるような、そんな状況を希求するものとなろう。これを絶望の勧めととる必要はない。絶望どころか希望がある、なにしろ人間が滅亡したあかつきには、生命はそれ本来の姿になり、この〔人間がもたらした〕一時的な苦境から解放されて一途な繁栄へといたることもありうるからだ。D・H・ロレンスも同様の考え方をしていた。

基盤的希望がしがみつくのは漠然とした確信、すなわち生命が究極的には生きるにあたいするという確信である。けれども、これがほんとうにそうだといえるかどうかは定かではない。ショーペンハウアーが上から目線で指摘しているように、生きているよりも死んだほうがおそらく幸せだった男女は数多くいるのだ。種としての存続がかかっているとき、種全体の運命のほうがささいな男女問題よりもまさるような、そうした環境があってもおかしくない(たとえば核による荒野、修復できないほど汚染された地球など)。生命は、それ自体で貴重ではない。なにしろ死んでいるよりも生きているほうが好ましいことが自明であるとはいえないからだ。慢性的な病を患い激痛に苦しむ者は、死んだほうがましだと思うことだろう。命あるところ希望があるというのは真実ではない。その逆は真実だとしても。拷苦と貧困の未来へと呪われて運命づけられ、別の選択肢となる確実な希望などいっさいないとき、人間は、いまのこの不運な営み全体を即刻中止したほうがいいと考えるだろう。このかぎりにおいて基盤的希望という考え方は、少なくとも宗教的コンテクストを離れれば、なんの根拠もないものとわかる。とはいえ、私たちは呪われた未来を予見することはできないので、未来について確たることはわからないため、このことが希望をささえるのに役立っているのかもしれない。けれども、これからみてゆくように、まだ絶望はしていないが希望をもてないということは、ありうるのだ。

*

しかしながら絶望するとはそもそもどういうことかは、希望をいだくとはどういうことかと同様、やっかいな問題である。それは自暴自棄（デスペレイト）になることと同じではない。なぜならＪ・Ｐ・デイが指摘するように、絶望（デスペア）が陥りがちなのは、宿命論にとらわれた虚脱状態であるのに対し、自暴自棄（デスペレイション）が陥りがちなのは、やけ（フランティク）になって暴れることだからだ。絶望することは、あなたの置かれた状況にたいしなにもしないことであるのだが、自暴自棄になることは、ほとんどなんでもする覚悟ができているということだ[78]。偉大なる絶望の現象学の書『死に至る病』のなかでセーレン・キェルケゴールは、ポストモダニズム文化を予見するかのような物言いで絶望の状況を描いてみせる。プロテスタント信仰を哲学という権威ある地位にひきあげるという、およそ不可能な試みに挑戦し成功したキェルケゴールは個人を神によって召喚された者とみる、それも自分自身になるという厄介なプロジェクトに召喚された者とみる。このプロジェクトには、もろもろの個人が、彼もしくは彼女ならではの方法で、はかり知れぬ〈存在〉に自分自身を依拠させることもふくまれる。個々の自我は、キェルケゴールにとっては勝利と恐怖の両方の形象となるのだが、この考え方にゆきついたとき彼が受けた衝撃の念の大きさはいかばかりのものか。その根底にあるのは、神が、いにしえより、私たちひとりひとりにたいしておこなっている絶対的主張である――それも心ふるえる事実をとおして、すなわち神の〈御子〉がこの私のために苦しみ死んだこと、私の自己は宇宙そのものと同様、何物にも還元できない独自のものであること、私自身として知られるこの全き独自な存在に対して責任をもつという驚愕の心躍る責務に私が苦しみあえいでいること、しかも、この私自身という存在は、はかり知れぬ宇宙時間のなかでただ一度だけ生起したものであり、私、この私自身こそ、みずからを楽園（パラダイス）に導くか破滅（パーディション）に導くかの責任を負うこと。

　この荷の重い責務に気圧（けお）された男女が、崇高性のとぼしく威圧的でもないアイデンティティ形態に逃げこんだとしても驚くにはあたらない。彼らはこうして、いにしえより求められてきた自己になるのを拒み、そのかわりに、より満足のゆく、よりお手軽な存在様式へと方向転換するのである。この種の自己造型（セルフファッショニング）・主体（サブジェクト）は真に彼ら自身のものである自己（セルフ）――その自己とは、いうなれば天国において彼ら自身のために用意されているものである――を引きとることの重みにうちひしがれ絶望し、かわりに、さまざまな空想的で仮説的で出来合いのお手軽なアイデンティティ形式を選びとり、キェルケゴールが「虚構的」と呼ぶ様式の存在へと恣意的にみずからを変貌させ、きまぐれにみずからを無へと解体するのである。ポストモダンの主体のように、彼ら自身は自分の手で勝手にこねまわすことのできる粘土のようなものであり、無制限の可能性に酔いしれている。そのような男女は自分自身にたいして君主として君臨しようと欲するのだが、いかんせん、そのような自分自身はすでに消えてしまっているので、彼らは国をもたない専制君主という、誰ひとりうらやむことのない地位に甘んずるしかない。そしてこれが、ある種の絶望のなかで生きるということなのだ。キェルケゴールの観点では、こうした男女にとってどうしてものみこめない受け入れがたい矛盾、それは、神への依存を基盤として人間の真の自立性が実現することである——この神への依存を、傲慢なリバタリアン的精神は、所与性や束縛性、あるいは確定性や必然性などと同様の、耐えがたい障害としてしかみないのである。彼らにとって容認できないのは、私たちが自分自身に所属していないこと、そして神への依存という基盤なくして、いかなる真正のアイデンティティも開花できないことである。ちなみに、この考え方そのものには、キェルケゴールを「実存主義」とみなす観点を論駁するのにじゅうぶんなものがあることを付け加えておきたい。

　けれども、この苦境に追い込まれた個人は、彼らの真の、あるいは永遠の自己から脱却できるかというとそうでもない。これは、キェルケゴールにとっては、異なるかたちの絶望を生む。この個人は、本来の自分ではないものになることを欲するために、最後には何かであること自体をやめてしまう。彼らがあこがれるもの、それは死である。しかしキェルケゴールの観点では死は問題外である。なにしろ自己の核心は永遠不滅であるからだ。死は信者にとっては希望であるが、絶望する者たちにとっては地獄である。「絶望とは」とキェルケゴールは書いている、「死にうるという希望さえも失われているそのことである」[79]と。極限にまで追いつめられると、人生とおさらばしたい衝動は、悪魔的なかたちをとる。それは存在するというたんなる事実にたいしていきどおる者たちの状況である——彼らはまがりなりにも何かが存在するというスキャンダルにうんざりし、まさにそのあげく、トマス・アクィナスが〈存在〉の内在的善とみるもの[80]に、反旗をひるがえすことになる。こうした悪魔的な人物は冷笑家で虚無主義者であり、彼らにとって、意味の概念そのものは侮蔑すべきもの、価値の理念そのものは破綻し詐欺的なものとなる。世界にたいする陰険な怒りにとらわれる彼らは、まぬけな親にうんざりしている生意気な子どものようにふるまうのだ。ただし彼らが世界の破壊を望んでいるとしても、またいっぽうで生き延びて、神の面前に唾を吐き、神の〈創造〉を茶番めいたものとしてあざけり笑ってやろうとも考えている。彼ら自身こそ、〈創造〉のもっとも目に引く失敗例のひとつであると身をもって示すことで。

絶望のこの倒錯的形態について、キェルケゴールはこう評している——

> 彼〔絶望者〕は自分の自己をそれを措定した力〔すなわち神〕から強情的に引き離そうと欲するのではなく、むしろ挑戦的にその力に迫り、それに自分を押しつけようと欲するのである。彼は悪意でその力をつかまえておこうと欲するのである。……彼は全存在に向って反抗することによって、全存在を、全存在の好意を、反駁しうる証拠を握っているつもりでいるのである。絶望者は自己自身その証拠であると考えているのである、彼はその証拠であることを欲する、——それ故に彼

は彼自身であろうと欲するのである、すなわち自己の苦悩をもって全存在を拒絶しうるように苦悩をもったままの彼自身であろうと欲するのである。[81]

要は、呪われた者にとって、みずからの破滅こそが、やすらぎになるということだ。彼ら呪われた者たちのゆがんだ自己満足的な復讐心が彼らを存在させつづけている。地獄に堕ちる者たちは、子どもが毛布をつかんで離さないように、みずからの拷苦にしがみつき、おのが苦痛に興奮し、救済のあらゆる申し出を、彼らの精神的威厳に対する侮辱として軽蔑し、非存在（存在しなくなること）の恐怖にのみこまれるくらいなら、苦しみあえぐ人生のほうを選ぶのである。あたかも死ぬことができないことこそが、自己をまがいもののかたちで存在させつづけるところの、自己の核心にある空無でもあるかのようだ。彼らを生かし漂流させているのは、まさにこの病とこの自己への暴力なのである。

可能性の大きさに圧倒されて生まれる絶望があるとすれば、可能性すべてを排除することで生まれる絶望もある。キェルケゴールの見解では、自己の核心には現実界（リアル）という空無があるが、この空無こそ、神が、みずからの存在を感じ取れるようにしたところでもあり、この恐るべき深淵と対峙することが希望へといたる唯一の途なのである。この崇高なる空無に怖れおののきながらむきあう人びとには、しかしながら、つねに大衆の虚偽意識のなかに避難場所を見出し、そこに逃げこめる可能性がついてまわる。彼は書く、「一般に精神的な事柄に関しては人間は年とともに自ら何物かに到達するということはない」[82]と。ほとんどの男女が無自覚な直接性の状態（目前のことに気を取られ物事や自己を突き放してみることのできない、自覚や自意識を欠いた状態〉のなかに存在しているのに対し、繊細な自意識をもつ少数者にとって、自己は永続的な危機に陥っている。大衆は、こうした自己に関連するリスクや賭けに背をむけ、意識への危険にみちた冒険——信仰のことだが——に赴くことができないまま、ただ、因習的な社会習俗から生きるヒントを受けとるだけである。精神の商品化のなかで個人は「小石のように滑らかに擦り減らされており現今流通の貨幣のように通りがいい」[83]。まさにこれはハイデガーのいう〈ダス・マン Das Man〔人、世人〕[41]〉あるいはサルトルのいう〈自己欺瞞 mauvaise foi[42]〉の領域であり、そこでは男女は、自分がまがりなりにも絶望を経験するユニークな主体であることをはっきりと自覚することはない。だがキェルケゴールにとっては、絶望は主観的状態であるとともに客観的状態でもありうる。ただ直接性とまやかし(イリュージョン)のなかで生きることは、希望を奪われていることであり、事実から目を背けることが、この病の徴候である。はたせるかな、この意味でいう絶望とは、キェルケゴールの眼には、大衆現象であり、雨や陽光と同じようにありふれたものなのだ。自分では満足していると思いつつ、実際には八方ふさがりであるという人たちは多い。それはちょうど自分自身は健康だと信じていながら、実際には末期症状の病であるようなものだ。キェルケゴールの見解では、この惑星上の人びとは、不可視の病に冒されていながら、そのことにまったく気づいていないかにみえる——とりわけその病が幸福の名でまかりとおっているために。

＊

理論家のなかでコンセンサスとなっているのは、人は、確実に起こるとわかっていること〔what one is sure will happen〕を、希望することはできないということである[84]。希望と知はたがいに排斥しあう。まさに信念と知が、異端的信仰絶対主義にとって、たがいに排斥しあうように。「そう望みます〔I hope so〕」というフレーズは、一般に、不確実性を含意している。それは「そう思います〔I think so〕」よりも気弱だが、この「そう思います」も、「わかっています〔I know〕」にくらべれば頼りなげである。スピノザにとって希望が、つねに恐れとまざりあっているのは、その対象が曖昧だからである。トマス・ハーディは小説『遥か狂乱の群れを離れて』のなかで「信仰が希望へと落ち込む」ことを書いている〔第一〇章〕。いわんとするのは、おそらく、信仰は知より劣る何かであり、その信仰よりも、さらにもろい性向が希望ということだ。

なるほど「確実に起こるとわかっていること〔what one is sure will happen〕」といういい方には問題がある。非決定論的宇宙のなかでは、起こることになっているものというようなものは、つまり私たちがどのような行為を選択しようとも、それにおかまいなしに起こるというものは、存在しないのだから。まさにこれゆえに、たとえ未来についての知をもつといわれている神でも、来週の月曜日午後六時二七分にダラスで何が起こるのかはわからない、つまり、その時間に起こるはずのことについてわかるのかということでいえば、わからないのである。開かれた世界では、知の確定的な対象といったようなものは存在しない。そして神が世界について知っているとしても、神は世界をあるがままに知らねばならない、つまり、世界を、その自由と自立性と偶然性のままに知るのである。いくら神でも、暗褐色に染まる概念とかブルゴーニュ・ワインの右翼ボトルがどんなふうにみえるかは知るよしもないのと同様、神は何が不可避的に起こるかについて知ることはできない。全知全能であるところの神は次の月曜日のダラスで、確実に、何かが偶発的に起こるであろうことは承知しているが、しかし、そのことと、これはちがう問題である。これからすぐにみるように、神はまた、神の国が、確実に、到来することを知っているが、これは竜巻が来そうだとか、経済危機が待ちかまえていることを知るのとはちがうのである。

とはいえ「起こることになっているもの〔what is going to happen〕」というゆるい言い方においても、何が起こるのかを確信しているとき、そのことが起こるよう希望することはほんとうにできないかどうか、定かではない。一九世紀に流行していた科学的社会主義を例にとれば、そこでは社会主義の未来の到来は、ある種の鉄板的な歴史法則によって確実視されており、それゆえ認知的確信の対象であった。しかしだからといって、そうした〔確実視された〕未来を人はそれでも希望しないかということにはならない――ここでいう希望するとは、そうした社会を首をながくして待ち望み、その到来をまえにじっとしていられない、そして疑念に襲われても到来の可能性を堅く信じつづけるという意味なのだが。「事態は思わしくないとしても、うまくいくだろうという確信を私は捨てない」というのは希望と、ある程度の確信とがまざっている。アルチュセール派なら、人は科学あるいは理論レヴェルで、何かについて確実な知を所有していても、イデオロギーの観点から、それを希望することはあると主張するかもしれない。おそらく人は、起こるはずだとわかっていることを希望することもできるのだ。ちょうど、過去の出来事について、一度起こった以上もう取り返しがつかないとわかっていながら、それでも後悔するのと同じように。

キリスト教徒は神の国の到来を確実なものとみているが、それでもなお希望することを徳目のひとつとみなしている。ごくふつうに使われる「そう望みます」というフレーズにこめた思いとは異なり、キリスト教徒は、生起することを確実視しているものにたいしても、それに信（トラスト）をおくのである。聖パウロにとって、希望とは辛抱強く、わくわくしながら、ゆるがぬ確信をもってメシアの到来を待つことを意味する。ライプニッツのいう希望は、彼の宇宙的なオプティミズムに基づくものであるだけに盤石である。恵みぶかき神は万物を望ましい目的に整序させたのであって、それゆえ希望とは心静かに確信し待機する問題となる。より世俗的な様式ではコンドルセが平和と平等と人間の完成を夢みながらも、そのいっぽうでそうした社会秩序の到来を実質的に確実なものとみなしていたことがあげられる(85)。ただ、そうはいっても、そのような確信的期待を、「そう望みます」というフレーズの日常的用法は、ゆるがすことになる。ちょうど“no doubt”という、いいまわしが、その字義どおりの意味を修正するようになるのと同様に〔字義どおりには「疑問・疑いの余地なく」の意味だが、実際には「おそらく、たぶん」という意味に使われることが多い〕(たとえば“No doubt he scrubbled the jacket several times, but the bloodstains were still cleary visible"「たぶん、彼は上着を何度もごしごしこすって洗ったのだろうが、血痕はまだはっきりと見て取れた」)やまた"surely"が権威ある断定的な響きよりも問いかけ的な響きを帯びてしまうのと同様に〔これも「確かに」という意味だが、否定文で「まさか、よもや」という意味になることがある〕("Surely you're not claimirg that he never scrubbed the jacket at all"「まさか、彼が上着をごしごしこすって洗ったりしなかったとはいっていませんよね」)。哲学者のアラン・バディウは一部の隙もない神学的正統派の自信をもって、希望を確実性の観点から、また信仰を確信の観点から語っている[86]。彼が正しく把握しているように、神学的に語れば、信仰とは、「私はそう信じているが、しかし自信がない」ということを意味しないのである。彼のパリの同僚たるジャン＝リュック・ナンシーも同様にこう書いている、「信 foi〔faith〕は信仰 croyance〔belief〕のことではない。……信 foi〔faith〕とは信頼 confiance〔trust〕、それももっとも強い意味での信頼、つまり結局は説明も正当化もできない信頼のことである。……とはいえ、あらゆる信頼は何らかのかたちで根拠が裏付けられている。そうでなければ、「それ」ではなく「これ」に信頼を置くという理由がなくなってしまうだろうから。しかし、まさにそういう場合でも、信頼のロジックの究極の見地は、理由や根拠の不在ということなのだ[87]」と。

『オックスフォード英語辞典』は希望を、期待と欲望からなる感情として定義している。〈ニカイア信条〉において希望に言及している唯一の箇所――*expecto resurrectionem mortuorum et vitam venture saeculi*〔死者の復活と来世のいのちを待ち望みます[43]〕――は、死者の復活と永遠の命が実現しないかもしれないという可能性を許容していない。ラテン語の動詞 *expecto* は、期待を寄せる〔look to〕あるいは希望を探しもとめる〔look out for〕という意味だが、疑惑という潜在的意味を帯びてはいない。"I hope to see you tomorrow" と語ることは、ふつう、あなたが、その人に会うのを楽しみにしていることを意味するのであって、あなたが自分のすることすべてについて深刻な疑いをもっているという意味ではない〔「お会いできないかもしれませんが、お会いできればよいと望んでいます」という意味にはならない〕。

もしこうした観点がジャック・デリダのような哲学者には受け入れがたいとすれば、それは彼が確実性を科学的な計算の問題としてしかみていないからである。これはポストモダニズムが確実性をドグマとみなすことと軌を一にしている。もし、これから到来するものをあてに／計算(カウント)できるのなら、デリダが『マルクスの亡霊たち』のなかで論じているように、希望とは、計算的で計画的なものとなるだろう[44]。しかし、なにも実証主義者に敬意を表して、合理性を正当化する彼らなりの具体例を受け入れる義理などない。たとえあとでそうした合理性を却下するだけのためだとしても。科学的合理主義者によって提唱されている確実性の形式以外にも数多くの確実性の形式が存在している。ボナヴェントゥラは、希望について、自明的な知としてではなく、「ある種の信頼性に対する確信」という観点から語っている[88]。なるほどポール・リクールが示唆しているように、「私たちのまえには希望と絶対的知の二者択一しかないのだが[89]」、だからといって絶対的知の欠如によって、やむなく懐疑論者の軍門にくだることにはならない。人は、自分が恋していることを確信できるし、バッハのほうがリアム・ギャラガーよりも繊細な作曲家であることも確信できるし、さらに赤ん坊を虐待することは道徳的に絶賛される行為ではないことも確信できる。デリダは、確実性を信仰にも希望にもともに有害なものとみる点で、根っからの信仰絶対主義者である。しかし信仰と確信とが角突き合わせるのは、人がこけおどしの確実性崇拝に入れあげるときだけである。ニコラス・ラッシュが指摘するのは、カール・ポパーの『歴史主義の貧困』[45]は確実性を科学的な予見可能性とあやまって同一視し、確実性を解釈の領域ではなく説明の領域に限定しているということである[90]。これとは対照的にキリスト教の教えでは、信仰は、確実性という点では完璧な知にはかなわないが、にもかかわらず確実性の一形式である。人はこれまで神と面と向きあうことができていないので、神〔がいること〕への信仰／信念でまにあわせるしかなかったのはたしかだが、このことは、ある命題が科学的に立証できないからといって、それを仮説的なものとして扱うということと同じではない。アブラハムの神に対する信仰は、神の存在にかんする主張が確定的に立証されていないにもかかわらず〈至高の存在〉があるという理論をとりあえず支持するということではない。彼は、そのような考え方が理にかなっているとはとても思わなかっただろう。人間の男女には不正に対して抵抗する能力が備わっていると信ずること〔To have faith〕と、そのような能力が実在すると想定することとはちがう。はたせるかな、そうした能力が実在することを人は受け入れながらも、その確固不動たるありようを少しも信じていないということもありうるのだから。

　概して私たちは信仰や希望を一連の科学的命題のなかで語ることはない。科学的命題の知は信仰とも希望とも無縁のように思われるだろう。その種の知は、信頼とか誓約とか欲望とか確信とは、明らかに無関係である。結婚している独身者はないという命題、火山学者がエトナ山の噴火を再び正しく予言したといった言明によって誰かのアイデンティティが左右されるということはない。これは、私たちが自分自身をリスクにさらすような状況ではない。私たちは自分の命を思い切って航空技師の手に委ねるかもしれないが、古代アッシリアの専門家の手に委ねたりはしないだろう。したがって、もし信仰あるいは希望と、科学的証明可能性とのあいだに明確な区分があるのなら、前者のほうは一時的仮説的思弁にすぎないと安易に想像してしまう。社会主義やフェミニズムを信ずる者は誰も、こうしたあやまった想像をすることはありえないだろう、たとえ多くの社会主義者やフェミニストたちがキリスト教について、あやまった想像をするにしても。ただ、いずれにせよ哲学者のC・S・パースが論じているように、知を獲得する過程は、希望を、知的活動そのもののプロセスに巻き込むのであり、この意味において希望は「論理にとって不可欠な必要要件のひとつ[91]」である。

私たちは考えがちである、絶望する者は動かし難い確定性の感覚に呪縛されている——それがどのように嘆かわしいものであれ、あるいは病んだ基盤にたっていようが——、これに対し希望をいだく者はそうではない、と。けれども英国国教会の葬儀サービスが語るのは、復活の考えに呪縛された、「根拠のある確かな〔sure and certain〕」〔祈禱書のなかの語句〕希望である。ルドルフ・ブルトマンとカール・ハインリヒ・レングストルフは「確信にみちた待機と信頼のおける希望[92]」について語っている。実のところ、キリスト教徒は未来が曖昧だからではなく、未来が、おしはかりがたいものの、ゆるぎなく確立しているがゆえに希望をいだくのである。信者の希望の源はヤハウェであるが、ヤハウェはヘブライの聖典においては、みずからを未来形で特定し（「私は、私であろうところのものとなろう」）、そしておのが民を裏切ることはないだろう。この意味で希望は、甘い希望的観測の問題ではなく、喜ばしい期待の問題なのである。それゆえ希望を維持するのが困難であるような環境において希望をいだくのは、そのぶん称賛にあたいするものとなろう。希望とはジェイン・オースティンが『説きふせられて』のなかで「未来に対する明るい確信」と呼ぶものを表象する。[46]『詩篇』は、希望がくじかれることはないと約束し、またいっぽうで聖パウロは希望が私たちを裏切ることはないと主張する。トマス・アクィナスのある注釈者は、アクィナスが希望を、「ゆるがぬ自信と活力みなぎる確信」をともなうものとみていたことを指摘し、これは軽薄なオプティミズム――「落ち着きのないじれったい思いをしながら待ち望むこと」――とは異なり、熱き思いと動じない姿勢、そして勝利の確信に特徴づけられたもの[93]」と述べていた。最後のフレーズが鼻持ちならぬ自己満足と思われないためにも、キリスト教信仰にとって驕りは絶望と同じく罪であることを思い出しておきたい。そうした思い上がりは、病的なオプティミズムの、神学上の等価物である。そもそも救いは神の手のなかにあると信ずるほかはなく、神のやり方は神秘的ではかり知れないがゆえに、信ずる者は、勝ち誇ることなく希望をいだくしかない。確信的な勝利とは、この世界の邪悪な力にたいする恩寵の最終的勝利のことであり、天国での宴の席に自分の席が確保されているという、傲慢を助長するようなものではまったくない。

　アクィナスが語っているのは、端的にいって、ポスト復活の歴史の一般的な、後戻りできない傾向と彼がみているもののことであって、特定の個々人の運命についてではない。その点にかんしていえば、この全般的確信には懐疑や不安がつきまとう、なにしろ誰も、自由な主体ではなく、さらにはみずからの救済について確信などもてないのだから。愛や慈悲はいっぱいあるかもしれないが、私たちのためにはないかもしれない。傲慢な者と進歩主義者、両者にとって、人は、あくせくしなくとも救済されうるのであって、それは至福の結末が歴史の法則のなかに最初から刷り込まれているからである。これとは対照的にパウロは、希望は決して裏切らないと説くかもしれないが、また救済されるためには努力が必要とも説くだろう。トリエント公会議[47]にとって、傲慢とは、絶対的かつゆるがぬ確信をもってみずからを救われる者のひとりに数え上げることだが、これこそ思い上がり、〈倒錯した確信〉（アウグスティヌスの言葉）であり、精神的怠惰を助長するものである。まちがいなく、そうであるがゆえにアウグスティヌスは『詩篇』への注釈のなかで希望は慎ましき者にのみあたえられると述べるのである。キリスト教信仰にとって希望は、神の愛(ラヴ)と慈悲(マーシー)に基づくものであって、はたせるかな、この神の愛と慈悲は、確かなものとみられている。このふたつは神をして神ならしめるものに属している。この意味からキリスト教はマルクス主義よりもはるかに決定論的な信条であり、これは、マルクス主義を歴史的法則の鉄の檻にくみするものと非難してきた宗教的保守派が見落としている特徴である。神の君臨は必ず起こるだけでなく、それはイエスの復活時に、すでに原則的に実現されているのであり、人類はそれゆえ最後のカウントダウンの日々を生きている。歴史については万事が基本的によくなるということは、しかしながら、歴史への個々の参加者のすべてに基本的によいことが起こるということを意味しないし、ウォール街の狼たちが、羊たちと仲睦まじく横になるということを意味しない。

ヨーゼフ・ピーパーは傲慢を、希望の「詐欺的模倣」とみなしているが、この傲慢なるものを、未来を構築するという骨の折れる試みの本質を認識しないものとみている。マルクス主義者のなかの決定論者ならびにブルジョワのなかの進歩主義者の場合と同様に、この傲慢なる者たちにとって、未来は、すでにがちがちに固められている。ひとたび精神的に選ばれた者たちが救われたなら、もう世界史レヴェルで発展するものはない。重要なことは、ことごとくすでに起こったのである。これとは対照的にマルクス主義の観点では、これまで生起したことすべては、たんなる「前史」、すなわち歴史そのものにたいする暗鬱な序章にすぎない。この意味から、傲慢な思い込みは絶望とさほどちがわない。絶望も同様に変化の可能性を消去するからだ。ピーパーが述べているように、絶望している者は神聖なる正義にしか目を向けようとしないのだが、これに対し傲慢な思い込みをする者は神聖な恩寵しか期待しない。どちらも未熟な決めつけである。歴史を、不変の宿命へと凍結してしまうのだ。神学的にいえば、絶望は、神の国が到来することになっているという事実を却下しようとするのに対し、傲慢な思い込みをする者は、神の国が、自由な人間の主体的労苦なくしては絶対に到来しないことを忘れてしまっている。両者の観点は、おのおの独自に、所与のものと創造されたものとの緊張をやわらげようとしているにすぎない。

＊

ある意味、希望は願望的であるとともに行為遂行的(パフォーマティヴ)でもある。同じことは欲望についてもあてはまる。欲望は、欲望の充足を実現しようとはたらきかけるかもしれない。特定の未来の実現に確信をもつことは、そのような未来を招き入れることに貢献するかもしれないのだ。ちょうど友人になれそうな人をもとめて自分の周囲に愛想をふりまく人は、無愛想で人当たりがよくない人よりも、友人をみつけることが多いように。こうした遂行的希望を、エルンスト・ブロッホは政治的革命にもあてはまるものとみているが、これは、もっと日常的なことがらにおいてもいえる。重い病から回復するのを疑う人は、回復を確信している人よりも病に負けることが多い。希望があるかのようにふるまわなければ、ほんとうに希望がなくなってしまう。こう考えれば希望というのはたんに未来に期待をかけているだけではなく、未来を構築しうる力である。シェリーは『鎖を解かれたプロメテウス』で書いている、「「希望」が／自らの残骸から、静思するものを創り出すまで望む[48]」と。この詩行は、希望にかんする悲劇的な観点と遂行的な観点とを合体させている。

　アクィナスにとって希望とは、たんに未来の善きことを期待するだけでなく、それを獲得しようと奮闘努力することであり、希望は、あなたが問題を克服するときの努力を後押しすることができるし、その望ましい特質のおかげで、より効果的な行為をめざすことができると、そうアクィナスは主張した。同じ好ましい特質は、あなたが計画に固執することを助けるかもしれず、その結果、希望は、恐怖と同じく、それを予言なり予測したがゆえに実現してしまうような自己実現的なものになりうる。イマヌエル・カントは、報酬を希望することなく、正しくあろうとする者などいないと考えたが、それでも希望を、有徳の行為の強力な動因とみなしている。希望について論ずる現代の思想家は、希望を「ある種の目的の好ましさや実現可能性を積極的に支援するもの」とみるのだが、その場合、希望を、心的状態ではなく活動としてみなしている。[94]

ただし、希望は、自己実現的な予言とはちがう、つまりそれを望むことで予言がかなってしまうこととは確実にちがうのである。アクィナスによれば、自己実現的予言というのは問題の困難さを矮小化してしまうものだ。もしあなたが真剣に希望すれば、あなたが望むことは達成できるだろうというアメリカでもてはやされている信念は、主意説や観念論――いずれも頑強な意志を重視する――のイデオロギー的後継者であるにすぎない。アメリカの歌曲「高い希望 High Hopes」は韻律の都合上、「高い希望 high hopes」というフレーズと「高い、空いっぱいに浮かぶ大きなアップルパイのような、大いなる希望 high apple pie in the sky hopes」とを対置することになるが、それによって図らずも真実を露呈することになる。つまり後者のフレーズにあるような現象が存在することは、これまで科学によって証明されていないから、高い希望がいかに荒唐無稽かがわかるのである。[49] ただ、たとえそうであるとしても、別の選択肢としてある未来を想像するという行為そのものが、現在を遠ざけ相対化することになるかもしれず、私たちを呪縛するところの現在の力がゆるみ、望ましい未来の実現可能性がますということになるかもしれない。だからこそロマン派の想像力はラディカルな政治とリンクした。真の希望のなさとは、そうした想像力がはたらかなくなるときであろう。

しかし真の満足というのは、純然たる希望のなさのなかにあるともいえる。そのような希望のなさは、必ずしも絶望を意味しない。それどころか、希望のなさこそ、絶望にたいするもっとも効果的な治療ということになるかもしれない。ストア派の教えにあるように、高く飛翔しすぎなければ、墜落することもない。これはトマス・ハーディの小説にまで見出されるメッセージである。ハーディの小説の登場人物のなかには、現実離れした願望をいだくために落胆する者もいれば、状況に救いがないことを早々に察知して落胆する者もいる。ハーディにとって、人が自分自身のものの見方(パースペクティヴ)を絶対視することはつねに軽薄のきわみである。あなたの立っている地点からではみえないなんらかの至福が垣間見える視点というのはつねにありうるのだ。この意味で世界は断片的で葛藤にみちているという事実は希望の源泉である。あなたにとって重大きわまりないことも、他人にとっては、その存在のただの背景にすぎないことを認識し、アイロニカルな視点をもって生きることはよいことなのだ。実現不可能な希望を抱かないことは、破滅を招かないための用心である。希望の反対は絶望ではなく、諦めという勇敢な精神かもしれない。スピノザは『エチカ』のなかで希望を「不確かな喜び」と記述している(先が見込めないから不確かなのである)。そのため彼は希望にも恐怖にもなびかない。理性にかなった生き方をする個人は、確実視できる知によって生きる。いっぽう希望は無知な者のいだくイリュージョンにほかならないというわけだ。[50]

「実のところ」と終身刑で二十年の刑期を終えた英国のジャーナリストは、こう書いている、「終身刑受刑者にとって希望というのは疲労消耗させるものである。希望ゆえに不眠症になり、希望ゆえに気も狂わんばかりになる――終身刑受刑者にとって、より安全なのは、なにも期待しないことであり、そうすれば落胆することもない[95]」と。「敗者にもひとつだけ救いが残っている――何も希望を抱かないことである」と、ウェルギリウスの『アエネーイス』のなかにある。[51]完膚なきまでに叩きのめされた者たちだけが、イリュージョンに染まらずにいられる。みずからの勝利が小さいことが確実であれば、失敗も同じくつつましいものであることが保証される。もしよい生き方というのが、充足した自己抑制のそれであるのなら、希望も絶望も最初から捨ててかかる必要がある、なにしろそのふたつは、ともに私たちを時間の破壊行為の犠牲者にするからである。未来を捨てるとき、不安は瞬時にして解消される。プラトンの『国家』は、満ちたりた魂を、運不運に影響されず、自足してやすらぎ、他者に依存する危険をおかさないものというようにみている。これに対しアリストテレスは『ニコマコス倫理学』や『政治学』の双方において危険のない人生、傷つくことのない人生は、不毛な人生だと述べている。キケローが書いている幸運な魂とは、「いかなる恐怖にも脅えず、いかなる苦悩にも苦しまず、いかなる欲望にも駆り立てられることなく、いかなる虚しい有頂天の喜びによっても、ぐったりとした快楽で溶けたようになることもない[96]」のである。『シーシュポスの神話』のなかでアルベール・カミュは、私たちに、希望を、すくなくとも宗教的な希望を捨てるよう忠告している。[52]

ストア派にとって、生の恥辱にたいするもっとも満足のゆく解決とは死である。しかしこの目標は、生きながらの死〔生ける屍状態〕というかたちで、あるいは自分自身にたいして暴力をふるい、みずからを欲望からも幻滅からも隔絶させてしまう人びとが到達する無感動というかたちで、死よりも先に達成できる。トマージ・ディ・ランペドゥーサの『山猫』のなかでドン・ファブリーツィオは考える、

「死がある限り希望がある」[53]と。もし死があるところ希望があるというのがストア派にとっての標語ならば、それはまた殉教者のモットーにもなりうる。ストア派にとって有徳であることは、みずからの欲求を手なずけることではなく、欲求を乗り越えることである。人生にとって重要なのは、運命のご機嫌をとることではなく、運命をさげすむことである。これは悲劇的ヴィジョンの逆かもしれない。悲劇的ヴィジョンにとって、重要なのは運命に果敢にいどむ進取の気性にとむ野心家である。彼らは人生につまずき転落しやすいのだ。ソポクレスの『ピロクテーテース』においてコロスは「並はずれた定めを負わされて、人間は何と苦しむことでしょう」と述べる。[54]これとは対照的に、なにもリスクをおかさないことは、なにも失わないということにもなる。人は「静謐（せいひつ）な状態を保ち続けねばならないとセネカは書く、「有頂天になることもなく、かといって鬱屈（うっくつ）することもなく」[97]と。〈アパテイア〉〔apatheia 感情をもたぬ無感動の境地、ストア哲学が理想として掲げた〕こそがすべてというわけだ。心の安らぎの代償は、ある種の救済的単調さであろう。ストア派は、世界に現前すると同時に不在であり、生きているとともに死んでいる。世界の動乱に巻きこまれ追いつめられながらも、高貴な魂ゆえに世界の有為転変から守られてもいる。希望をいだく人びとは、異なる意味ではあるが、現前しているとともに不在である——触知できるが不完全なものと、不在だが魅惑的なものとのあいだに引き裂かれているのだから。ショーペンハウアーは希望を諸悪の根源とみる。なぜなら人間の静謐な精神状態を偽りの期待で攪乱するからである。「もしも希望がこれを焚きつけさえしなければ」と彼は書く、「すべての欲心はやがて消滅し、どんな苦痛〔すなわち幻滅がもたらすもの〕ももはや生じようがない[98]」と。

ユージン・オニールの『氷屋来たる[55]』のテオドール・ヒッキーにとって、希望を捨てることは、「自分自身を捨てることができるということだ。おのれ自身を海底にしずめてしまえ。やすらかに眠りたまえ、だ。それ以上行く必要はない。いまいましい希望が、あるいは夢が、おまえをしつこく悩ますことはない」(第二幕)。これは、彼の周囲の怠け者ののんだくれたちにとって、あるいは最終的に彼自身にとって、とりわけ実りあるものではなかった考え方なのだが。

偽りの希望の誘惑を避けるもっと別の方法とは、自分の欲望を抑え込むのではなくて、欲望を満たしてしまうことである。もし完璧な願望充足状態に永遠にとどまりつづけることができれば、あらゆる欠如とは縁を切ることができるし、それゆえあらゆる希望とも縁が切れ、その結果、あらゆる幻滅ともおさらばできるということになる。まさにこれが、シェイクスピアのアントニーとクレオパトラ両名の土壇場の苦し紛れの戦略であり、二人は、一瞬一瞬を満ち足りたものにすることで、時間を出し抜くことで、願望を克服せんとするのだ。このプロジェクトの、かなり騎士道的なヴァージョンは、ジョン・ダンの恋愛詩のいくつかに見出すことができる。『アントニーとクレオパトラ』の冒頭の台詞は、アントニーのことを、水を溢れださせながらも水が尽きることのない噴水(ファウンテン)のように「限度を超えてあふれでるもの」として語っている。このような図像をイェイツは「内戦時代の省察」の冒頭の一連において私たちに提示している――

確かに、花咲き乱れる富者(ふしゃ)の芝生で、ここの主(あるじ)が

植林した丘々に吹く風のさやぎのなかにいれば、
高望みして苦しまなくとも生命は満ち溢れる。
生命は水盤から溢れ出るまで降り注ぎ、
注ぐほどなお目の眩む高みに舞い昇る、
おのれが望むままの姿かたちを選ぶぞ、
人の指図や求めに屈してありきたりのかたちや
通俗なかたちを取りはしないぞ、というように。[56]

このイメージは永続的な飽和と補充のそれである。同様にアントニーによればこうなる、「ナイル河が増水すればするほど豊作の見込みが多くなる」(第二幕第七場)[57]。クレオパトラは彼女のアントニーについて「あの人の恵みには冬はなく、刈れば刈るほど豊かになる秋のようでした」(第五幕第二場)と語っている。ここには欠けているものはない。それゆえここには欲望はない。イノバーバス(劇中人物)によれば、クレオパトラは「大いに満足させてやる男どもに、ますます飢えを感じさせるのです」(第二幕第二場)、とはつまり欲望は、飽食をつぎの飽食へと橋渡しする一契機にすぎないのである。飽食・満腹がさらなる飽食・満腹を生み出す。それも「夏の祭器棚」のなかでウォレス・スティーヴンズが「豊饒なるものの、何物も獲得することのできないところの／不毛」と呼んだ状況のなかで。

アントニーとクレオパトラについては、シェイクスピアの『冬物語』のなかでフロリゼル(ボヘミアの王子〕がパーディタ〔羊飼いの娘、本人は知らないが、実はシシリア王の娘〕について語ったのと同じことがいえるのかもしれない、フロリゼル曰く「君のすることは／どれ一つを取っても世界に一つしかない君だけのものだし、／その時その時にしていることを玉座の高みに昇らせるから、君のすることはどれもが女王なのだ」（第四幕第四場）[58]。あるいはオクテヴィアス・シーザー〔のちの皇帝アウグストゥス〕がかなり嘲笑的に述べているように、アントニーは「ひまな時間を酒色で満たし」「目下の快楽のために経験を犠牲にして」みずからの輝かしい過去を忘れているのである（第一幕第四場）。アントニーとクレオパトラにとって歴史の重圧からの至福にみちた解放と思えるものは、杓子定規なオクテヴィアスの眼には、よどんで腐った自己消費のありようにしかみえない。移り気な民衆について、「流れに漂う菖蒲のようなもので、変化する潮の流れに従って行きつ戻りつして、そうやって漂っているうちに腐ってしまうものだ」（第一幕第四場）とオクテヴィアスは述べているが、この描写は、彼のアントニーとクレオパトラ観にもあてはまる。オクテヴィアスは、アントニーとクレオパトラに対する崇拝者ではない。二人は、どこにたどりつくこともなくいたずらに放蕩に溺れるだけなのだから。

　アントニーとクレオパトラにとって、時間のひとつひとつの瞬間が、歓喜で満たされ、絶対的なものとなり、それゆえに永遠のイメージとして立ちあらわれる。これほどまでに濃密に生きるということは、死と衰退を超越することであり、そうなれば希望なきものとなる、つまり希望という徳目は必要ではなくなる。期待は未来とともに廃棄される。またべつの意味からも、このように生きることは、死が導き入れるであろう永遠を先取りすることだ。まさにそのとき人は自分自身を現在という、時間の果ての静止点に位置づけようとし、そうして現在の〈充満（プレローマ）〉のなかで死の成就を先取りすることによって、死から恐怖をとりさるのである。かくしてアントニーは、〈タナトス〉すなわち死の欲動に、心地よくやすらぎながら呪縛され、花婿が花嫁の待つ初夜の床におもむくときの官能的な欲望のうずきをもって、みずからの死への突進を語るのだ。時間のそれぞれの瞬間が自己充足的であるため、ひとつの瞬間からつぎの瞬間への継続もなければ従属もない。したがって企画（プロジェクト）、因果律（コーザリティ）、野望（アスピレイション）、期待（アンティシペイション）、そしてこれらに付随する挫折（フラストレイション）、こうしたものがなくなる。「私の兵力は三日月のようにますます大きくなり、いまに満月のようになるだろうと、この胸の中の予言的な希望が告げる」（第二幕第一場）とポンピー（ローマの将軍、ポンペイとも表記）は豪語する。しかし成長、希望、予見、期待などを語ることは、この劇では、ローマの言説であり、エジプト固有の特殊言語（イディオム）ではない。官能的な快楽の時間は、人間の主体的活動の時間ではないがゆえに、アレクサンドリアでは、歴史は消去され、それが姿をみせるのは、帝国首都ローマからの召喚というかたちでアントニーの肩を叩くときだけだ。快楽の主体は、歴史的変化や時間経過からまぬがれている（「私たちの唇と眼には永遠が宿（やど）る」（第一幕第三場のクレオパトラの台詞））。まさにこのとき、シェイクスピア劇の観客の目には、レジェンドである、アントニーとクレオパトラの姿が、無時間的な現在の記念像としてそびえたつのである。

第三章　希望の哲学者

エルンスト・ブロッホこそ希望の哲学者である。まさにニーチェがまぎれもなく(権)力の哲学者であり、ハイデガーが疑問の余地なく存在の哲学者であるように。西欧マルクス主義の傑物のひとりである彼はまた同グループのなかでもっとも顧みられないひとりでもあり、この無視状態は、彼の代表作にして畢生(ひっせい)の大作『希望の原理』が英語訳版で一四〇〇ページにならんとする事実とも無関係ではあるまい。終着点に到達したいという切実なる願い――『希望の原理』がユートピア探究の観点から描いているこの姿勢――こそ、まさに『希望の原理』の読者なら誰もがふつうに経験することであろう。その学識が、ブロッホ自身に匹敵すると思われるペリー・アンダーソンですら、いまや古典ともいえる著書『西欧マルクス主義』[1]のなかで、ブロッホについて論じていないのである。

こうした状況が一向に好転しそうにない原因として、ブロッホの著作のいくつかを造型している豊饒で曖昧模糊とした託宣的散文をあげることができる。ブロッホの文体(スタイル)を「後期表現主義的」と記述するユルゲン・ハーバーマスは「ハイフェンでつながれた用語を用いて撒き散らされた断片、冗語的表現形式の湧き出るような野生さ、熱狂的な響きをもつ力強い息遣いの句」[1]と評している。またブロッホが書いているものには、明確な公理的な言明であるはずなのに、ろれつが回っていないようなところが多々ある。たとえば(ほぼランダムに一文を選んでいるのだが)――「適合性を一瞬の閃光のなかで明らかにする契機と符牒をまえにした、あっけらかんとした驚きの当惑は、実存が生きられている瞬間の寝室のなかにあるという事実ときわめて密接に関連している」[2]のように。まばゆいほどの輝きにみちた文章でありながらも、ブロッホの盛りだくさんな修辞表現、奔放な詩的発想、深遠な洞察の数々は、マルクス主義理論が難解であるという悪い印象をもたらすのにじゅうぶんなものがある。もし彼の書き方のスタイルが、ユートピア的なものを予感させるとすれば、それは、その旺盛な想像力の発露によるところが大きいとしても、同時にまた、その曖昧模糊とした表現によるところも大きいのだ。神の国を鏡で見るようにおぼろげにみることについての聖パウロの発言ほど、ブロッホの文体にあてはまるものはない(「コリント人への第一の手紙」[2])。ブロッホの熱狂的な散文から、ベンヤミン的、あるいはアドルノ的な、余分なものをそぎ落とし引き締まったアフォリズム的な文章へと目を転ずる読者からは安堵の溜息が漏れることだろう。

ブロッホの代表的著作の形式は、その内容を反映している。そのごった煮的な大作は、厳密な構造なるものを、はねのける――自由と多様性の名のもとに。この自由と多様性というふたつの価値観は、著作が語る未来の姿をまえもって伝えているようなところがある。したがってその著作を読む行為そのものが、私たちにユートピアを少しばかり味見させてくれるのだ。中央集権化した計画や階層的秩序は脇に置かれる。それらは共産主義体制においてもそうなるといわんばかりに。スターリン主義的な全体性概念が特殊個別的なものを踏みにじってゆくいっぽうで、ブロッホの端倪すべからざる想像力は、ランダムなものの偶発的なものを十二分に評価するものであり、はたせるかな、その文章では、委曲をつくして語られる脱線部分が、間髪を容れず次の脱線部分へとつながってゆく。その著作の特異な唯物的詩想は、手垢のついた意匠にたいする拒否の姿勢とあいまって、それ自体が政治的身振りであり、正統的な学術研究の慣習的手順にたいする執拗な攻撃となっている。テオドール・アドルノは、ブロッホの攻撃対象は「知的活動規律のもったいぶった儀式次第[3]」であると語っている。

ドイツの左翼系ユダヤ人としてブロッホはナチス政権下の日々を、ヨーロッパの避難所を転々とすることですごしたあと、一九三八年に合衆国に移住、その地で『希望の原理』が書かれた。一九四九年に東ドイツに移り、ある評者が述べるところでは、「未来のために、彼は欺瞞的な現在とファウスト的な契約を結んだ[4]」のである。つまり彼はスターリン体制に対する筋金入りの擁護者になったのであり、モスクワでの見せしめ裁判を擁護し、トロツキーにゲシュタポの手先という烙印を押すまでになる。共産党とは距離をとっていたが、時にはスターリン主義者との低次元の論争に巻きこまれ、東ドイツ体制にたいする絶対的忠誠を何度も表明させられる。ハーバーマスが述べているように、ブロッホは、自由と多様性にいたる道が、国家権力、暴力、中央集権化された計画、集団体制、教条的原理を経由するということに疑いの念をもたなかった。[5]左翼の同僚たちの多くと同様に彼は、時代の鍵となる選択を、スターリンかヒトラーかの選択とみていた。ただ、たとえそうでも、ソヴィエト連邦のなかにユートピアの種子を垣間見ることは、経験から学ぶことのない希望の一方的な勝利の証しでもあった。ちょうどドイツ民主共和国〔German Democratic Republic——東ドイツの正式名称、略称GDR〕において希望について書くことが、そこで暮らすという経験から何も学ぶことのなかった、希望のやみくもな勝利の証しであったのと同じように。

GDRに対するブロッホの忠誠にもかかわらず、神秘主義と形而上学の粗削りな寄せ集め——これはまた体制側からみた『希望の原理』の特徴そのものでもあったのだが——は、ブロッホを、東ドイツ当局のおぼえがめでたい人間にしそうもなかった。マルクス主義が科学的精密さで未来を予見できるのなら、希望などというプチブルジョワ的愛玩物が必要なのか。かくして彼はたえず監視され、悪しざまにいわれ、教壇に立つことや出版することを禁じられた。一九六一年西ベルリン訪問中、ベルリンの壁の建設によって帰国を妨げられると、彼は西ドイツにとどまることを決意する。彼の名誉のためにいうと、共産主義体制に幻滅した左翼陣営の人間が、西側で保守反動に走るというおなじみの経路をたどることを彼は拒んだ。そうするかわりに彼は、学生運動、反核運動、そしてベトナム反戦争運動に支援を表明し、理にかなうとみれば西側の支配層を容赦なく酷評した。最終的に彼は西欧左翼でもっとも尊敬される予言者のひとりとなった。彼は生きているとき、すでに神話的人物になりおおせていた。

ペリー・アンダーソンが着目したように、非マルクス主義思想にも門戸を開くことが、西欧マルクス主義の顕著な特徴であった。それはグラムシにおけるクローチェの影響、アドルノにおけるヘーゲルの影響にはじまり、サルトルにおけるハイデガーの、アルチュセールにおけるスピノザの影響にいたるまでみてとることができる。[6] こうも主張できるかもしれない。ブロッホの著作は、こうした何でも受け入れる姿勢をパロディと思えるほど極端なまでに押し進めたのだ、と。彼の圧倒的な百科全書的知識は、「ピタゴラス的な数の象徴解釈、ユダヤ神秘主義(カバラ)の符号理論、ヘルメス的な観相学・錬金術・占星術[7]」とハーバーマスが呼ぶものまでにおよぶ(ちなみにハーバーマスはブロッホにおける概念的正確さの欠如を「鼻持ちならない」と評しているのだが)。これは東ドイツの官僚らが日常的に扱っている案件とはおよそほど遠いものだった。その初期作品『ユートピアの精神』[3] において、ブロッホは、ユダヤ的メシアニズムと古典哲学を、また隠微学と終末論を、マルクス主義と神智学を結びつける議論を展開していた。彼の著作の純然たるスケールの大きさには誰もが息をのむ。レシェク・コワコフスキはブロッホの試みについて、「完璧な形而上学、宇宙論、そして思弁的宇宙論」をマルクス主義に接ぎ木するものと語っている。[8]

『希望の原理』は、宗教批判としても機能しながら、宗教の深さと広がりに肩を並べるようなマルクス主義独自の形態を模索している。そのため、扱うのは、グノーシス派からモダニスト、ベーメからボリシェヴィキ思想、エルドラドからヨアキム・デ・フロリス、オリノコ川三角州からローストした鳩肉、そしてアラジンの魔法のランプにまでおよぶ。著者の関心も、倫理学、美学、神話学、自然法、人類学から、ファンタジー、大衆文化、性現象、宗教、自然環境へとひろがってゆく。彼はまた古典的マルクス主義のヨーロッパ中心主義的な偏向性を批判し、非ヨーロッパ文化にもじゅうぶん配慮すべきことを説いた。ブロッホについて書いている二人の批評家によれば、「革命的実践のために哲学と芸術と宗教がいかに重要かを説得力あるかたちで論証しえた」者は、歴史的唯物論者のなかではブロッホ以外にはいなかった[9]。このかぎりではブロッホは、マルクス主義に批判的な者たちが安心できるような種類のマルクス主義者でもある。したがって驚くべきことではないが、彼は途切れることなくいい寄られていた——彼を味方につけようとする解放の神学者、文化歴史家、リベラル・ヒューマニスト、そしてブロッホの唯物論的弁証法へのゆるがざる献身には目をつぶっていられる鷹揚な人びとから。

ブロッホは、「社会主義者の想像力にみられる栄養不良」と彼が呼ぶものを痛罵(つうば)したのだが、そのぶん、自身の概念は栄養不良どころか、ラブレー的な規模にまで肥満化して破綻しかねなかった。ある種の人びとが印象的な学識とみなすものも、ほかの人びとにとって知的過食症の危険な事例でしかないということもある。趣味の良さとか控えめといった古典的美徳ほど、ブロッホの肥大化した感性から程遠いものはないだろう。希薄さとか舌足らずな曖昧さなど、ブロッホには思いもおよばなかった。彼の思考が原動力としているのは、普遍的知をもとめるほとんど病的ともいえる衝動なのだが、ここでいう普遍的知こそ、共産主義ユートピアのいわゆる〈全体像(トートゥム)〉を前もって示すものなのである。この意味でも、彼の作品の形式は、その内容と一致している。けれどもこの圧倒的に多種多様であるところの著作のパラドクスとはその根底に単調(モノトーン)さが存在することである。その壮大な博学多識は、かなり乏しい数の関心事をくりかえし例証するだけである。ブロッホの著述の瞠目すべき豊饒は、概念的というよりも経験的なものに支えられ、比較的少数の鍵概念群——その多くが、たがいに同義語的関係をとりむすんでいる——が、尋常ではない広がりをもつ具体的現象例によって逐一検証されるのである。彼の著述の反復性には、ただただ驚かされる。〈全体性(トートゥム)〉と〈終極(ウルティムム)〉はまた〈最適条件(オプティムム)〉と〈最高善(スムム・ボヌム)〉であり、そのいっぽうで〈故郷(ハイマート)〉、〈存在(ビーイング)〉、〈全なるもの(ジ・オール)〉、〈終末(エスカトン)〉、〈充溢(プレローマ)〉は、相互に交換可能である。こうした用語は、そのすべてが未来の平和と自由と無階級状態を示すところの身振りであるという事実をひとまず差し引いて考えれば、それらは用語や表現は豊富で派手でも内容は顕著なまでに乏しいのである。

　またこうも主張できるかもしれない、ブロッホの著述は、マルクス主義的性格が少なすぎる(トゥー・リトル)と同時に多すぎる(トゥー・マッチ)である、と——その著述はとにかく貪欲で、ほとんどすべての歴史的現象から、たとえそれらが現代の政治とどれほどかけ離れていようとも、解放的価値を絞り出せることを最初から前提としているし、しかも、こうした膨大な数にのぼる材料を歴史的唯物論の鋳型に流しこまんとすることにも意欲満々なのだ。過去は多種多様かもしれないが、そのめざすところはひとつしかないということになる。かくしてスターリン主義者のブロッホと肩をならべることになるのが、もうひとりのブロッホ、そう、気に止められることもなかった取るに足らぬ現象の収集家としての、異端的なもの異様なものの擁護者としての、人間文化の入り組んだ路地裏や裏通りを探し回る探索者としてのブロッホなのだ。彼のヴィジョンがあまりに拡散的であるといえるのなら、そのヴィジョンはまたあまりにも狭小だともいえる。その著作は増殖と縮少を同時にやってのけるのだ。そこには種々雑多なものがあふれんばかりに盛られている。宇宙の力についての散漫なおしゃべりがあるかと思うと物質の弁証法にかんする図式的すぎる考察もある。『希望の原理』は人間の文化の富すべてを快く受け入れる――ただ最終的には、それらを全部わが物とするために。マルクス主義は、過去の創造的思想すべての遺産継承者であるが、そうした思想を受け継ぎながらも最終的には凌駕することになる。たとえばブロッホは何度も示唆しているように思われるのだ――マルクス主義以前の思想のほとんどすべてが未来時制を学んでいない、と。未来性は歴史的唯物論とともに生まれる。これまでのすべての自由のヴィジョンに見出せる真実の核を具体的に実現するものとしてのマルクス思想こそが、ヘブライの預言者たちやパラケルススからヘーゲルや近代へと継承された遺産を開花・結実させうるのである。目の届くところどこにでも原マルクス主義の徴候をみてとるのは、精神の鷹揚さの問題なのか、それとも視野狭窄の問題なのか。

ブロッホが、非マルクス主義思想にたいする姿勢において標準的な西欧マルクス主義者であるとしても、その肯定精神において、彼には、およそ西欧マルクス主義者らしからぬところがある。ペリー・アンダーソンが、自身の西欧マルクス主義概観のなかで指摘しているのは、マルクス主義思想家たちの何人かにはメランコリーの水脈がみとめられることだが、これに照らして考えれば、ブロッホはその過度の楽天家ぶりで非難されるかもしれない。この楽観的展望には歴史的理由があるのだろう。もしブロッホの観点において、希望は、精神状態というよりも〔世界の構造に組みこまれている〕存在論的事象であるのなら、そのような希望と同じくらい深く根を張った、なにか確信めいたものなくして、彼は、自身が生きた暗い歴史的時代を生き延びることができなかったということだろう。ありふれた希望では抵抗の拠点にはなりえなかった。暗鬱な時代に確固たる信念をもって肯定するためには、尋常ならざる量のヴィジョンか、それとも異常なまでの盲目性がもとめられたのだろう。おそらくここで必要とされる希望は、たんなる経験による反撃などにはびくともしないものなのだ。ブロッホの希望銘柄は、理性的ではないがゆえに、並大抵のことではぬぐい去ることはできないとでもいえようか。[10]

たしかにブロッホの書きぶりでは、希望が世界の構造そのものに組みこまれているかのようである。希望という徳目にかんするこのぶれることのない存在論的議論では、希望は、世界にウラニウムが存在するのと同じようなかたちで存在しているのである。志向性、期待、そして予測は、意識の諸相というよりも、現実そのものの基盤的構成要素なのである。「過程のもつどこまでも善なるもの[11]」が存在する、あるいはベケットの『勝負の終わり』に登場する人物が、もっと暗い調子で述べているように「なにかが軌道を過ぎて行く〔4〕」。あたかも〈存在〉そのものが、その本質において保持するものこそ希望にほかならないかのようであり、そのため世界は、この内的うごめきがなければ、無へと堕してしまいかねない。「世界の質料形成は」とブロッホは述べる、「〈未だ・ない〉が全をめざ〔す〕……傾向に満ちみちている[12]」と。未来の可能性は、彼の信ずるところによれば純粋に主観的なものというよりも「客観的にリアル」なもので、たんなるないものねだり的思考ではなく、現在の状況のなかにひそむものでなければならない。このことは、すでにみてきたように、マルクスにもあてはまるが、ブロッホは事態をさらに一段階か二段階先にすすめる。人は希望のための物質的根拠をもつべきだということにとどまらない。希望は、ブロッホにとって、ある意味、世界における客観的な原動力ともなるのだ――これは人間の歴史におけるというだけでなく、実に、宇宙(コスモス)においてもそうなるのである。彼が私たちに語る、その意図とは、共産主義的宇宙像とでもいえるようなものの創出なのである。だがマルクスは、生産諸力の進化に全幅の信頼をよせているかもしれないが、この進化発展が世界の組成のなかになんらかのかたちで組みこまれているとまでは主張していない。それは、ヘーゲルの〈時代精神(ガイスト)〉とかベルクソンの〈生の飛躍(エラン・ヴィタル)〉といったような形而上的原理ではない[5]。あくまでもそれは歴史的な闘争の場に限定されている。マルクスは形而上的思弁にはうんざりで、宇宙(コスモス)がどうなろうが関心などなかったと伝えられている。マルクスは世界そのものが恵み深い目標にむかってすすんでいるとまでは主張していない。ブロッホは、「階級なき人間」を、「それまでの歴史において志向された最後の投資可能性」を表象するものとして語る[13]。だが、マルクスは、そのような歴史を超越した空想(ファンタジー)にひたることはない。事実、彼は、歴史にそれ独自の目的があるという考え方を全力で否定しにかかっている。いわんや彼は、歴史が、モラル・レヴェルにおいて途切れることなく進歩しているという考えかたにくみすることもなかった――私たちがすでにみてきたように。ファシズムは封建主義のうえに築かれた発展型ではないのである。

　なるほど現実は、たえず進化しているかもしれないが、これが希望をいだく理由になるのは、変化がただそれだけで望ましいものであるときにかぎられる。ブロッホは、ロマン派的生気論者として、運動（モーション）、力動性（ダイナミズム）、無常変動性（ミュータビリティ）、一時的刹那性（トランジェンス）、不安定性（インスタビリティ）、生産性（プロダクトビリティ）、開かれた終わり（オープン・エンディドネス）、可能性（ポシビリティ）などが、あたかも一律に肯定的であるかのようにしばしば書いている——あきらかにそうとはいいきれないにもかかわらず。「動かされ、みずからが変わり、可変的である存在……は」と彼は主張する、「生成可能性を……もっている」[14]と。そうした潜在的未来像のなかにはどうみても好ましくないものもあるかもしれないこと、これについて彼はなんら補足説明していない。未来性は、それ自体で価値ではない。誰もがウォール街の投資家たちと同じように考えているわけではないだろう。開かれた終わりを予知できるからといって、それではしゃいだところで何になろう。第三帝国は終止ということを拒んでいた。それはみずからが無限につづくことをもくろんでいたからだ。資本主義ほど変わりやすい歴史的制度はこれまでになかった——『共産党宣言』が執拗に指摘しているように。ジェノサイドはダイナミックな過程である、発展するということは、必ずしも繁栄することにはならない。事物は発展する過程で、より完全なものになると同時にますます汚れてゆくこともある。進歩を一般則として真実かどうか疑う保守派は、唯一推奨できる変化の形態を現状保存のいとなみと考える。保守派の男女が、未来にたいして希望をいだくのは、未来が現在と多かれ少なかれ連続していると思われるときにかぎられる。これが含意するのは、現状にたいする満足というだけではないだろう。むしろ、未知の未来に飛びこむことによって現状を危険にさらすことへの躊躇かもしれない。

　無常性を不完全さの指標とみる者たちはプラトン主義者を筆頭に数多くいる。メシアニズムの思想家ヴァルター・ベンヤミンは、歴史の有為転変を、その歴史のとるに足らなさと密接に関係するものとみていた。またさらに留意すべきは、静止性のなかにも、とりわけて反対すべきものなどない場合である。変化しないことが望ましい状態であることもある。女性に投票権をあたえることが、これからも変化せずにつづき、将来、それが一時の流行現象だったと判明することなどないと誰もが確信している。子どもの労働を禁ずる法律がこれからも変化せずにつづき、将来、法令集から消えてなくなることはないと誰もが確信している。変化が肯定的であるのは、ある種の道徳的規準に照らして善しと判定される場合にかぎられるのであって、宇宙そのものという立場から眺めたときにそうなるのではない。そしてブロッホがここで直面しているのは、おなじみの歴史的問題である、すなわちこうした判定基準はどこからもってこられたのか、そしてそうした規準が、みずからその一部であるところの歴史を判定する立場にどのようにしてなりうるのか、そのからくりをどうやって知るのかという問題である。おそらくその答えは、歴史現象は、未来の〈全(ジ・オール)〉、あるいは〈全体性(トートゥム)〉の出現に、どの程度貢献しているかという観点から査定されうるということだろう。しかし未来の〈目標(テロス)〉は、まだ到来していない——いいかえると歴史は完結的全体性をまだ構築していない——、そのため未来を生み出すであろうプロセスを判定するための指標として、どのようにして未来にうったえることができるのか読者にはわからないのである。

同様にわかりにくいのは、希望が物質的プロセスに内在しているという主張である。妬みや野心が物質的プロセスの内的特徴であると主張するのは、ある意味、不条理のきわみである。ウェイン・ハドソンが指摘するように、ブロッホにとって「未来志向的特性をもつのは、たんなる意識ではなく、現実なのである」[15]。たしかに現実には未来志向的特性があるのだろう、現実は進化しているという意味からいえば、そのとおりである。しかし、だからといって進化が称賛される目標にむかっているということにはならない。事物の核心には現実を前に推し進める原動力があるとしても、だからといって、それが現実を右肩上がりに向上させるということにはならないのだ。人が変化それ自体を生産的とみなすとすれば、そのときにかぎりおいて現実は向上しているとみなせるだろう。そうした未来志向性は、一世紀かそれ以上つづくかもしれないし、また西アフリカといった特定の地域にかぎられることかもしれないが、いずれの場合でも、それが歴史現象の特性ということになるとしても、未来志向性が至福の状態をはらんでいるということは歴史現象の特性ではない。宇宙が、ひたすら自己破壊に走ることはないかもしれないが、かといって宇宙はただひたすらよりよいものをめざすということもないだろう。ヴィクトリア時代の哲学者ハーバート・スペンサーは、世界は進化するにつれてますます異種混淆的になるという教えを説いたが、このことが希望をいだく根拠となるのは、人が異種混淆性を推奨すべき状態としてみなすときにかぎられる――異種混淆性については異なる見解もあろう。同じことは、たとえば世界は次第に統合されつつあるという主張についても、あるいは文明は、より高度な知性を、より健康な強い赤ん坊を産ませ、そしてますます長寿を実現させるようになりつつあるという主張についても等しくあてはまる。赤ん坊が、より賢く、より健康的で、より可愛らしく生まれてきたとしても、人間存在を無意味なものとみなしている人びとにとっては、ありがたくもなんともない話である。共産主義の考え方をおぞましいとみなす人びとは、ブロッホが語る未来は、それにたいして希望をいだく価値すらないだろう。

物質的現実の総体は、ブロッホが信ずるところによれば、完璧なものへとむかう内在的な目的志向あるいは傾向で満たされている、このことを彼がどのように知ったのかは定かではない。これは、思弁的観点の類に思われるのだが、ブロッホ自身は、こうした観点がブルジョワ観念論の装いをもって顔をのぞかせるときには、侮蔑をあらわにしていたのではなかったか。事実、この観点は、その愚かしいまでの楽観主義においてブルジョワ・イデオロギーに不快なほど似ているように思われる。こうした傾向にあるときのブロッホは、マルクスの弟子というよりもテイヤール・ド・シャルダンに近いように思えてならない。ブロッホはまたゲオルク・ビューヒナーのような過激派の思考を反復している。ちなみにビューヒナーも、その演劇作品から伝わる徹底した陰鬱さとは裏腹に、統合と調和をめざす法則によって自然は動かされていると主張していた。ブロッホの進歩観も、ハドソンが示唆しているように、神の後釜に弁証法的物質過程をすえることで生まれたものだ。[16] 現に彼はエンゲルスの『自然の弁証法』[6] を崇拝する数少ない西欧マルクス主義者のひとりである。けれども、もし物質的過程が〈全能の神〉を追い出すことができたなら、それはブロッホが、その物質的過程に、なんらかの疑似神聖な特質を最初からすべりこませていたからである。そしてもし物質的過程が神の後釜に座るのなら、時満ちるときに、人類もまた神の後釜に座ることだろう。ヤハウェが人間にした約束は、ブロッホにとってもジョン・ミルトンにとっても同じなのだが、自身がいずれ身をひくというものだった。彼は最後には玉座から降り、その神聖な権威を、彼の〈息子〉の姿をした〈人間〉に譲渡するだろう。けだし、人類は神なきあとの神の玉座から世界を支配するだけでなく、実際に、その統治する権力で神を凌駕するだろう。はたしてこれは無神論的ヴィジョンなのか宗教的ヴィジョンなのか見極めがたい。

ハーバーマスによってマルクス主義のシェリングと命名されたブロッホは、創造的潜在力が宇宙の組成そのものに秘匿されていると想定しているようにみえる。アリストテレスの場合には純粋に生物形態にだけ適用される理論が、ブロッホにあっては宇宙全体にまで適用できるほど規模をふくらませる。人間が希望を育むというよりも、希望が、存在のなかにすでに潜んでいる資源を活性化するのである。存在するすべての物語のなかでもっとも壮大なこの物語のなかでは、この活性化衝動が、もっとも多様な現象のなかに潜在するとみなされる。ある意味でこれは必要な概念上の手続きである。もし世界を構成している多様な諸過程がすべて前進し向上するものだとすれば、これは、驚くべき偶然の一致とみなすか、すべてが同じルーツから生じているという事実を基盤とするかの、いずれかを選択せねばならないからだ。なんらかの一元論(モニズム)と本質主義とが——それがとる形態がどれほど多様であっても——宇宙の進歩の原理の下支えとなる必要がある。さもないと世界そのものが進歩していること、その進歩は特定の部分だけでなく全体におよぶことが語れなくなる。これが語れないとなると、〈未だ・ない〉はただひとつではなく、多様にあること、そして宇宙の潮流のなかには完璧なものへと向かうものもあれば、そうでもないものもあると想像するしかなくなるのだ。

宇宙の潮流の多様性を考慮すると、〔多様であればあるほど〕そこに共有されるものはかぎられ、なんらかの最小公分母、それもありきたりのきわみともいうべき基盤的原理しかなくなるため、ブロッホは、ユートピアの源泉を求めて、宇宙の基礎的要素を探ることになる。けれども現実そのものが〔ユートピアへつづく〕道程をあきらかにするということは何を意味しているのか、あるいはいかにして共産主義はアメーバの組成のなかに潜在すると理解してよいのか判然としないのだ。いかにして世界そのものが、そのなかにあるあれやこれやの歴史的潮流に抗って完成へとむかうのか。いかなる意味で光子(フォトン)が――宇宙における終局点についてのブロッホ自身の言い方を借りれば――楽園にむけて方向づけられているといえるのか。この神秘的唯物論を、とにかくどのように判断しようとも、これはマルクス主義とは、ほとんど、いや、まったく関係がない。マルクスにとって唯物論は、物質の性質に関する形而上的主張ではなく、人間の事象において物質的実践こそがもっとも重要であるという信念そのものなのである。

ブロッホは人間の堕落という事実を否定はしない。事実、彼は、アウシュヴィッツの余波のなか、カント的様式で根源悪という仮説の必要性を説いているのだ〔「根源悪」はカントの概念、第二章、原注(61)の文献で論じられている〕。彼はまた宇宙のユートピア志向が必ずあまねく広がると主張しているわけでもない。そのような主張をすれば、やっかいなことに、彼が却下している決定論的マルクス主義に接近することになるからだ。世界には自己実現への衝動があるとしても、その衝動が実をむすぶのは、自由な人間の活動をとおしてである。さもなければこのプロジェクト全体が簡単に頓挫しかねない。宇宙(コスモス)は私たちの協力(コーポレイション)を必要とする。宇宙は人間のなかに自意識を覚醒させることで、人間の内的原動力を活性化する。希望は宇宙に組みこまれているが、決して盤石の保証をえているわけでもなく、つねに頓挫する可能性がある。このようにしてブロッホは、熱烈な目的論と、自由意志にたいする信頼とをなんとかして合体させようとする。現に、この彼の主張は、〈摂理〉というキリスト教原理とさほどかわらないのだ。この原理においては神の国は到来することが運命づけられている――はたせるかな〈創造〉の総体はいまもなお、この目的にむけて、粉骨砕身、艱難辛苦している――が、しかし、男女が、神の恩寵の受益者として、このプロジェクトに自由意志で協力することもまた神の意匠の一部なのである。

キリスト教信仰にとっては、すでにみてきたように、神は人間の物語が良い終わりを迎えるように命じていた。つまりこの物語は、悲しい終わりにはなりようがない。いかなる歴史的事件も、核のホロコーストも、環境破壊も、福音書にとって歴史が復活の受諾にあることをくつがえすことはない。キリストの蘇りゆえに、希望は、いうなれば、すでに発生していたのだ。未来はすでに過去によって担保されている。したがってキリスト教徒にとって、希望は、まさに宇宙の組成のなかに、ある意味、最初から組みこまれている。キリストは、歴史の〈主人〉のみならず〈創造〉の〈主人〉でもあるのだから。ただ、同じことがブロッホの主張にもあてはまるかどうかは定かではない。このこと〔希望の組みこみ〕を保証するものは、ブロッホの無神論には、端的にいって存在しないからである。

もしブロッホの観点が有効なら、そこから必然的な帰結として、希望は宇宙の潮流に逆らうのではなく潮流に棹さすことになる。とはいえこれが真実なら、希望をいだくという個々の行為はいかなるものも微妙に評価が下がる。なにしろ希望をいだく行為は宇宙（コスモス）の一般的傾向に参加するだけなのだから、この種の希望は、いわゆるにもかかわらずの希望――どうみても盛り上がらない状況においてすら、それに抗い屈することのない希望――と較べると安易すぎるのだ。ミルトンが、浮世離れした徳について、その尊厳を守り抜く必要はなく、ましてや褒めることなどできないと述べたように[7]、私たちは安易すぎる希望には心動かされることがないかもしれない。希望は、宇宙からの支援を必要としないし、宇宙のことなどなしですませられれば、そのぶん希望は信頼性をますかもしれない。ヴァルター・ベンヤミンは、歴史が自分たちの味方をしているという信念こそ、政治的自殺にひとしい自己満足の最たるものとみていた。トマス・ハーディも同様に、宇宙が人類に協力しているという信念を危険な感傷的幻想とみていたが、だからといってハーディは、世界が私たちにたいして悪意をもっていると考えていたわけではない。宇宙は自由意志をもつものではないのだ。むしろハーディの観点では、現実はそれ独自の気分とか意見をもっていないのであり、このことは落胆の原因になるのと同じくらい希望の源泉にもなりうる[17]。世界は、私たちの称賛にあたいする計画に協力してくれないとしても、私たちの評判を落とすような計画をこっそり支援するというわけでもないのだ。

もし歴史が、あらかじめ組みこまれているところのユートピアへの道程の存在をあきらかにするなら、では、どのようにして、この道程が不幸へといたるのか、いやむしろ地球上をざっとみわたしてみれば不幸へいたる道程のほうが、ありがちかもしれないではないか。『希望の原理』によれば、この問いにたいする解答とは、ユートピアへの方向性も人間の活動によって妨害されることもあるということだ。世界を前進させる力とは、それ自体で恵み深いものだが、つねに裏切られる可能性がある。

人間、すなわち世界の創始者にして破壊者は、宇宙を完成させるか破壊するかを選択できる。ブロッホの観点では、この二つの選択肢の中間はない。なぜ、ないのかについて説明はないものの。ここで問題となるのは、人間の欲望の表出（エクスプレッション）／妨害（ブロッケージ）モデルである。「もし人間の進歩が阻害されなかったなら」人間はどうなりうるのだろうかとブロッホは考える。[18] 人間は妨害されることなく放置されると、宇宙が人間のために保存してくれていた至福へとむかってゆくように思われる。この進行を妨害する障害物は、ほとんどのロマン派的自由主義者にとってもブロッホにとっても、外在的なものであり、内的に組みこまれたものではない。そして外的な障害というのは、ほとんどの場合、内的障害よりも乗り越えやすいのであってみれば、このこと自体は、慰めの潜在的源泉となる。

しかし、このモデルはまちがいなく誤解をまねきかねない。ひとつには、このモデルには悪の現実が考慮されていない。ここでいう悪とは、破壊を目的そのものとしてあがめる猥雑な喜びのことだ。[19] またこのモデルは、人間的価値を純然たるまやかしとみるようなニヒリズムにはなすすべがない。またひとつには、否定的姿勢がすべて、人間の殊勝な本能を抑制することから生まれるわけではない。道徳的な堕落の原因はほかにもいろいろあるからだ。人間的欲望は、抑えこまれるとただそれだけで病的なものになるわけではない――たとえシュルレアリストがどう主張しようとも、あるいはウィリアム・ブレイクの表面的読解がどう示唆しようとも。それどころか、社会全般の福祉の名において抑制せねばならない欲望もある。ロマン派的自由主義は、しかしながら、私たちが自身の願望のなかから、高めるべきものとより抑えこむべきものとをどのように区別できるのか、なにも光明をもたらしてくれない。

　自己の内的存在を現実化すること〈自分の欲望を実現すること〉は、一連の外的障害を無我夢中になって打破することだけでなく、むしろ、そうであるがゆえになおいっそう過酷なものとなる、なにしろそこには自分自身から自分を解放するいとなみがふくまれるからだ。私たちは、たんにみずからの欲望を自由気ままに表に出せばいいというものではなく、表に出すからにはみずからの欲望を再教育せねばならない。精神分析理論を忌み嫌っていた者として、ブロッホは、欲望の核心に欲望自身の否定をもとめるものがあるという示唆に出くわすと心穏やかではなくなるだろう。フロイトにとって欲望はつねになんらかの意味で自滅的で倒錯的であるのにたいし、ブロッホは、欲望を希望というかたちでとらえかえし、あくまでも一律に前向き（ポジティヴ）なものとして扱う。否定性はおおむね妨害に関係する。否定性は希望の一部でもなければ欲望そのものの一部ともならない。私たちの願望を妨害するものは、おおむね政治的領域に存在するのであって、人間主体の内奥にインストールされた検閲的な〈法〉——とフロイトが考えたもの——のなかにはないということになった。しかし、フロイトにとって欲望は、〈法〉とまっこうからぶつかる野蛮な力ではなく、法と遭遇してもかすり傷程度ですむくらいのしたたかなものである。ブロッホのほうは、欲望が携える〈幸福の約束 promesse de bonheur〉を重視するあまり、欲望にともなう欠如を軽視しがちである。ブロッホはまた欲望の境界侵犯的特質は、つねに進歩の側にあると決めてかかる。彼がかなでる無限への賛歌において、傲慢（ヒューブリス）の罪の概念などどこ吹く風である。

マルクスもまた表出（エクスプレッション）／抑圧（リプレッション）モデルに依拠しているといえるかもしれない、とりわけ生産諸力が既存の社会関係によって阻害されることに関する記述において。もし生産諸力が――マルクスが想定しているように――人間のそれもふくむものなら、人間の能力の実現は、それ自体、よいことであり、唯一の問題は実現が阻害されることにあるとたやすく想像できる。自己実現倫理の唱道者のほとんどと同じく、マルクスもまた、実際にそうであった以上に強く警戒する必要があったのだ、すなわち私たちのあまたある能力をどう選別するのかという問題について。なにしろ能力のなかには他とくらべて有害なものもあるのだから。こうした点に無頓着なときのマルクスは、ナイーヴなリバタリアンばりに、能力が存在するということが、その能力実現のためのじゅうぶんな根拠となる想定する危険なあやまちをおかしている。

けれども、マルクスの歴史観全体は、こうまで単純なものでない。ひとつには共産主義は政治革命の成果であって宇宙の産物ではないことがあげられる。またひとつにはマルクスが生産諸力の進化を最優先すべきメタ物語的要素としてみたという主張には、さかんに異議が唱えられてきたからだ[20]。いずれにせよ、すでにみてきたように、生産諸力の解放は長期的にみるときにかぎり恩恵をもたらすにすぎないとわかっている。短期的にみれば、それは文明とともに野蛮をも生み出している。歴史は、トリストラム・シャンディの破綻した自伝と同様に、進歩と退歩とを同時に生み出している。もし歴史が着実に前進しているとしても、マルクスが主張しているように、歴史は悪い面で前進しているにすぎない〔第一章、訳注〔18〕参照〕。過去から現在に伝えられるさまざまな資源は不浄商品であり〔「不浄商品」"tainted goods"――組合と争議中の経営者の商品で、組合員は、その輸送や販売に協力してはならないものという専門的意味のほかに「汚れた商品」という字義どおりの意味も重ねていると思われる〕、毒入りの贈り物であることは、マルクスやフロイトが気づいていたとおりだ。そのうえさらに、マルクスが、物質的基盤において、ある種の進化の継続を認めているとしても、いわゆる上部構造に対して進化論的主張をしているわけではない。これにたいしブロッホにとっては、上部構造もまた、ゆるがせにできない大きな物語を、ある意味、表象しているのである。なにしろ上部構造に属する芸術・文化・政治・宗教は、希望という同じ潜在的原理の多種多様な表現として把握できるというわけだから。

　もし希望を単一の肯定的な力に還元してしまうと、とことん有害な願望があることをどう説明してよいかわからなくなる。ヨーロッパからユダヤ人を一掃することを希望したり、ソ連から〔裕福で非協力的なために敵視された〕農民層(クラーク)を一掃することを希望したりすることなどが、ここではあてはまる。そうした悪辣なプロジェクトをブロッホがまったく無視しているというわけではないにしても、彼は、そうした悪しき希望の存在に対して動揺しているようにもみえないのだ。「希望」という用語は、彼にとっては、あまりにも意味の振幅が大きいので、それに真正面からむきあうことができないのである。事実、彼は、悪質の極みともいえる願望のなかにすら、ユートピア的衝動を、たとえそれがどれほど変形されていようとも、探りあてることができるのだから。

　悪しきもののなかにユートピア的衝動をみつけるというこうした考え方からも得られる恩恵というものはある。たとえば、これによって彼は、ファシズムについて、同時代のマルクス主義者たちよりもはるかに柔軟で繊細な捉え方ができたのだから。当時のマルクス主義者たちにとって、ファシズムが表象するのは、資本主義の断末魔の苦しみ以外の何物でもなく、そのぶん歓迎すべきものであった。ブロッホは、大衆意識の諸形態を探究し、あらたな〈文化政治 Kulturpolitik〉をもとめ、マルクス主義が文化的上部構造と命名したものを称賛にあたいする真摯さで考察し、たとえばファシズムの神話や幻想のなかに、そうでなければ政治的に実りあるものになったかもしれないゆがんだ欲望を見出すのである。フレドリック・ジェイムソンが述べているように、ブロッホは、あらゆる否定的なものが、それに存在論的に先立って存在する肯定的なものをなんらかのかたちで含意するという根本原理に固執しているのである。[21] あるいはユルゲン・ハーバーマスも同様の方向性を示しつつ述べているように、彼は「虚偽の意識のなかから真の意識を救い出そうとしている」。[22]

　にもかかわらずこの精神の寛容さには限界もある。夢想家すべてが隠れた革命家ということにはならない。ユダヤ人の世界を根絶したいという願望のなかに、たとえどんなにひどく歪曲されていようとも肯定的な衝動があることを探りあてるのは、道徳的にみて言語道断の所業であろう。あらゆる希望が、ユートピアを予感させるわけではない。一致団結したリンチ集団の姿は、共産主義の未来をゆがんだかたちで予感させるものとみるのが一番よいということにはならない。世界を変容させる方法のなかには、ユートピア精神にそぐわないものもある。たとえば殺人もまた、変革可能性にたいする確信、現在の暫定的性格への確信、そして歴史の開かれた終わりにたいする確信を含意している。したがってフレドリック・ジェイムソンが書いているようなことには、なりえないのだ――「われわれがどこへまなざしを向けようと、少しずつ、世界のなかのすべてのものはある原初的な形象の変形となり、〔ユートピアという〕未来へ向かう……本源的な運動の現出となる」[23]。希望とその目標を単一のものとみること——人間の希望のすべてがひそかに一体化していること、そしてそのすべてが同じ解放された未来をめざしていると主張すること——は、まさに、こういった誤った見解を招き入れかねないのである。

そのうえさらに、世界全体を、それをしっかり支えている軸を中心に未来方向に回転させること、その結果、あらゆる真正な思考は未来予言的なものとなり、あらゆる真正の芸術はユートピア的なものとなり、あらゆる有意義な行為は〈未だ・ない〉を予感するものとなるのだが、こうなることで、現実的（アクチュアル）なものは、それを権威づけようとする行為のなかで皮肉にも矮小化されてしまう。現実的なものは、芸術や思想や行為に一時的な意義をあたえるものとされるのだが、そのいっぽうで、芸術や思想や行為の真実は、それらの外部つまり未来にあるのだと宣言されてしまうのだから。現実は、それ自身に対して不在であり、つねに、なんらかの思弁的な〈目的（テロス）〉へと先送りされる。「マルクス主義が過去の地平を控えの間としてともなない現われてくる未来の地平、それが初めて、現実にその真の次元を与えてくれるのである」[24]とブロッホは主張している。あるがままのいまの世界は、彼が論ずるところによれば、「真実ではない」。しかし、そのような主張もまた真実ではないといえよう。潜在的可能性をこれから未来に完全に実現するはずのものは、そうであるがゆえに現実において欠陥があるということにはならない。卵は、それがまだヒヨコになっていないからといって欠陥があるということにはならないし、政治改革の計画が、それがまだユートピア実現には程遠いものだからといって無効になるわけでもない。現在は、存在論的にみて、未来に対して劣っているというわけではないのだ。仮定的なもの〔原文は文法用語で、「接続法的なもの」を意味する〕が、直接的なもの〔原文は同じく文法用語で、「直接法的なもの」〕を踏みにじることがあってはならない。ルートヴィヒ・ヴィトゲンシュタインが『哲学探究』のなかで、その過ちを指摘し警鐘を鳴らしている――村における最後の家などというものはない、なぜなら私たちはつねにあらたに家を造ることができるだろうからという議論において。[8] なるほど私たちはあらたに家を造ることができるだろう。しかしだからといって、いまとここにおいて、最後の家が存在するという事実に変わりはないのである。村は、これからどんどん拡張されていくであろう。それはまちがいない。しかしだからといってそれが終わりなきものであるということにはならないのだ。

＊

ブロッホの文章のなかでもっとも議論を呼ぶ特質のひとつが経験的なものに対する彼の侮蔑である。コワコフスキが辛辣に書いているように、ブロッホは分析能力の欠如を、理論上の長所に格上げしたのだ。[25] 何度も彼は俗流ロマン派的偏見――事実は物象化にすぎず、事実の言明はそれ自体で「実証主義的」である――に危険なまでに接近している。だからこそ彼は「たんなる事実的現実」について侮蔑的に語ることができるのだ。既存の事態は、より深層のプロセスの片鱗にすぎず、深層のプロセスこそが現実なのである。〈理性（フェアヌンフト） Vernunft〉は〈悟性（フェアシュタント） Verstand〉に勝る。[9] 想像力は通常の合理性とは比較にならぬくらい貴重である。現実的なものは、可能性を飲みこむことのできない気弱な人間のためのものだ。可能性にどこまでも深く沈潜することは、拒絶の一形式である。ユートピア的ヴィジョンは、たまたま真実として通用しているような低級なものに論破されることはないのだ。

この尊大な存在論とブロッホのスターリン主義とのあいだには関係がある。もし共産主義の未来が真の現実であるのなら、それを構築するときにつきまとう野蛮には耐えることができる。もし宇宙が、それ自体の〈目的（テロス）〉をつねに先延ばしするとすれば、東ドイツ体制もまたそうである。この意味でブロッホの〈未だ・ない〉は弁神論の一種となる。また、こうもいえるのかもしれない。〈全体性（トートゥム）〉、〈終極（ウルティムム）〉、〈もっとも完全な存在（エンス・ペルフェクテッシムム）〉、その他〈某エッセンス〉、〈某根拠〉といったもったいぶった抽象物にかんする考察は、現在の現実政治から身を守るのに役に立つ、と。ブロッホが、ブレヒトのいう〈新氷河時代〉[10]において希望の思想を生かしつづけていられるのは、ブロッホと未来との情事（ラヴ・アフェア）が、みずからの時代の恐怖から目をそらすはたらきがあるのではと勘ぐりたくもなる。もし現在を崇拝する人びとが未来を廃棄するというのなら、その反対もまた真実かもしれないのだ。

ブロッホが肯定する種類の希望は、私たちがすでに基盤的と命名した希望のことである――それは個々の具体的な願望ではなく、荘厳なる大文字の希望である。フロイトのいう欲望と同様に、その対象は曖昧で不確定だ。なにしろその〈充溢（プレローマ）〉は、現時点において概念化できないのだから。したがってブロッホにとって希望は、ある意味で、頭にごつんとあたる拳骨の一撃のようにほぼ客観的であるのだが、またある意味では嫌になるほどとらえどころがないのである。その充足は白昼夢や幻想のなかで、〈悦楽〉の逸脱的瞬間のなかで、そして新様式の建築のなかで、垣間見られることはあっても、それを真正面からとらえることはできない。ちょうどユダヤ人に神ならぬものとしてのヤハウェ像を刻むことが許されないのと同じように。フロイトにとっても、夢や幻想は、徴候の一種を形成するのだが、彼の場合、それらが喚起するのは過去であって未来ではない。フロイトが、そうしたものをなんらかの原初的トラウマのシニフィアンとして扱うのにたいし、ブロッホは、精神分析を疲弊したブルジョワ階級の申し子とみなしているため、夢や幻想のなかに来るべき未来の予感のようなものを見出すのだが、これはキリスト教における宗教生活のありようとどこか似ている。ブロッホは、精神分析の場面が、解放された未来のために過去を発掘することを認識していないようにみえる。ブロッホが〈過去－のなかの－未来〉を追跡するとすれば、異なる意味ではあるがフロイトも同じことをしている。フロイトの観点では現在はつねに過去の底流によって後ろへひっぱられるのであり、いっぽうブロッホにとって現在は、未来からの潮力のような牽引力を受け止める。どちらの場合も、現在時は、重要な契機となる他者性をはらんでいる。フロイトにとって終わりは、はじまりの起源のなかに存在している。そのため傷ついた自我は、その不幸な生い立ち以前の時点にもどろうとあがく。ブロッホにとって、彼のもっとも有名なスローガンのひとつを借りれば、創世記は最後にある。[11] 未来はフロイトにとって死であるが、ブロッホにとって生である。フロイトのヴィジョンは悲劇的だが、かといって欲望による破壊を修復するためになにもできないというわけではない。これにたいしブロッホのヴィジョンは、このあとすぐにみるように、悲劇性があまりにとぼしい。

大文字の希望——そう称してもよいかもしれないが——は、人間の歴史を、大いなる超越物語に変えるのだが、ブロッホの主張では、これは滑らかな線状のプロセスではない。ブロッホの著作は、彼が否定していた第二インターナショナルのマルクス主義に精神性を付与したヴァージョンとして読むことができる——それは、第二インターナショナルの全体化志向の目的論的形態は維持しつつも、そこに異なる原理を付与しているのである。しかし、もし未来がほんとうに現在のなかで密かに胎動しているのなら、直線的時間は、よりループした、多層の、非同期的な歴史ヴィジョンに道を譲ることになる——このヴィジョンこそ、ブロッホが正しく考察していたように、マルクス主義が緊急に必要とするものだった。この意味でブロッホの歴史ヴィジョンは多重的であると同時に単一的なのだ。不規則に全方位に広がる歴史というテクストではあるが、そこにあるそのすべてのものが同じ展開原理から発生しているがゆえに、読者は、物語の筋書きにどっぷりつかることも、そこから距離をおくこともできるし、後ろ向きにも前向きにも読むことができ、遠くにあるものと手近にあるものとを対置させたり、およそ関係のなさそうな諸現象をひとつにまとめたり、いにしえの過去に埋められた未来を発見することができる。[26] このような歴史の見方にはベンヤミン的な側面があるとすれば、それはまたよりオーソドックスなマルクス主義的観点とも密接なつながりがある。ベンヤミンにとって希望は歴史主義と齟齬をきたすのだが、ブロッホは希望と歴史主義の両者をともに稼働させるのである。

直線的歴史が潜在的に悲劇的であるといえるのは、この歴史においては、なされたことは何であれ、とりかえしがつかないからである。ちなみに人間の物語をめぐっては周期理論もあり、これによれば何事も失われることはない――すべてのものが最終的に装いを変えて回帰するからである。イェイツもジョイスも、こうした考え方をしていた。対照的に直線的時間は、人をして、成長させたり、後悔させたり、先に進ませたり、復権させたりするものかもしれないが、同時にそれはまた絶対的であり妥協の余地のない、あともどりできないものである。私たちがどんなに想像しなおし、再活性化しようとも、死者は死んだままだし、敗者は打ち負かされたままである。そこからベンヤミン的マルクス主義の悲劇的色調があらわれるが、これはブロッホにはあてはまらない。現に、ブロッホの思想のどれをとってみても、悲劇とは齟齬をきたすのだ。たしかにブロッホは明確に意識はしている、次に来るものが必ずしも、すでに訪れたものの改良版ではないことを、また前進にともない喪失があることも。だが、たとえそうでも、『希望の原理』は、はじまるとすぐに、先が思いやられる主張をかかげるのだ、いわく「希望は、挫折にではなく、成功にほれこんでいるのである」[27]と。ブロッホは、悲劇という現実を認知しているが、ほとんどすべての場合において悲劇的思想家ではない――彼がユートピア幻視者であるからではなく、彼が、変革される存在というのは喪失との遭遇からしか生まれないということを、散発的にしか認めないからである。

この真実がもつ重みを、たしかにブロッホは時として全面的に受けとめることはある。空虚との遭遇によってはじめて新たな生は出現できる。彼が『希望の原理』において書いているのは、「マルクスの人間性は同胞のうちでもっとも卑小なものたちに向けられた人間性であり、それは、マルクスが同胞の大部分の卑小さを、彼らがすでにゼロになってしまっているという事実をその根底から把握し、そのことによってそれを根底から除去しようとする点に現われている。こうして、プロレタリアートが体現しているような極端な疎外の零点は、けっきょくは弁証法的な転換点に変るのであり、マルクスは、まさしくこの零点の無のなかにこそわれわれの求める全が見いだされると説くのである」(28)。これはマルクス主義の悲劇的性格に対する水際立った洞察である——この悲劇は、マルクス主義の肯定的な政治目標によってもけっして減殺できないのだが、それは存在の喪失こそが、政治目標達成の条件となっているからだ。ブロッホのこの言葉が驚くべきものであるのは、それらが、彼の全般的感性のほとんどすべてに背いていることである。このような悲劇的洞察は、けっして彼の仕事の基調をなしていない。希望が凌駕すべき悪辣な衝動にも、私たちはいったんは徹底して対峙し取り組むべきだが、『希望の原理』は、このことに意義を認めていない。私たちは耳を傾けるべき話題を何も聞くことはない——権力の驕りについて、人類史のあらゆる時代に根強く残っている暴力と利己主義について、大量殺戮的な争乱の慢性的頻発について、虚偽意識の蔓延について、暴行を加えたい搾取したい屈服させたいという根深い欲動について。こうした不快な現実から目をそらすような、いかなるヒューマニズムも、安直な希望しか手に入らない。ブロッホにとって過去の歴史は、そのほとんどすべてが、楽園を予感させるものでしかなく、マルクスが考えたような、生きている者の頭に重くのしかかる悪夢〔12〕ではないのである。

通常ブロッホが宣伝しているとみなせるのは、悲劇ではなく弁神論である。「救世主の降臨はことごとく」と彼は書く、「転化し征服したニヒリズムを含み、勝利のなかにくみいれた死を含んでいるのである[29]」と。失敗も成功へと錬金術的に変成され、死すべき運命も勝利として失地回復をはたす。「無の状態がさらに進んで、歴史によって覆いかくされるのではなく歴史にますます強く噴出してきたとき、それは全をめざす弁証法そのものにみずから構成する力を与えたのである[30]」。否定性は、進歩の原動力にすぎない。ちょうど〈未だ・ない〉が「ユートピア的・弁証法的に駆りたてつづける[31]」ことからもわかるように。たしかにブロッホは、暗澹たる類の〈無（ナッシング）〉の可能性があることを譲歩して認めている。この〈無〉は、歴史のプロセス全体の瓦解をまねき、いかなる弁証法的策略をもってしても同化吸収できないものである。けれども、そのような〈無〉によるカタストロフを例外とすれば、否定性は道徳的・政治的な筋力強化のための好機を暗に示すようなものとなる。このように合理的に理由づけられない災禍は徹底して矮小化される。「ペロポネソス戦争や三十年戦争のような破壊は」と、ブロッホは驚くような宣言をする、すなわち「たんに災難であるだけで、弁証法的転回ではない。ネロやヒトラーによる殺戮、このような悪魔的な作用をもった突発事件は、すべて究極の深淵に生息する竜にはふさわしいが、歴史を促進させるものの仲間ではない[32]」と。三十年戦争というのは、どうやら、たんなる災難であったにすぎず、歴史的逸脱であり、歴史の弁証法という公道からはずれた偶発的迂回路のようなものらしい。ヒトラーとは、歴史的根拠を欠く悪魔的な突発事件の謂（いい）である。歴史的な希望を促進させられないものは、真に歴史的なものとはいえない。かくしてブロッホは、自身がまったく目を閉ざしていることを暴露したようなものである——いわゆる〈最終解決〉の身も凍るような様相のひとつにたいして。〈最終解決〉は壮大な規模の世界史的事件であり、残忍な歴史の論理の一部であり、またすべからく不毛で純然たる破壊にして言語道断の凶行であり、いまなお現代史にとりつき、建設的なにものをもってしても修復できない否定性そのものなのである。そのようなものであるかぎり、それはブロッホの狂騒的なヘーゲル主義に虚偽の烙印を押すことになる。

よく忘れられてしまうのだが、〈Et in Arcadia Ego〉（And I am in Paradise）〔われもまたアルカディアにあり〕という一句において、語っているのは〈死〉である。[13] どのようなユートピアを構想するにせよ。人間の死する運命という事実を克服できるユートピアはないだろう。しかしながら驕りと洗練とがいりまじったかたちで、ブロッホ——より冷静な気分でいるときの彼にとって死は究極的な反ユートピアなのだが——は、人間の不死性の実現は最終的に可能かもしれないと示唆している。『希望の原理』における不死性に対する曖昧な姿勢には、それだけではない何かがある。「階級意識というこの確信が」と彼は書く「……死にたいする新事象（ノーヴム）である」と、つまり私は死ぬけれども、私たちは〔階級としては〕死なないというわけだ。[33] そのうえさらに、もし真のアイデンティティが未来にあるのなら、そのアイデンティティはまだ存在していないわけだから消し去られることもない。いまだあらわれぬものは、消え去ることはない。哲学史において、ここまでずさんな議論というのも珍しい。完璧に実現された生は、ブロッホの示唆によれば、死の魔の手をはねつけることになる。完璧な自己実現は、時間とプロセスの終焉を意味し、またそれにともなう人間の死すべき運命の消滅も意味する。個人ひとりひとりの核には「不死の要素」があり、それゆえ「どこにおいてであれわれわれが存在するという営みがその核心に近づくとき、持続が始まる」[34]。エピクロス的な物言いでは、人間がいるところに、死はいない[14]。これは、すべからく真実ではないとしても、心動かす見解である。ただし、その逆もまた真である。人間が存在するがゆえに死は覚醒するともいえるのだ。

死にたいするブロッホの姿勢は深いところで反マルクス主義的であるが、それとほぼ同じくらいに反キリスト教的である。キリスト教は、個人の核心には身体の崩壊を生き延びる不滅の魂があるということを説いたりしない。むしろキリスト教が主張するのは、身体なくして真正の個人的アイデンティティは存在しないことである。まさにこれゆえに救済には身体の復活が欠かせないのであり、また、死は理不尽なものではあるけれども、そこをあえて死の必然性にうやうやしく頭を垂れることで、それも自己滅却行為――ちなみに自己滅却は、同時に、愛の内的構造でもある――というかたちで、死の棘（とげ）（「コリント人への第一の手紙」[15]）は引き抜かれうる。ブロッホにとって復活は不死性の可能性を意味するのだが、しかしキリストの磔刑なくして復活はありえないということをブロッホはじっくり考えたりはしないのだ。もし死が、不死身のファンタジーのなかで否認されたりせずに、その意味を徹底的に考察されて、実りあるものとなるならば、死は、とことん生きられねばならない。まさにこのようにしてはじめて力は、弱さから引き出されうる。キリスト教は、真正の実存は、存在の喪失からのみ生れ出ると信ずる点でマルクス主義と見解を同じくしているが、まさにこの点において、どちらの信条も、ブロッホ的楽天主義とは背馳している。ブロッホは『死に至る病』のキェルケゴールの論点、すなわち救済されうる生は、あらゆる形態の否定性を経由せねばならないことを受け入れるだろうが、彼が、ヘーゲル的な物言いでいえば、否定的なもののもとへ滞留することは、想像しがたいのである――希望は、担保となるものをいっさいもたずに、みずからを破壊的損傷にさらすことができる、あるいは希望は、人間の営為全体が、まったく愚劣で無意味なものにすぎないという可能性にも向きあうことができる。希望が、ぶれることなく確固たるものとなるためには、高い犠牲をはらわねばならない。これにたいし、ブロッホの宇宙の問題点は、その場に、希望が腐るほどあることだ。希望は眼をやればいたるところにみてとれる、この民話のなかに、あの神話のなかに、この古代の叡智の断片のなかに、あの霊感にみちた空間の配置形態のなかに。

　この意味で、ブロッホ的希望は、現実のなかにやたら広くゆきわたっているのだが、そのくせ、この希望はまた、超越的すぎて、この世界との関係が希薄すぎる。最終的にそれがめざすのは、完成／完璧（パーフェクション）である。それは理にかなった目的／終局（エンド）とはいいがたい。こうなると希望するよう私たちを誘う人びとは、理不尽なまでに私たちを慢性的な欲求不満状態へと陥れる危険性がある。ブロッホの省察には、危険なまでの全か無かの二者択一〔all-or-nothingness〕しかなく、そこにうごめいているのは、中途半端なところに落ち着くのを忌避して完全充足へとむかうなかば病的な欲動である。これは、人間文化を広範囲に吸収してやまない彼の貪欲さからも感じ取れる。ブロッホ的想像力は過剰であり誇大であり爆発点まで膨れ上がるのであって、裏を返せば、ごくわずかな欠陥の徴候でもあろうものなら、それで完全性の夢が壊れると恐れてもいるかのようだ。あきらかにこれこそ、ブロッホがフロイトを嫌うもうひとつの理由である。フロイトにとって、充足された欲望ですら、満たされない余剰をふくむものであるからだ。フロイトなら、まちがいなくブロッホの理想化された未来のなかに、回復不可能な失われた過去の幼年期のイメージを見出すことだろう。たしかにブロッホのいう〈全体性（トートゥム）〉をフェティシュ的なもの、つまり耐えがたい不在を覆い隠す代用物とみるのはむずかしくない。ある意味、希望は、ブロッホにとって欲望の死をまねくがゆえに貴重なのである。「衝迫は」とブロッホは述べる、「満たされぬままに、きりもなく進みつづけることはないのである」[35]と。希望は、欲望の見境のなさのなにがしかを保存している。そもそも欲望は、それが追い求めるものが何であるかをほんとうはよく知らないのである。しかし希望はまた、欲望に肯定的なものとなるひねりを加え、そうすることで欲望がもたらす不安要因たる欠如を消そうとする。希望の目的は、〈全体性（トートゥム）〉そのものにほかならず、この〈全体性（トートゥム）〉が欲望に堂々としたもうしぶんのない到達点を付与することになる。しかし希望のねらいは、あまりに包括的であり、なにか特定のものに絞ることができないため、希望は、欲望の不確定性のなにがしかをもちつづけるとともに、またいっぽうで、その威圧的な絶対的特性をも維持するのである。希望は、たんなる経験的なものに還元されえないのであり、これこそが、ブロッホの未来がかくもやっかいなまでに定義しづらいことの理由である。未来をもっと精密に特定しようものなら、希望――ブロッホの著作における英雄的主人公――は、ただのあさましい世俗的願望のレヴェルに身を落とすことになろう。もし希望が、私たちの、より現世的な欲望と混同されるのを避けようとするなら、希望みずからがもとめているものを正確に言明できないでいるにこしたことはないのだ。

もし現実が変化と成長ならば、なぜ絶対的未来が到来せねばならないのか。ブロッホは、物質を、永続的な未完性状態にあるものとみているが、だからといって、物質はいずれ完成され完璧なものになるということではない。未完成性は、物質の属性なのである。それは、物質がいずれみずからを完璧なものにするということではなく、物質がみずからを完璧なものにしたら、物質ではなくなるということである。ならば歴史の〈目的／終局（テロス）〉が、歴史を生み出すプロセスと齟齬をきたすことなどありうるのか。ブロッホは「世界全体をひとつの全き完全性に関連させる希望の総体[36]」について書いているが、彼は人間が抱く不満と、現実の物質的性質との関係を無視している。物質の廃棄そのものによってはじめて悲劇は乗り越えられるだろう。欲望の死は、人間の死を宣告することだろう。完成／完璧（パーフェクション）はいっぱいあるかもしれない。だが、それは私たちのためにはないのだ。

第四章　希望なき時の希望

ジョナサン・リアの『ラディカルな希望』が伝えるのは、アメリカのクロウ族の最後の偉大な族長プレンティ・クーズが、自部族の日々の暮らしが壊滅的打撃をうける瀬戸際にあることを知ったとき、「生き残るために――そしておそらくいつかまた栄えるために――クロウ族はこれまでの良き暮らしぶりのほとんどすべてを」、成功のあてなどまったくないまま「すすんで放棄するしかない」と判断したことである。(1) 疫病にさいなまれ、敵対するスー族やブラックフット族との戦いに疲弊し、バッファローをほとんどすべて失ったあげく、一八九〇年代に最終的に居留地へと強制移動させられるまでに、クロウ族は部族のほぼ三分の二を失っていた。プレンティ・クーズが夢のなかでさずかった神聖なお告げがもとめてきたのは、部族の生活様式の消滅を真正面から受けとめ、この消滅をとおしてでないと部族の者たちは良き最終結果にいたれないと信ずることであった。(1) 彼の希望は、リアの言葉によれば「たとえ、伝統的なクロウ族の主体性（サブジェクティヴィティ）の形式を失おうとも、それでもクロウ族は生き延び、いつの日かふたたび栄える」ということであった。[2] ヨブが〈ヤハウェ〉に述べた言葉が思い出される――「たとえあなたが私を殺そうとも、私はあなたに希望を抱いています[2]」。
根源的（ラディカル）な崩壊――それが起こるところを目撃することなど族長は微塵も望まなかった――をとおして、良き生活はふたたびとりもどせるかもしれない、たとえプレンティ・クーズ自身は、それがどういうことを意味するのか、おぼろげにしか感知できなかったとしても。彼の見解では、希望をいだくとは、現時点で想定できるものをはるかに超えることが起こりうると認めることだ。信念と希望がもっとも求められるところとは確定情報が得がたいところである。「バッファローが消え去ったとき」とプレンティ・クーズは述べる、「わが民の心は地に斃（たお）れた、二度と立ち上がることはできなかった。それ以後、何も起こっていない[3]」と。バッファローがいなくなったことが歴史の終わりの先触れだった。リアが論じているように、クロウ族は、物語を構築するために必要な概念（コンセプト）を失ったのだ。何が出来事として認知されるかを決めてきた枠組が消滅してしまったために、これ以上、物語をつづけることができなくなった。けれども、リアがいうところの「クロウ族の主体性（サブジェクティヴィティ）」の死は、再生のための地ならしをしたのかもしれない。歴史がもう一度はじまるために。

族長が下すことになった数々の決断は、既存の道徳観によって理由付けられるようなものではなかった。彼がいだいた希望の意味は、ただ事後的に、つまり新たな了解の枠組が大変動後に出現するのなら、そのときになってはじめて、自身にもあきらかになるのかもしれない。嵐が近づきつつあると、プレンティ・クーズは夢にみる。しかしその嵐がもたらすであろう壊滅的打撃については、事後的にのみ、つまり迫り来る大変動によって様変わりするであろう概念に照らしたうえでないと、理解できないのである。ラディカルな希望は、リアが書いているように、「良いことを予期するのだが、それがどう良きことなのかは、あいにく希望をいだく人びとには理解できない、なにしろ、理解するための適切な概念をまだもてないでいるのだから」。「文化は」と彼は述べる、「それ自体の崩壊にどう耐えるかの訓練を、その後継者たる者たちに施すことはふつうない[4]」と。そのため自文化の崩壊可能性を想定できないことが、概して、文化のかかえる盲点のひとつになろう。そもそも考えうるいかなるメタ言語によって、文化は、みずからの消滅について的確に判断できるというのだろう。自文化の消滅という状況は、自文化の境界の外側にでてみないことには、適切に把握できないのではないか[5]。部族の解釈枠組までもが崩壊する大変動であるなら、いくら希望をいだいたところで、崩壊がおさまるまで、希望が明確なかたちをとりうることなどありえないだろう。T・S・エリオットならこんなふうに述べるかもしれない、このような状況においていだかれる希望というのは、疑問の余地なく、悪しきもの／間違ったものを望むものであったことだろう、と〔第二章、訳注〔30〕参照〕。プレンティ・クーズはといえば、アブラハムが息子イサアクの首にナイフをつきつけたときのように〔「創世記」22：10〕、自分自身の把握能力をはるかに超えたところに善なるものがあることをただ信ずるほかなかった。彼が必死ですがったもの、それは、私たちがこれまでに基盤的（ファンダメンタル）あるいは無条件（アンコンディショナル）の希望と呼んできたものであった。

革命的な変動は、その変動が起こるときの解釈の枠組そのものをも最終的に変えてしまうため、そうした変動を適切に理解しようとする試みは、つねに後手にまわるほかはない。ヘーゲルのいう黄昏(たそがれ)に飛ぶミネルヴァの梟(ふくろう)のまさにこれが典型事例であろう。[3]「もし部族が、その生活様式の歴史的限界にまぎれもなく直面しているのなら」とリアは述べる、「「その向こう側をのぞきみる」ためにできることはほとんどない。彼らはこれから歴史的災厄をこうむらんとしているがゆえに、その彼方にある詳細な生活様式の実際など理解のおよぶところではないのだから」[6]。まさにこうした精神(スピリット)／趣旨から、マルクスは『ルイ・ボナパルトのブリュメール十八日』を革命家たちに諷刺の矢を放つことではじめたのである——革命家たちが、「未来の詩」というマルクスが謎めいたかたちで命名したものに波長をあわせるのではなく、過去の象徴資源に頼ろうとしたがゆえに。[4]ラディカルな変革というのが、把握しがたい概念であるとすれば、それは、把握には予見力と明晰さ、精密さと正確な計算が要請されるからだが、それ以上に輪郭が定かではない目的(エンド)〔＝終わり〕ゆえに把握行為が困難をきわめるからだ。未来を構想することは不可避的に現在の経験に依拠することになる、まさにそうであるがゆえに、私たちは、すでに知っているものをなかなか超えられない。私たちの現在の理解を超える未来を、どうしたら生みだすことができるというのか？　過去とまったく断絶している未来を、私たちはいかにして特定できるというのか、そもそも、まったく未知の存在が私たちの居間にあふれかえっていたとしても、それらがまったくの未知であるかぎり、私たちにそれらを感知することはできない、まさにそれと同じようなものだ。

　にもかかわらずプレンティ・クーズは、現在と未来とを分断する深淵を堂々とまたいでゆけるという希望を、自分は故あってもてるのだと考えていた。彼は、たまたまだが洗礼をうけたキリスト教徒でもあった。彼は、自分ではどうあがいても理解できない未来をただひたすら最後まで信頼することが神への献身になるとみていたのだ。ただ、たとえそうでも彼はまたいっぽうでは現実主義者で、クロウ族のそれまでの日々の暮らしぶりを維持すべき必然的理由などどこにもないことを見抜いていたし、考えられる結果のなかには、それなら死のほうが好ましいと思えるものがあることもわかっていた。最終的に彼の信念は彼を助けることになった。部族は最後には保護地での生活を受け入れることになったのである。しかも彼らの土地の一部も最終的に合衆国政府によって返還された。アインシュタインが述べているように、最初のうち馬鹿げてみえないものには、希望はないのである〔「一見して馬鹿げていないアイデアは、見込みがない」というよく知られたアインシュタインの名言のもじり〕。

プレンティ・クーズの事例があきらかにしているように、もっとも真正な希望というのは、すべてのものが、それが何であれ、たとえいかなる保証を奪われても、全般的崩壊から救出されうると信じつづけることなのである。それが表象するのは、屈服することを拒む残余、どこにもなにものにも還元されえない残余であり、それは徹底的な破壊の可能性を受け入れることで、そこから回復への活力を引き出すのである。かくしてこれは、楽観主義（オプティミズム）とは想像しうるかぎりもっともかけ離れたものとなる。それはまたエルンスト・ブロッホの楽天的な宇宙からも慎重に距離をおくことになる。なるほど、経験的にいう希望のすべてが、このような種類のものであるとはかぎらない。明日、晴れることを希望するには、いまにも津波が来そうな胸騒ぎにさいなまれ、心胆寒からしむ魂の暗夜〔第二章、訳注

〔36〕参照〕をすごさなければならないということはない。ただ、こうした様式の希望というのは、政治史とかかわりあうようなときには、希望全般の範例そのものとなる――とはつまり、逆説的なのだが、この種の希望の典型例は、悲劇だということだ。悲劇、それもそのなかで、全般的壊滅を、なんであれかろうじて生き延びる残余と希望とがかかわりあうような種類の悲劇。たしかに芸術においても現実においても、絶望しているものにあたえるべき慰めが何もないという、そんな悲劇的物語（アクション）というのは存在する。ナチスの強制収容所の帰結として、何も繁栄開花することはなかった。ただ、たとえそうでも価値の感覚なくして悲劇はありえない――その価値が実際に実りあるものかどうかはべつにしても。自分自身ではすこしも評価しないものが壊されても、私たちはそれを悲劇とは呼ばないだろう。悲劇が悲観主義（ペシミズム）よりも心に深くつき刺さるとすれば、それは悲劇の恐怖には、豊穣なる人間的価値感覚が加味されているからである。私たちが悲劇を超えて進むことができるとすれば、おそらくそれは私たちが、貴重なものがまだ存在しているという気休めを棄てるときである――たとえ私たちがいくら悲劇のもとに滞留することを望んだとしても。

*

したがって希望は、大破局のあとも残る――もっとも、シェイクスピアの『リア王』においては、[5]残余（リトル）は、どうやら、ほとんどないか、あるいはまったくない（ナッシング）。ただし、この「ない／無〔nothing〕」という言葉は、この演劇作品においては、不吉な響きのみならず肯定的な響きもおびている。劇の開幕、コーディーリアが父親リア王にこの言葉を発するとき、それは、彼女の姉たち、長女ゴネリルと次女リーガンの嘘で固めた大言壮語とは対照的な真実の吐露となる――

リア　……姉たちが手にしたものより実り多い残りの三分の一を、お前はどう言って引き当てるつもりかな？　さ、話してごらん。
コーディーリア　申し上げることは何も。〔Nothing, my lord〕
リア　何もない？〔Nothing?〕
コーディーリア　何も。〔Nothing〕
リア　何もないところからは何も生れない〔Nothing will come of nothing〕、言い直すがいい。
コーディーリア　不幸なことに、わたくしには真心を口の端（は）にのぼせることはできません。ただ子としての断ちがたい絆（きずな）〔bond〕のままに陛下をお愛しするばかりで、その余のことではございません。

（第一幕第一場）

コーディーリアの「申し上げることは何も〔Nothing〕」は、事態を正確に伝えるものである。つまり、彼女の姉たちの二枚舌によって言語が語り手の都合で勝手にゆがめられてしまったので、彼女はもう言葉によって姉たちを打ち負かすことはできなくなっている。真正の無価値（ゴネリルやリーガンの、父親に対する愛情の欠如）がインフレ状態になって、すべて（エヴリシング）へと膨れ上がってしまうとき、膨張を縮ませるデフレ的申し上げることは何も（ナッシング）だけが、現実感覚をとりもどさせてくれるのだ。ドラマがすすむにつれて、私たちはみることになろう、同様のことが治療的虚構とでもいうべきものについてみてとれること、を。治療的虚構とは、エドガーやケントや道化が、正気を失ったリアやだまされたグロスターを治療するためにこしらえるフィクションのことだ——言語遊戯（シャレード）、イリュージョン、即興芝居の断片が、さながらリアのうそつきの娘たちのごとく、こぞって、意味のこじつけやねじまげをおこなうのだが、しかし、こちらは、王（リア）と、悲嘆にくれる家臣（グロスター）とを、立ち直らせるという目的でおこなわれるのだ。ゴネリルとリーガンは真実を無にするのだが、いっぽうコーディーリアにとって無は真実である。この（「無 nothing」という）語は、劇の冒頭部分で陰鬱な弔鐘のように響いたあと、やがて、リアにとってよろめかないために必要となる道徳的リアリズムの音色をかなでることになる。

　コーディーリアはまた、リアの実際の問いかけに答えるとき、融通がきかなさすぎる。リアが彼女に問うているのは、彼女の愛を父親に確信させるために何がいえるのかではない。姉たちの大言壮語の過剰な噴出がつづいたあと、そのうえをゆくような大胆な誇張表現をコーディーリアがどんなかたちで生み出せるかとリアは（暗黙のうちに）問うているのである。コーディーリアにしてみれば、自分の愛を伝えるために語るべきことは何もないといわんとしたのではなく、父親が彼女のためにしつらえた言説コンテクストにおいては、何もいえなくて立ち往生するしかないといわんとしたのだ。彼女の真っ正直な答えを、父親への無関心の宣言として聞いてしまうのは困惑して判断を誤ったリアのほうである。親から限りない愛情をもらいたいと願う子どもさながらの貪欲さでもって、娘たちから限りない愛情をもらいたいと願うリアは、愛情をたしかめるためのささやかな演劇の場をしつらえたのだが、そのなかで、かけがえのない娘の台詞が無効にならざるをえなくなった。リアは、彼女に話すように促しながらも、同時に、彼女を沈黙させる結果になった。ならば最初から決まった答えを求めるような質問をすればいいかというと、そうでもない、なにしろ、そうすれば、かえってくるのはどうでもよいありきたりな答えでしかないのだから。しかしながら、リアの道徳的算術（「何もないところからは何も生まれない／無からは無しか生まれない」）は、劇の進行につれて、あやまちであるとわかるだろう。むしろ反対に、もし何か（サムシング）が、最終的にまがりなりにも生まれ出るのなら、人を誤らせるすべて（オール）が崩壊した廃墟から、生まれ出るしかない。自分自身の身体性と脆弱さを受けいれることではじめてリアは、それを超えてみずからの行くべき途を模索する希望をいだくにいたるのだ。

　コーディーリアのいう「申し上げることは何も〔Nothing〕」のそっけなさは、「断ちがたい絆（きずな）〔bond〕」という語の、とりつく島のなさと響きあっている。ここでは不思議なことに「申し上げることは何も〔Nothing〕」が、ある種の動かしがたい決定性を意味している。そこには拘束と峻拒（しゅんきょ）がある。いっぽう、それと肩をならべるかのように「断ちがたい絆（きずな）〔bond〕」のほうも、愛の厳正な形態を示唆することになる。ここでは『ヴェニスの商人』と同様にシェイクスピアは「bond」という語の二重の意味とたわむれてみせる。すなわち形式的な契約という意味と肉体的結合という意味のふたつと。リアは自分の娘のにべもない回答のなかに、言い逃れとしての言葉少なさしかみることができず、肝心な事実、すなわち伝統的な義務感によって駆り立てられる愛情のほうが往々にして性的な衝動とか主観的な気まぐれに左右される愛情よりも実り豊かで長つづきするという事実に眼を閉ざしてしまうのだ。コーディーリアにとって親子の絆（ボンド）にしたがって、リアを愛することは、献身的な娘としてリアを愛することにほかならない。

　コーディーリアの「Nothing」は、余剰性とバランスをとるためのものである。なにしろこの劇作品は、生気をあたえる余剰性（恩寵、恩赦、実用主義だけにとらわれない精神の豊かなありよう、限界に甘んずるのではなく限界を超えることこそ人間にとっての規範という信念など）と破壊的な余剰性との対比をめぐる省察でもあるのだから。ある時点でケントは自身の語り口についてこう述べる――「すべて嘘いつわりのない事実、／一言の誇張も半句の省略もないありのままの真実にございます〔Nor more nor clipped, but so〕」（第四幕第七場）と。この均衡は、劇の冒頭におけるコーディーリアには許されず、彼女はただ姉たちの過剰な表現によって、そっけない言葉遣いを余儀なくされてしまうのだ。けれども、こうした均衡は、総じて達成がむずかしい。なぜなら、人間本来の性質からして、余剰であること〔superfluous〕、あるいは自己超越すること、厳密な必要性を乗り越える過剰さ（エクセス）〔excess〕を生み出すことが、人間性の証しでもあるからである。ちなみにこの過剰さにたいし私たちは歴史とか文化とか欲望という名称をあたえているのだが――

リア　おお、必要がどうのこうのと屁理屈を言うな。どんなに賤しい乞食でも、
たとえどんなに粗末な物であろうと余分な〔superfluous〕物を持っている。
自然が必要とする以上の物は許さぬということになれば、
人生は獣同然、みじめなものになる。

（第二幕第四場）

『リア王』において、贅沢の、より破壊的な様式には、語の経済的意味でいうところの「余剰」〔surplus〕もふくまれる。これは第二の皮膚のように富裕層の身体をつつみこみ、貧困層の悲惨さを身にしみて感ずることがないようにはたらき、かくして富裕層が貧困層の苦しみを和らげる行動をとることをさまたげてしまう。リアの考えでは、この余剰形式は、経済的富の再配分の時を待っている――

裸同然の貧しく惨めな者たちよ、どこにいようと、
激しくたたきつけるこの無情な嵐に耐えながら、
頭を入れる家もなく、空(す)きっ腹をかかえて、
穴だらけの襤褸(ぼろ)は風の通り放題、そんな姿で一体、
どうやってこんな嵐の時を凌(しの)いでゆくのか？

ああ、今までわしはこのことに気づかなかった！　奢（おご）れる者よ、これを薬にするがいい、
身を曝して惨めな者が感じていることを感じるがいい、
余計な物を振り落して彼らに与え、
天道いまだ地に堕ちていないことを示すがいい。

（第三幕第四場）

リアが新たに獲得した貧民層との連帯は、無（ナッシングネス）の政治学と呼んでよいかもしれないものへとつながることだろう。自身の脆弱さに直面することのなかでリアはふたたび自身を代表的地位へと復帰させることができる。もはや王としてではなく、落魄（らくはく）の身の代表として。

リア自身が周囲の圧力によって、この痛ましい自己剝奪を強制されるとするなら、エドガーのほうは自分の意志で、この自己剝奪を引き受ける――

逃げのびよう、いい考えがある、
できるだけ卑しく惨めな姿に身を窶（やつ）すのだ、
貧しさに極まって畜生同然、人間とはなんと浅ましいものか、
その証（あかし）となるような姿に。顔には泥を塗り、
腰には襤褸（ぼろ）をまとい、髪はもつれ放題、

これ見よがしの真裸で、風が吹こうが
雨が降ろうが、空の迫害に立ち向かおう。

……

……　哀れなターリゴッドでござい！

哀れなトムでござい！　これはいけるぞ。〔That's something〕おれ、エドガーは、もういない。

〔Edgar I nothing am〕

（第二幕第三場）

エドガーは、いずれにせよ見捨てられた放浪者へと身をやつすのだが、悲劇の主人公的なところがあって、自分の運命を自分で選択し、自分自身の落魄状態を受け入れ、さらにはそれをパロディ化し、さらに（自由意志による決断から身をやつしたがゆえに）最終的にはそれを乗り越える。コーディーリアの夫であるフランス王の目からみたコーディーリアのように、エドガーもまた「富を失ってこよなく豊か〔most rich, being poor〕」（第一幕第一場）なのである。かくしてエドガーは劇の最後まで生き延びることができる、それも主要登場人物のなかで生き残るほんの一握りの人間のひとりとして。彼の弟エドマンドもまた、束縛を受け入れることによって少なくとも一時的には栄えることになるが、しかし、彼の場合、束縛というのは自身の冷酷きわまりないハゲタカ的性格に忠実になるということである。シェイクスピア劇に登場するあまたの悪役と同様、彼もまた根っからの冷笑家にして自然崇拝者であり、彼にとって道徳的価値観は現実に根拠をもたぬ約束事的な構築物にすぎないのであり、〈自然(ネイチャー)〉(彼自身の貪欲さもふくむ)こそ、中立的で厳密にゆるがざるものである——とはいえ、この自然は、その変更不可能な法則にひとたび精通すれば、精通者に有利なかたちで操作されてしまうのだが。この、育成(ナーチャー)も修養(カルチャー)も張りつくことのない〈自然(ネイチャー)〉に、人は忠実であるべきだとエドマンドは考える——これがどうみても理屈のとおらない信条であるのは、このように定義された〈自然〉のなかには、そのような忠誠心を動機づけるかもしれないものはなにもないからだ。いいかえると、〈自然〉との服従的一体化は、最初から決まっている事実(ファクト)なのか、そうすべきという価値観(ヴァリュー)なのかはっきりしないのである。もしエドマンドの悪事が意識的決断の結果だとすれば、その大胆不敵さを、人は感嘆するかもしれないが、そのいっぽうで、エドマンドの決定論的観点からすれば大胆な決断ではないのではと疑ってしまう。もし彼が、いまあるところの意志的な悪党にしかなりようがなかったとするなら、彼の決定論的哲学の有効性は証明されても、彼のむこうみずさにたいする私たちの賛嘆の念は消えるのである。

　エドマンドは、自身の見解では、自分以外になりようもない。まさにそうであるがゆえに彼はコーディーリアと皮肉なかたちで似ている。ただし彼女とは異なり、彼は、自然(ネイチャー)の求めのままに、自分の本性(ネイチャー)を偽ることができる。ありのままの自分を偽り変装できるというのも、ありのままの彼の一部、彼のゆるがざるアイデンティティの一面なのだ。動物の擬態のようなそれは、徹底して超道徳的(アモラル)な〈自然(ネイチャー)〉が彼にゆるした生きざまのひとつである。ほとんど同じことがイアーゴーについてもいえる。ゴネリルとリーガンの場合は、これにはあたらない。彼女たちは劇冒頭での大言壮語による言い逃れのあとは、みずからの動かしがたい本性（ネイチャー）を乗り越えて、なおいっそう破壊的な生きざまに走ることはできないのだから。彼女たちは、父親への阿諛追従（あゆついしょう）を口にするというかたちで偽りの余剰性を実践することはできても、純粋に無償の余剰性にはなんの喜びも見出さない。リアと同様、彼女たちの道徳算術には欠陥があるといえるのは、父親が、厳密にいって必要もないのに百人の騎士をみずからの随行員に加えたがる、その理由を把握できないからである。彼女たちの杓子定規な厳密さは、コーディーリアの場合とは異なり、残酷であり自動化していて非人間的である。

　この戯曲に希望はあるのだろうか。つまるところコーディーリアは死ぬ。シェイクスピアが典拠とした物語群のどれにおいても彼女は最後まで生き残るというのに。また他の主要人物のほとんども破滅するか、生き残っても罰せられたり傷ついたりする。しかし、この戯曲自体が終幕で「恐怖[6]」と呼ぶものを単純に真に受け、希望は純然たる目的論の事例でしかないとみるべきではない。なるほど、リアとコーディーリアの死は、希望への期待に冷水を浴びせかけ、終わりの感動だけにのめり込まないように私たちを諭（さと）すものだという考え方には一理ある。希望はある、たとえば、私たちが目撃する陰鬱なフィナーレは、前もって運命づけられていたとは思われないのだから。最初から予想できないような意外性がある限り、このドラマは、エドマンドの仮借なき決定論を共有しているようにはみえない。もしリアがあれほどまでに強情ではなかったら事態は異なる方向にどう進展していたかは容易にみてとれる。「あらゆる悲劇の物語には根本的な偶発性がつきまとう」とスタンリー・カヴェルは書いているが、このことは普遍的にあてはまることではないだろうが（なにしろ運命悲劇というものが存在するのだから）、しかし、『リア王』にはじゅうぶんにあてはまる。[7] リアの物語の結末にはほとんど希望がないかもしれないが、しかし、そもそもその物語が始まるまっとうな理由というのも存在しないのだ。この意味で、エドガーやケントのような尾羽打ち枯らし血まみれになった生存者たちは、こう主張するかもしれない、希望はいっぱいある、だが、自分たちにとって希望はない、と。偶然性と不確定性が悲劇を生むのに役立つのかもしれない、ちょうどトマス・ハーディの小説においても、そうであるように。しかし偶然性と不確定性にはまた、悲劇の回避可能性も指摘できるのである。哲学者のカンタン・メイヤスーによれば、所与のものの明白な無償性は、まやかしの必然性を、またそれとともに、うすっぺらな悲劇的運命感覚を解体してしまえるのだ。メイヤスーの考えでは、希望の根底にあるのは無神論である。なぜなら神の死が告げるのは必然性の死であり、偶然性の誕生であるからであり、偶然性があるかぎり、希望もあるのだから。[8]「聖なる非在」という語は」とメイヤスーは述べる、「月の光のように透明で純粋であり、正しき人が存在しつづけるかぎり、希望を保証する」[9]と。歴史が閉止完結（クロージャー）を欠くかぎり希望は存在する。過去が現在と異なっていたのなら、未来もまた現在とは異なるのかもしれないのだから。

　リアは死ぬが、しかし絶望はしていない。コーディーリアがまだ息をしているというリアの確信は幻覚かもしれないが、[7] 復活の約束としてみることもできるかもしれない。この場について論じながらヴァルター・シュタインは私たちに思い起こさせてくれる、「キリスト教的救済の古典的象徴というのは、息をすることのない処刑された身体そのものである」[10]と。リアのように、傲慢（ヒューブリス）と身勝手な幻想によって現実から引き離される人びとは、一度壊され作りなおされ、肉体の、なんであれただの残滓――これだけは最後まで捨てきれない――になるまで、徹底的に叩きのめされねばならない。このプロセスを経ても無傷のまま生き残れるという保証はどこにもないという事実によっても、このプロセスの価値は損なわれることはない。自己欺瞞からの脱却は、そのまま繁栄につながるというわけにはいかないかもしれないが、悲劇芸術においては、それが繁栄への前提条件となる。この点においてリアは、たとえその最後の言葉が偽りの希望を述べるものであるとしても、悲劇的人物としては恵まれているほうだ。他の悲劇的人物、シェイクスピアのオセローからイプセンの棟梁（マスタービルダー）（『棟梁ソルネス』の主人公）やアーサー・ミラーのウィリー・ローマンにいたる者たちは、自己欺瞞をかかえたまま死にいたるのであり、この意味で彼らの状態は、後悔し覚醒した者たちの状態よりもはるかに危機的なのである。リアは最後にはみずからの虚偽意識に真正面から向きあうことができ、先非を悔い、身を低くして赦しを求めるのだが、これはマクベスや令嬢ジュリーには望めないことである。リアもコーディーリアも結局、生きながらえることはできなかったという事実をもってしても、このプロセスの価値は壊れることはない。いわんや主要人物たちの死も、彼らの行状を記録する詩のゆるぎなき完全性をそこなうことはできない。この意味で、この戯曲そのものの芸術性は、上滑りな、いかなる幻滅をも凌駕しているのである。

　私たちはすでに、この演劇作品には、さまざまなシュールな虚構（フィクション）や言語遊戯（シャレード）がふくまれることをみてきた。こうした仕掛けは、目がみえないグロスターが、ドーヴァーの断崖という象徴的極限から身投げしたと思いこまされたイリュージョンがそうであるように、そのほとんどが、現実のために奉仕する芸術の実例といってよい。精神に異常をきたした君主、痛ましくも錯乱した宮廷人、職業道化師、みずから気が触れたふりをしている若き貴族、そしてぶっきらぼうな話し方をする庶民に変装している貴族、彼らの織りなすグロテスクな白日夢的世界が、リアとグロスターのような人物たちに、真実へといたる唯一残る最後の手段を付与することになる。あたかもそれは、王が欺瞞にとらわれているがゆえに王の状態を正攻法で改善することができず、ただ、道化と狂人との共謀によって、内側から、その状態を解体できるとでもいわんばかりに。真実そのものが欺瞞的にあてにならないものとなるとき、毒をもって毒を制するような同毒療法ばりの、欺瞞的幻想の混合物だけが、真実を復活させることができるのである。

　このような発見の手段としての虚構を紡ぎだすことによって、この戯曲は、みずからの治療能力に間接的に言及しているのである。主人公が到達する極限状況を分節化するなかで悲劇は、まさにその行為をとおして、悲劇をこえた世界を望見することができる。ブレヒトの『真鍮買い』における発言を思い出してもいい――「悲嘆が音で、さらに言葉で現わされる場合はもう、りっぱな解放を意味しています。それは、苦しむ者の生産する者への移行を意味しているからです。そうなればもう、苦痛を打撃の数をかぞえることといっしょにしたり、すっかり叩きのめされたものから、なにかをつくりあげたりもします。観察が入り込んで来たわけです[11]」。悲劇においてはとロラン・バルトは『ラシーヌ論』のなかでこう語っている、人はつねに語っているがゆえに死ぬことはない[8]、と。災厄に名前をつけることは、災厄の限界を記し、そこに明確な形態を付与することであり、それゆえイェイツが、その詩「ラピス・ラズリ」のなかで『ハムレット』や『リア王』について書いているように、「悲劇はもうこれっぽっちも高まりはしない」[9]。つまり私たちが舞台でみていることを凌駕する苦難がリアやハムレットを待ち構えていることはもうないのだ。この意味でこの戯曲そのものは、主人公の悲しみの終息を告げている。まさに芸術そのものが、それが扱う死のイメージそのものになりおおせているのだ。ただそうであっても、苦難を象徴的形式によって救済せんとすることで悲劇は、悲劇そのものの力を弱める危険性があるといえるかもしれない。形式的均整にこだわると、悲劇は、偶然性や無定型性に対処することがむずかしくなる。

悲劇芸術が、極限まで追い込まれると、生は、その活動をまったく停止するか、あるいはいま一度うごめきはじめる。エドガーが「「これがどん底だ〔This is the worst〕」などと／言っていられる間は、どん底〔the worst〕にはなっていないのだ」〔第四幕第一場〕と叫ぶとき、彼が念頭に置いているのは、後者の〔生のうごめきの〕可能性であるように思われる。災厄に声をあたえることができるかぎり、その災厄は最後のものであることをやめる。私たちが残酷さや不正を言葉で特定できなくなるとき、そのときはじめて希望は潰えることだろう。希望のなさについて語ることは、論理的にいって、希望という考え方が存在していなければ不可能である。そのようなものとしての希望が消滅したときにはじめて悲劇はもう可能ではなくなるだろう。もし『リア王』そのものが芸術的出来事として成功をおさめつづけるとすれば、それは破局がまだ到来しえないことの証左となる。ベケットの作品には「最悪

〔the worst〕」がないように思われる。それは人が老いてなおさらに老いつづけ、まだ手足が完全に硬直化していないように感じ、老衰までにはまだ一ミリくらい距離があるように思うというようなものだ。ジェラード・マンリー・ホプキンズが、彼の暗いソネット群のひとつのなかで、つぎつぎと絶望の苦悶に、終わりがみえないまま、めまぐるしくたらい回しにされ翻弄されるという体験をしたこととも通ずるものがある。[10]とはいえベケットの場合、言語が、目の見えない物乞いのように、手探りで前進しつづけるかぎり、いかなる死もなく、確定的な終焉もない。「もしそれ〔絶望〕が語り」とアルベール・カミュは論評している、それが「推論し、とりわけものを書くならば、即座に兄弟がわれわれに手を差しのべ、樹木は正当化され、愛が生まれる。絶望の文学とは言葉の矛盾である」[12]と。

私たちが大破局について語ることができるということは、その大破局を生き延びたものがあるにちがいないということである。たとえ生き延びたものというのが正気を失った伝令であったり、一枚の紙切れであったりしたとしても。プレンティ・クーズが、バッファローが去ったとき物事は起こるのをやめたと報告することは、ある意味で、自己矛盾である。なにしろ何も起こらなくなったという宣言自体が、たとえそれがいかに哀れをさそい、また切ないものであっても、ひとつの出来事としてみられるのだから。語りと目撃能力は、よろめきながらももちこたえる。すべてのものがほんとうに終わるのなら、あとにはなんの遺物も残らないだろう。もっともアメリカ福音主義教会は、数年前、キリストの再臨を映像で残そうとして、どのカメラアングル(南極側、赤道側)がもっとも効果的かを考慮していたのだが。同じことは死についてもいえる。死は、死を体験する者にとって出来事ではなく、物語るといういとなみの終わりである。

先に触れた台詞の数行前に、エドガーはこう述べている――

運命の女神に見はなされ、どん底に落ちれば〔to be worst〕、
浮かび上がる望みこそあれ、もう怖いものなしだ。
なげかわしい有為転変は高処(たかみ)からの転落だ、
落ちるところまで落ちれば、笑いが甦る。

（第四幕第一場）

どん底／最悪〔worst〕というのは、へりくつをこねるならば、希望の起点であって、これ以上落ちることはありえないという安堵感をもたらしてくれる。これで気が楽になるのかもしれない。なにしろ、最悪であるからには、どんなにあがいても状態を修復するみこみはないのだから。こんな珍問答が思い浮かぶ。ひとりが、もうひとりに「事態は、これ以上悪くなりようがない」と言い張ると、もうひとりが「ああ、いや、まだまだ」と。ふたりのうち、どちらがオプティミストで、どちらがペシミストなのか。「もし最悪の立場にまで落ち込んで、どん底で運にまったくみはなされたなら」とエンリーケ・ビラ＝マタスは『ダブリン風』のなかで書いている、「それでも、つねにまだ希望がもてるし、もう怖いものなしだ」[11]と。マックス・ホルクハイマーは『道具的理性批判』のなかでこう述べている、

「ショーペンハウアーは、他のどんな思想家よりも希望について知っている、なぜなら彼は徹底して希望のない状態に直面しているからである」(13)と。パスカルにとって私たちの状況のみじめさそのものが、希望の皮肉な材源である、なにしろ、私たちのみじめさが示唆するのは、そのみじめさを治癒するために、聖なる恩寵が、すぐそこに潜んでいるにちがいないと思わせるからだ。(12) イスラム教徒(ムーゼルマン)〔Muselman〕と呼ばれていたナチス強制収容所の生ける屍と化した囚人たちのことを、マルカム・ブルは、「彼ら自身の希望のなさによって救済される」と語っている。彼らは希望に心動かされることはない、それゆえ何をされても傷つくことはない。(14) 失うものがなにもない男女は、エドガーが変装したところの乞食のトムのように、あるいはシェイクスピアの『尺には尺を』に登場するサイコパス的囚人のバーナダインのように、(13) 恐れをしらず、傷つくこともなく、それゆえ危険だということになるかもしれない。極限にまで追いこまれると、自己剝奪が、奇妙な自由へと反転しうる。まさに豊か(リッチ)で希有(レア)なものが無(ナッシング)から生まれるのである。

そうなると言語が存在するかぎり、希望は可能でありつづけることになる。けれどもエドガーが念頭においていたのは、実は、このことではない。彼は警告しているのである、これからもどんな不幸がやってくるかわからない、そして恐怖に言葉をあたえることすら私たちにできなくなるかもしれない、と。ソポクレスのピロクテーテースがいやというほど知っているように、話をすることを阻(はば)むものは痛みである。(14) 真正の悲劇は、悲劇を超えてゆき、悲劇を沈黙させる、ちょうどリアがコーディーリアを沈黙させたように。真の破局は、言語の消滅をともなうことだろう。希望は言語が忘れられれば消滅する。言語は、ただ、状況に名称をあたえることによって、状況を修復できるというのは真実ではない。むしろ言語が状況を修復できるとき、必ず、その状況に名称をあたえていたというのが真実である。マルクスの有名な、フォイエルバッハにかんする第一一番テーゼは、世界を解釈するのではなく世界を変革する必要性を説いているのだが[15]、その字面だけをみれば、認めてはいないようみえても、言語による解釈こそが、世界を変革するのに不可欠な前提条件なのである。

「もろもろの喪失のただなかで、ただ「言葉」だけが、手に届くもの、身近なもの、失われていないものとして残りました」とパウル・ツェランは強制収容所について述べている、「それ、言葉だけが、失われていないものとして残りました。そうです、すべての出来事にもかかわらず[15]」と。しかし、こうしたことは、すべからく破綻することもある。言語は喪失にたちむかうことができても、その守りは鉄壁ではない。ホロコーストの恐怖はあらゆる言語表現を貧しくし、そうであるがゆえに悲劇芸術の枠を超えるとみる人びともいる。ハムレットやヘッダ・ガーブレルの生きざまは明確に描かれるが、それは、彼らが確固たるテクスト造形のなかでのみ存在しているからである。これに対してホロコーストのような出来事は、いかなる意匠にも抵抗する。ただ、たとえそうであっても、人はエドガーの台詞のふたつの相反する意味をひとつに結びつけようとするだろう。感覚によって把握できないような状況にあるとき、私たちは、その状況に名称をあたえることはできないのではないか、ただ、それでも名称をあたえる行為のなかでわたしたちはその状況と折り合いをつけようとするのではないか。この悲壮な決意はありえないことではない。認知症と診断された人びとは、自分が数年後には言語で表現できないような状態になるとわかるのだが、それでも生きつづけるために利用できるものは何でも利用しようと覚悟をきめるだろう。

　エドガーの暗い予感とは裏腹に、シェイクスピアの晩年の喜劇群には、それなりに希望があるように思われる。生き別れになった子どもたちが発見され、宿敵どうしが和解し、邪悪な者に改悛の機会が訪れ、死んだ妻が奇跡的に復活するのだから。自然は、再生する力をもつものとして描かれ、過去の傷は時の治癒効果によって消される。コーディーリアの死は、『冬物語』ではハーマイオニーの生還へと道を譲る。だがこうした後期の演劇では、恩寵（グレイス）や芸術（アート）／技芸や魔術（マジック）そして奇跡（ミラクル）の助けなければ救済はないように思われる。歴史や政治は、ほうっておけば悪巧みに走り、新たなイェルサレムの到来を告げることなどありそうもない。そのため歴史や政治の領域からいったん離れ、赴かねばならない――田園地帯へ、絶海の孤島へ、庶民のもとへ、神話とおとぎ話の世界へ、周期的に死と再生をくりかえす自然のもとへ、若い世代のもとへ、蘇生力のある大海原へ。こうした場こそ、歴史と政治を刷新する資源となる場なのである。『冬物語』の華麗で創造性ゆたかな韻文は、醜悪な現実を遠ざけ、悲劇的行為を様式化し簡略化する。『テンペスト』のプロスペローは敵を打ち負かし、みずからの公国を取りもどすのだが、それは彼が超自然の力をふるうからできることであって、タイモン（シェイクスピア『アテネのタイモン』の主人公）や、ビューヒナーのダントン（『ダントンの死』の主人公）は、あいにく、この力にめぐまれていない。この超自然の力を私たちは芸術そのものの象徴としてうけとめることになっているが、芸術のもつ和解力や変容力は、テクストや劇場といった限られた領域で発現するにすぎない。この意味で、プロスペローの魔法の杖には――この劇全体の超現実的な設定にもいえることだが――ある種のペシミズムがつきまとう。魔法の島のなかでなら、虚構作品におけるのと同様に、邪悪な力を自由に遊ばせることができるのだが、それは、あとで思い通りに邪悪な力を制圧支配できるからだ。しかしこれは現実においては、実効性のとぼしい企てだろう。なるほど、魔法の島にも、葛藤もあれば危険なものもあるが、こうしたものは最初から解決を見込んだうえで形象化されているのだ。ただ、たとえそうでも過去の悲劇は、完全に修復できるとはかぎらない。ちょうど王子マミリアスの死が『冬物語』の最後においても修復できないように。実際のところ、どんな死もなかったことにはできない。イエスの復活した身体ですら、処刑の傷跡を帯びているのだから。

おそらく、晩年の喜劇の巧緻な仕掛けは、それでも、結局のところリアルなものなのである。それらは芸術／技芸（アート）〔art〕のはたらきを象徴していると同時に恩寵（グレイス）〔grace〕のはたらきも象徴するのだが、恩寵は、シェイクスピアにとっても観客にとってもまちがいなく、じゅうぶんにリアルなものであったからだ。もし魔法の国の精霊たちや動く彫像が劇場的仕掛け以上のものであるのなら、それらは内在する超越性の寓意（アレゴリー）として意図されているからである。シェイクスピア劇は、神の恩寵が自然を無効にするのではなく自然をより完璧なものにするというカトリックの教理を、かたく信じているように思われる。人間の本性（ネイチャー）がそのままであるかぎり、そこに救いとなるようなものはないのだが、その本性（ネイチャー）は、みずからを否定して自己超越をすることができる。人間性（ヒューマニティ）がみずからを否定し、みずからを超えることができるというこのダイナミズムは、人間性の条件そのものに組み込まれている。だからこそニーチェの読者に対する忠告はあやまちなのだ。ニーチェいわく「大地に忠実であれ、そして地上を越えた希望などを説く者に信用を置くな」[16]。むしろ反対に、変革された未来に対する希望を動機づけるものは、現在に固着することであって、だからこそ、いま私たちにあるものに信を置くことは、それが変容することを信じることなのである。

〈自然〉は、そのもてる力によってはみずからを超越できないとなれば、そこにある程度ペシミズムが生まれることになるが、しかし自然を変容させる恩寵（グレイス）が自然そのもののなかに潜在力としてあることからは、わずかではあっても希望が生まれる。それは芸術（アート）／技芸が、みずから再構成しようとする物質的現実のなかに、基盤をもつというのと同じであるからだ。芸術（アート）／技芸は物質的現実を造形しなおすことができる。ちょうど恩寵（グレイス）が自然を変容させることができるように。しかし芸術（アート）／技芸はまた、それが働きかける物質的現実の申し子でもある。これは『冬物語』でポリクシニーズの言葉のなかに捕捉された弁証法そのものである――

> だが、その人工のわざ〔art〕そのものも自然によって作り出され、
> おかげで自然はよりよくなる。だから、あなたの言う
> 自然に加えられた人工のわざ〔art〕も、実は自然が作り出す
> わざなのだ。……
> ……これもまた

自然を改良する――というよりむしろ――
自然を変える人工のわざ〔art〕、
そのわざそのものが自然なのだ。〔The art itself is nature〕

（第四幕第四場）〔16〕

芸術作品は、〈自然（ネイチャー）〉がみずからの変容のための手段を提供するときにとる様式のひとつである。けれども、これは〈自然（ネイチャー）〉と恩寵（グレイス）との関係にはあてはまらない。そのためイメージと現実とのあいだには、ずれがある。恩寵は、人間の本性（ネイチャー）のなかに陰在するものかもしれないが、人間の本性の申し子ではない。そうではなくて、それは、世俗的な歴史の境界のかなたからもたらされた神聖な贈り物（ギフト）なのである。そして〔世俗的此岸と聖なる彼岸の〕ふたつの領域は不連続であるがゆえに、どれほど高潔な希望といえども、その実現には限界があるといわざるをえない。人は、だからといって絶望するにはおよばない。なぜなら恩寵は人間にとってまったく異質なものではないからだ。人は、だからといって思い上がるべきではない。なぜなら恩寵は、バラの花が咲くような自然発生的な有機的プロセスでもないからだ。晩年の喜劇群がかかげる「大自然の神の偉大なわざ〔great creating nature〕」〔第四幕第四場〕のヴィジョンは、『リア王』におけるエドマンドの暗い自然観とは緊張関係にあって、そのため明るい希望は適度に抑制されねばならない。そうでないと人は救済のための前提条件となる喪失剝奪を軽くみて、超越を安上がりに手に入れかねない。つねに、マルヴォーリオ〔『十二夜』における傲岸不遜な執事〕のように悔い改めない人物はいて、彼らは最後の喜劇的大団円に引き込まれるのを拒絶するのだが、まさにそうすることで彼らは私たちに喜劇的解決の限界を思い知らせることになる。喜劇的解決はまた、その人為性に冷ややかなまなざしを送るようなかたちで演出されることもある。徳高い人物は報いられ、悪辣な人物はなんの収穫もなく追放される――これはすべて劇場のなかでの話だという但し書き付きで。

けれどもパーディタの自然観というものもあり、それはエドマンドやポリクシニーズ、いずれの自然観よりもはるかに潜在的に価値転倒的なものとなっている。ポリクシニーズが、この劇の若い恋人たち〔羊飼いの娘パーディタとボヘミア王ポリクシニーズの息子フロリゼル〕の仲を裂こうと、国王としての地位をかさにきて強権を発動すると、パーディタは、こう宣言する――

でも、私、それほど恐くなかった、これまでも一度か二度
王様にはっきり申し上げようと思ったくらいだもの、
王様の宮殿を照らす太陽は
私たちの小屋から顔を隠すことなく、同じように
見下ろしてくださいますって。

（第四幕第四場）

〈自然〉は、エドマンドが主張しているように、道徳的か不道徳的かの区分など意に介さないが、社会的区分もまた尊重することはない。ここには既存の権力構造を脅かすようなむきだしの平等主義がある。したがってこの劇の戦略の一部は、庶民の生活から蘇生復活のための資源をひきだしつつも、それを宮廷に移入するときにくっついてくるかもしれない危険な平等思想は緩和するのである。そのために男女の生まれながらの／自然な（ナチュラル）平等を訴えるパーディタは、本人は知らないのだが、終始、宮廷人であったことを観客には知らせておかねばならなかったのだ。彼女は羊飼いの娘だが、同時に王女なのである〔シシリアの王女で、赤ん坊のときに「ボヘミアの海岸」に棄てられた〕。庶民の一員が、貴族の地位にまで高められ、それに値するとわかること――いずれにせよ彼女は人知れず最初から貴族の女性であったので、ある意味当然なのだが――は、恩寵（グレイス）が高めようとしている〈自然（ネイチャー）〉の内部で恩寵（グレイス）そのものが潜在的に作用していることの適切なイメージなのである。

*

安直に自分自身を超越しているというのは、キェルケゴールに向けられる非難としてはこれほど似つかわしくないものはない。『死に至る病』のなかで絶望が、嘆かれているとともに肯定されるのは、救済が高くつくから、つまり救済は絶望をへなければならないからで、これは、お手軽なオプティミズムの思いも及ばぬことである。希望と対立するのは脳天気な明るさかもしれないのだが、希望はまちがいなく悲劇とは相性がいい。「絶望は」とキェルケゴールは書いている、「それに罹ったことがないことが最大の不幸であり、それに罹ることが真実の神の賜物であるというような病気である——もっとももしひとがそれから癒(い)やされることを欲しないとすれば、これほど危険な病気はまたとないのであるが[17]」と。なんとも奇妙なことだが、希望を捨て去ることには、かぎりないメリットがあるということだ。「自己は」とキェルケゴールは述べている、「ひとたび絶望の経験を通して自己自身を自覚的に神のうちに基礎づける場合にのみ、まさにそのことによってのみ健康であり絶望から解放されてありうるからである[18]」と。絶望できることは、人間が動物よりも優位にあることの証左であり、また、そうであるかぎり、絶望できることは、ある種の〈幸運な罪過(フェリクス・クルパ)〉〔アダムの罪(原罪)は最終的にキリストによる救いをもたらすことになったので幸運だったという見解、転じて、災難とみえて幸福な結果をもたらすもの〕を示すことになる。この〈幸運な罪過(フェリクス・クルパ)〉がないと、人は、精神を剝奪されるだろう。絶望のさなかにある者は、自律的たらんと熱望するものの、それを達成できないでいる。そしてこのこと自体が、反語的に希望の指標となる——自分で所有できない不滅の自己が存在していることになるからだ。真理に到達するためには、とキェルケゴールは書く、「ひとはあらゆる否定性を通り抜けねばならない。物語によれば、或る魔法を破るためには音楽を徹頭徹尾後ろからさかさまに奏さねばならなかった、それでないと魔法は破れなかったというが、そのことがここでもあてはまる[19]」。悔い改めるためには「先ず以て根本から絶望せねばならぬことになる、徹底的に絶望しぬかなければならぬことになる。そうなれば精神の生活は根底(こんてい)から破れ去ることになろう[20]」。

これは、ボードレールからグレアム・グリーンにいたるまで広範にわたって見出せる宗教的(スピリチュアル)エリート主義のおなじみの形態である。この考え方によれば、ほとんどの男女は、エリオットのいう空ろな人間[17]さながら、宗教的には空虚すぎて地獄に堕ちるにもあたいしないのである。ただ、もし彼らが悪魔と親しい関係をもつようになれば、彼らは神について少しは知ることになろう。際だった自我をもつ者たちだけが、その自我が永遠のなかに根拠をもつことを認識できるのだが、そのような真正の個性というのは、なかなかおめにかかれない。「ひとりの人間を破滅させるもっとも確実な方法とは」とイプセンの戯曲『ブラン』における教区長はこう述べる、「その者を一個人に変えることだ[18]」と。これは凡庸な人間にかんすることでなら、キェルケゴールは全面的に賛同する考え方だろう。いっぽう絶望する人間は、鈍感な大衆とは異なり、すくなくとも自己の道徳的内面とむきあっている。彼らは、徹頭徹尾、形而上的存在であって、聖人たちとは肝胆相照らすところがあり、そうであればこそ、道徳面での中産階級と呼ばれてもおかしくない者たちにたいして優位に立つ。これを『ブライトン・ロック』行動様式(シンドローム)と呼んでもよいかもしれない[19]。希望のなさは、この意味では、名誉の勲章なのである。永遠の自己をわがものとできるほどのぶれない強さをもつ者たちだけが、自身の絶対的な喪失の可能性にむきあうことができるし、そうするなかで救済にあたいする精神の何たるかを身をもって示すことになる。このようにみれば、絶望は、ほとんど楽園に等しい貴重なものにみえてくる。キェルケゴールが、トーマス・マンの『ファウスト博士』の流儀で、絶望の純然たる恐怖を受けとめているということではない。そうではなく絶望は、神聖な恩寵にとって不可欠な序曲、精神的成長にとって不可欠な条件だということだ。

とはいうもののキェルケゴールは、信仰と希望双方にある悲劇的パラドクスについても重要なことを把握している。アブラハムが我が子イサアクを生け贄に捧げようとしたことを念頭におきつつ、キェルケゴールは、信仰をもつ者たちについて、こう語る――みずからの破滅を確信しつつも、これで必ずしも最後にはならないということを信じて疑わない者たちである、と。「この場合矛盾とは」と彼は書いている、「人間的には破滅が確実であるにもかかわらず、しかもなお可能性が存在する、ということにほかならない[21]」と。これが非論理的な言明以上のものであることは、ヴィクトール・フランクルの次のような助言によっても裏づけられるだろう。フランクルは述べる、強制収容所の囚人たちは希望を失ってはならず、「わたしたちの戦いが楽観を許さないこと〔hopelessness〕は戦いの意味や尊さをいささかも貶めるものではないことをしっかり意識して、勇気をもちつづけてほしい[22]」と。

希望は、いまいちど、たんなる目的論の事例以上のものとなる。希望を失っても絶望しないことはある。悲劇の場合と同じように、価値というのは、人の運命の問題だけではなく、人が運命とのあいだに確立する関係性の問題である。どうころんでも人は、つねに希望をもつことができる、たとえば自分のこの苦境から他人が何かを学ぶのではないかという希望がある。人は、希望を、教養あるいは教育と同じように、後の世代に遺産として伝えることができる、たとえ自身は希望を剝ぎとられようとも。聖アウグスティヌスが「希望に関しては、ただ善いものをのぞむ希望があるだけであり、また未来のものをのぞむ希望、およびそれら未来のものに希望をいだいていると言われている人にかかわる希望のみが存在するのである」[23]と書いたとき、彼はこれら三種の希望すべてにおいてまちがっていた。たとえば、自身の死を、のちに生まれる者たちのための贈り物とする人びとはいる――失敗から実りあるものが生まれることを願って。

『終焉の時代に生きる』のなかでスラヴォイ・ジジェクは、スタンリー・キューブリックの映画『スパルタカス』〔一九六〇年、米映画〕における、スパルタカスと、海賊との会話を引用しているが、そのなかで海賊はこの奴隷のリーダーに反乱は失敗する運命にあることをわかっているのかと問うている――彼と、彼に付き従う者たちは敗北が避けがたいにもかかわらず、最後まで戦いつづけるつもりか、と。スパルタカスは答える、奴隷たちの闘争は、自分たちの境遇を改善するためだけのものではなく、自由の名のもとにおこなわれる信念をともなった反乱である、と。そのため彼らは全員が虐殺されようとも、彼らの蜂起は決して無駄ではないだろう。無駄どころか、それは解放に対する無条件の絶対支持を表明することになろう。ジジェクが述べているように「かれらの反逆という行為そのものは、結果がどうであれ、……すでに成功とみなされるのである」[24]。スパルタカスとその仲間たちが、戦わずして生き延びようとすれば、そのとき失うことになるのは、彼らの無欠の高潔さであろう。男女が、人生を生きるにあたいするものにするところの原則を守るため、死なねばならないこともあるということだ。ここで賭けられているのは、ぶざまな結果か好ましい結果かではなく、行動するかしないかである。落下してきた屋根の梁に押しつぶされて動けなくなっている男がもとめるコップ一杯の水を、いまにも建物の残りの部分が崩れ落ちそうで男の命など風前の灯火だからという理由で、拒んだりするような者はいないだろう。希望は、喪失や破壊が不可避であることを認める——これがオプティミズムのある種の潮流と希望とが大きく異なるところである——、しかしだからといってそれで抵抗をやめることはないだろう。人は、ある程度の威厳(ディグニティ)と高潔な一貫性(インテグリティ)を維持し、ガブリエル・マルセルの言葉を借りれば、バラバラになることから身をかわすことができる。人は、自分のやみくもに恐怖心にかられるぶざまな姿を敵にさらして、敵の勝利に花を添えたいなどとは思わないだろう。この意味でいう絶望しないこととは、みずからの終焉を確信していても、それでもなお、人間精神への信頼を失わないものとして人間をみることかもしれない。「たとえすべてが失われても、私たちは負けない〔Even though all is lost, we are not〕」というのは、敗北を認めない姿勢をたたえるスローガンとして役立つかもしれない。フリードリヒ・シェリングが悲劇的希望について書いているように、「残るのはただ一つ。すなわち自由を破滅させようとする客体的威力が存在することを認知し、この威力に対して闘いを挑み、全自由を賭した挙句に没落するということである」[25]と。

ヴァルター・ベンヤミンにとって、行為の果実を宙づりにするということは、歴史の連続体を切り裂き、そこから出来事を取り出し、そうするなかでみずからの死を先取りすることを意味する。とりわけこの死の時点において、歴史的帰結は、すくなくとも私たちにとっては重要ではなくなり、行為は純粋にそれ自体のためだけに執行されうるのである。人は、みずからの行為を永遠という立場から、どのようにみえるかを考え、行為のひとつひとつをあたかも、みずからの最後の行為であるかのように扱い、未来を現在のなかに折り込む——過去を(歴史主義がそうするように)現在や未来に折り込むのではなく——よう努めねばならない。このようにして人は、アイロニックに、歴史の内と外とに同時に位置して生きることができるのだが、それこそまさに聖パウロが「コリント人への第一の手紙」のなかで述べているような「世界と取り組むとき、あたかも世界になんの利害関係もないかのように取り組む」といった流儀をつらぬくことである[20]。これは修道士のみならず革命家にも典型的な立ち位置である。テオドール・アドルノが書いているように、「絶望的状況のさなかにありながらも是認できる哲学の有り様は唯一つしかないと言っていいので、それは万事を救済の立場から眺められたように考察する試みである」[26]。いずれにせよ、あらゆる行為は、そのまわりに死という最終性を漂わせることになるが、それは、良きにつけ悪しきにつけ、あらゆる行為は、もとにはもどせないからである。

こうしたことすべては政治的左翼に関連がある。左翼勢力がめったに提起しない問題のひとつに、もし失敗したらどうなるのか？という問題がある。そうした問いかけに対して左翼が神経質になることはわからないわけではない。とりわけ、そのような疑問は一撃で同胞たちの士気をそぎ、敵対勢力を安堵させるものだからだ。多くの左翼にとって、それゆえペシミズムは思想犯罪そのものである。ちょうど合衆国企業の重役たちにむかって、あなたがたは変装した半神でございますと確信させて喜ばせるためにお金をもらっている叱咤激励のプロ（motivational speaker——激励演説・講話（pep talk）をおこなうのを職業としている人間）にとってペシミズムがそうであるように。「マルクス主義者は悲観的になる権利はないのです」とエルンスト・ブロッホは述べている[27]——あたかも、マルクス主義者にとって、状況に応じて、ここは勝ち目がないと冷静に判断することは、ある種の精神的裏切りであるかのように。熱烈な過激派にとって、マット・リドレーがうらやむほどのエネルギッシュな自己欺瞞の後ろ盾をえれば、革命的好機は――つかもうとする勇気さえあれば――つねに手を伸ばせばつかめるところにころがっているということになる。この心癒やす虚構によって、数多くの好戦的活動家たちが階級闘争の暗黒の夜に身を投じてきた。資本主義が危険なまでに不安定であることは、資本主義を打破しようとする者たちにとっては大いに精神を鼓舞される要因そのものであって、しかるべく強調されもするのだが、しかしこのとき脇に追いやられるのは、資本主義体制は、その敵対者たちよりも、動員配備できる戦車をたくさんもっているという事実である。

正しい社会をもとめる闘争には、道具的合理性が必要だが、しかし必要なのは、それだけではない。左翼は、たとえ資本主義がこれからも居座りつづけることがまず確実であっても、それでも悪条件の労働や大量解雇には抗議の声をあげつづけるだろう。ベルトルト・ブレヒトは、その詩「あとから生まれるひとびとに」[21]のなかで不正がおこなわれていても誰も立ち上がらないことにたいする絶望を語っているが、たとえ反乱がすっかり影をひそめたとしても、男女が何世紀にもわたって自由をもとめてねばり強く戦ってきたという事実は、そこから多くの価値を引き出せるだろう。いうなれば、それは〈最後の審判の日〉になってようやく救済されるものがつねに残っているということだ。たとえ正義が最後には滅びるとしても、正義の追求にささげた命は真正の命でありつづける。最後の段階で成功していないことは、かならずしも失敗の証しとはならない。終わりよければすべてよいことが、成功したことの証しではないのと同様に。目的論の狡猾な罠とは、この終わりよければというまちがった考え方を私たちにうえつけてしまうことだ。たとえ歴史が崩壊して廃墟しか残らないとしても、絶望が生まれるのは、歴史の破局（カタストロフ）が前もって定められていたときにかぎられるし、たとえそうであっても、多くの悲劇の主人公たちのように、不可避のものとの戦いそのものから価値を引き出すことはできる。いや、もし人が不可避のものと戦うことがなければ、そもそも、それがどれほど不可避であるのか知りようがない。けだし破局は、歴史の進展のなかに書き込まれているわけではないだろう、希望が書き込まれていないのと同様に。未来がどれほど暗澹たるものになろうとも、そうではなかったかもしれないという可能性は消えることはない。偶発事は、不運な状況へとつきすすむこともあれば、成功のほうにつきすすむこともある。アリストテレスが見抜いていたように、物事が没落すること（物事の無常性）の理由はまた、物事が繁栄する理由ともなる。そのうえ嘆かわしい未来というのは、ほぼまちがいなく、貪欲な一握りの支配層がもたらすものであって、人類全体がこしらえるものではないだろう。

こうしたことがあるからといって、希望をどこまでも実存的な冷めた眼でながめておけばいいことにはなるまい。目標というのは、たしかに重要なのだ。ベンヤミンの歴史哲学は、その宗教的な叡智とはべつに、歴史的進歩という考え方に過剰なまでに反感を抱いているところがある。この反感は、その文脈を考慮すれば理解できないわけではない過剰反応だとしても。ベンヤミン流のメシア信仰は歴史を、まったくといっていいほど信頼していない。フレドリック・ジェイムソンが論じているように、「真に革命的な時代なら、つまり変化があなたのまわりで鼓動しているのが感じ取れる時代なら、わざわざメシア的なものを喚起することはないだろう。メシア的なものは、革命の時代に密接に関係した直接的な希望を意味しない。おそらくそれは希望なきところに生まれる希望〔hope against hope〕ですらないだろう。それは通常の希望にありがちな特徴をどれも帯びていないような独自の「希望」であり、それは、徹底して希望なき時代にのみ花開くものなのだ」[28]。また希望をあまりに絶対視するような、もしくは無条件に容認するようなかたちでみる必要もない。ブロッホは、希望を、すべてか無かの問題としてまちがって考えている。精神分析理論によれば、私たちはけっして欲望から快癒することはないが、だからといって、欲望と交渉して外交条約をむすべないわけではない。不和と不満から解放され浄化されたという意味でのユートピアは存在しないだろうが、私たちの状態が大きく改善されるだろうと信ずることは冷静な判断にたつリアリズムである。すべてが良くなるということはないが、すべてがそこそこ良くなることはある。ジェノサイドをふせぐために、あるいは性奴隷の人身売買をやめさせるために、大天使の一団にご降臨願う必要はない。部分的でも改善を望むような良識的判断を否定する者たちこそ空想家である、たとえ彼らの現実主義がどれほど称賛されていようとも。私たちの知っているかぎりのこの世界が、ずっとこのままでありつづけると想定することほど、現実離れした夢想はないのである。

　けれども、たとえ希望が一般的にいって、今述べたような根源にまで触れるものである必要などないとしても、まさにこの種の希望こそ、抜本的な変革のためには必要とされるのであって、これは変革プロジェクトが出会うであろう頑強な抵抗を考えれば当然である。最終的に必要となるのは、神学者ハーバート・マッケイブが「敗北と十字架を経て復活へといたる」[29]希望と呼ぶものである。あるいはレイモンド・ウィリアムズがもうすこし世俗的な用語で述べているように、「素朴なユートピアの形式をとる場合でも、いま切実に求められている現実的な未来をもっと限定的に構想する場合でも、それらの流れをいま堰き止めている分裂と矛盾をわれわれが必要とされる深みにおいて正視するときまで、それらの試みは前進をはじめないという事実があるのである」[30]。歌手のシネイド・オコナーは、かつてテレビのインタヴューのなかでこう述べたことがある、自分としては十字架よりも復活のほうがずっと楽しそうだと思う、なにしろ、こちらのほうが、あたかもスカーフの色を選ぶように、自分の気質に応じて、あれにするか、これにするか好きなほうを選べるからだ、と。これぞオプティミズムの極致である。復活が希望にあふれているのは、まさに、それが磔刑の苦悶と悲惨を代償として得られたからなのだが、彼女はこのことをみていないのである。

＊

人類の歴史上もっと血なまぐさい出来事は八世紀中国における安史の乱とそれにつづく内乱であったといわれていて、推計換算で四億二九〇〇万人という信じがたい数の死者を出した[31]〔推計換算値については本章、訳注〔22〕参照〕。この大惨事は中国帝国民の三分の二、当時の全世界人口の六分の一に死をもたらしたと考えられている。一三世紀のモンゴル帝国による征服支配は、二億七〇〇〇万人の死者をもたらし、死者の数では第一位に比べて、それほど後れをとっていない。ティムール大帝は、スターリンが殺した男女の五倍の男女を殺したとみなされているが、そのいっぽうで三十年戦争は第一次世界大戦の死者のおよそ二倍の死者を出した。第二次世界大戦はおよそ五五〇〇万人の死者をみたし、英国の内乱ですら、およそ五〇万人の命を奪った。アメリカの先住民に対する殺戮は毛沢東による大量殺害を二対一の割合で上をいくものだった。二〇世紀全体では戦闘での死者はおよそ四〇〇〇万人であった[22]。

私たちの先祖の多くは、まさに現代の人間の多くと同様、きわめて残忍であった。聖書が描く世界には、凌辱、略奪、奴隷、無差別殺戮があふれている。古代ローマ人は裸にした女性を杭に縛りつけて凌辱するか動物に食べさせていた。聖ジョージ〔聖ゲオルギウス〕は、両脚に重りを縛りつけられたうえで鋭い刃にまたがって座らされ、炙り焼きにされ、脚を串刺しにされ、刃のついた車輪に轢かれ、六〇本もの釘を頭に打ち込まれ、ノコギリで胴体を真っ二つにされた。この屈辱的な処遇の最後の仕上げとして、彼は、のちに、ボーイスカウト運動の庇護者に祭り上げられた。残虐行為研究家の計算では、十字軍遠征の死者は、当時の地球人口と比較してみると、ホロコーストとほぼ同じである。過去のいろいろな時代において、人は、たとえば、うわさ話をしたことで、キャベツを盗んだことで、安息日に枝木を拾い集めたことで、両親に口答えしたことで、王立庭園に批判的言辞を吐いたことで、死刑になっていた。比較的最近まで、拷問は、散発的どころか頻繁に、秘密裏どころか堂々とおこなわれ、一般に嘆かわしいと非難されることはいっさいなく、決められた手順をふんで衆人環視のもとおこなわれ、技術的な革新のよい機会として奨励されてもいたのである。

どれもこれも希望を喚起する記録とはいいがたい。実際のところ、人間の体を切り刻み内臓をえぐりだすときのぞっとするような音を生みだしたのが、つまるところ人間の本性なのだということになれば、この先、私たちの状況が改善される見込みがあるとはとても思えない。改善が人間性と連動していることは疑う余地がない。もし人間がこのようなふるまいにおよぶことができるというのなら、人間は、そうできるものを人間性のなかにもっているということになる。したがって、これは悪い知らせである。良い知らせは、その人間性はけっして抑制できないわけではないということだ。残忍さは、歴史的環境によって形成されてきた。そもそも歴史的環境はこれまでのところ私たち人間にあまり好意的ではなかった。人類史をとおして政治は、大部分、暴力的で腐敗していた。美徳は、それが栄えたところにおいては、おおむね、私的な事象あるいは限られた少数派内での事象にすぎなかった。詩人のシェイマス・ヒーニーは、『トロイの癒し』のなかで、希望〔hope〕と歴史〔history〕とが韻をふむ、なかば奇跡的な瞬間について語っているが、両者の関係は通例、無韻詩(ブランク・ヴァース)の行末のほうにずっと似ていた〔無韻詩形は、行末において前後の行と通常は韻を踏まない〕[23]。けれども、こうなるのは、男女が生きるのを余儀なくされる社会システムが、欠乏・暴力・相互敵対関係を生むようなものであることになかば起因する。マルクスは、まさにこのことを念頭に置いて、過去の歴史の総体を、生ける者に悪夢のように重くのしかかるものとして語ったのである。たしかに現在よりも過去のほうがつねに重くのしかかる。過去はつねに、イプセンの悲劇のように、危機の瞬間に割って入り、解放された未来の見通しをつぶしにかかるのである。

そのような状況のなかで男女が道徳的にもっとも人に感銘をあたえるようなふるまいにおよぶことはまずありえない。それどころか男女のあまりほめられたものではない性向はますます悪化しがちである。これは、もし男女が、そうした状況の圧力から解放されれば、天使のようにふるまうだろうということを示唆するものではない。一般市民のなかには、いまなお相当数の残忍な犯罪者、サディスト、熱狂的な素人拷問者がいることに疑いの余地はないだろう。私たちの好ましくないおこないの多くは私たちが暮らしている体制によって生み出されたという事実があるからといって、私たちが道徳的責務から解放されるというわけではない。つまるところ、そうした体制を構築したのは私たちなのだから。とはいえ、たとえそうであってもここからいえるのは、善良な精神の卑しからぬ人びとはたとえ歴史的な勝算はなくとも美徳を実践すべきだということである。この意味で道徳的な試行錯誤はたえまなくつづけられてきた。まただからといって、私たちの失策や好戦性を原罪の教えにならって、すべて私たち自身のせいにしてすませばいいことにはならない。私たちの悲嘆はその大部分がシステムに組みこまれているというのは、ある意味で、なんとも気の滅入る話である。なにしろシステムを変えるのは半端なくむずかしいからだ。しかしこれはまた希望の根拠でもある。私たちは知らないのだ、もし制度が変革されたら私たちが道徳的にみてどれほど光り輝くようになるかを——おそらくたいして光輝くことはないとしても。しかし、それを見きわめる責務は私たちにある。人間の心の闇について語る人びとは、まちがっているのではなく、早まった判断をしているのかもしれないのだ。したがって、ここまでは良い知らせである。悪い知らせというのは、私たちは確たる理由もないままに、人間が創造する悪を自然に生まれる悪よりも治癒可能だと想定してしまうことである。私たちは、おそらく癌の治療法を発見するだろうが、殺人衝動の治療法となると、簡単には発見できない。

悲劇的希望は、絶望状態での希望である。進歩の概念は、ベンヤミンが主張しているように、破局という考え方に根ざしたものでなければならない。オプティミストは絶望することができないが、しかし、そのぶん真の希望を知ることもない。なぜならオプティミストは希望を不可欠とするような状況などと関係をもちたくはないからである。エリク・エリクソンは、幼児の成長を念頭において、希望について、こう語っている、「人生の始まりを覆っている暗い衝動や強い怒りにもかかわらず、求める願いは得られるのだという変わらない信念[32]」と。幼児は、自分を世話してくれる者たちの愛を信頼することをとおしてのみ、悪辣な衝動に支配されることに抵抗できるのである。おそらく悪についての文学的な肖像のなかでもっとも壮烈なものともいえるトーマス・マンの『ファウスト博士』の最後において、語り手は、「限りなき嘆きの作品[24]」と呼ぶものについて語っている。それは呪われたアドリアン・レーヴェルキューンが悪魔との契約によって地獄へと引きずりこまれる前に完成した最後の音楽作品、交響的カンタータ『ファウスト博士の嘆き』である。底知れぬ嘆きの作品の、「この暗鬱な音詩は、最後までいかなる慰藉、宥和、光明をも許さない」（下・二四八頁（第四七章））。にもかかわらず、考えられないわけではないと語り手は問うている、「この上なく深い救いのなさから」「希望が芽生えると……すれば、どうであろうか？」（下・二四八頁）と。彼はつづける――

それは希望のなさのかなたに生まれる希望であり、絶望の超越性なのであろう、――絶望に対する裏切りでなくて、信仰を越える奇跡であろう。まあ最後を聞いていていただきたい、私と一緒に聞いていていただきたい。楽器群が次々に退く。そして最後に残って曲とともに消えてゆくのは、一梃のチェロの高いト音、最後の言葉、最後の浮遊する音で、ピアニッシモのフェルマーテのうちにゆっくりと消える。それからはもう何もない、――沈黙と夜。しかし、なおも震動を伝えながら沈黙のうちに残っている音、もはや存在しないが魂のみがなおもあとを追って耳を傾ける音、悲哀の終音であった音は、もはやそうではなくなり、意味を変えて、夜の中に輝く一つの光となっているのである。〔下・二四八―二四九頁〕

カンタータが、かそけき希望にみちた音で終わるというのではない。反対に、あらゆる音楽作品の常で、それは無(ナッシング)――沈黙(サイレンス)で終わる。けれどもこの独特な沈黙は、奇妙なまでに蝕知可能な沈黙であり、あとで思い返すと最後の嘆きの音調を肯定的な音調へと変容させ、そしてまさに消え入るその行為のさなかにそれ自身から何か新しいものが生み出されるのを可能にするのである。音楽の死は、亡霊的な余韻を生む。あたかもカンタータは二度終わりを迎えるようである。一度目は現実において、最後の音が徐々に消えていくときに。そして二度目は頭のなかで徐々に消えていくときに。このとき音の亡霊にすぎないものが、無から生ずる神秘的な何かとして発生する。最後の音は二度経験される。

一度目は生きているものとして。二度目は死んだものとして。しかし死において、その音はもっとも生き生きしているように思われる。その音が文字どおり生きているとき、それはファウスト自身のように、迫りくる破滅を予感して悲嘆に満ちているが、ひとたびそれが空虚へと移行すると、それは差異を伴って反復され、今一度、変容された意味を帯びて鳴り響くのである。悲しみもあるが希望もある——物事が消えゆくことにおいて、そうであるように。おそらくまた、恩寵のなんらかの不可知の淵源が、小説の悪魔的な主人公のうえに恩恵をもたらすかもしれないという希望もある。その主人公は、彼が作曲したカンタータの最後の音のように生と死のあわいにとらえられていながらも、その死への欲動に呪縛された天才が、最後には、生ける者たちに奉仕する芸術作品を生むのである。

訳者あとがき

本書――Terry Eagleton, *Hope without Optimism* (University of Virginia Press, 2015 紙装版 Yale University Press, 2017)――が刊行された二〇一五年が「希望」についての本など必要のない良き時代に属するとは誰も思っていなかったとしても、また「希望」はいつの時代にも求められている本のテーマかもしれず、議論も興味深く刺激的であるとはいえ、それにしても、なぜこの時代に「希望」を扱う本なのか、とにかく時代とのシンクロ感が希薄だった――たとえ著者自身は「希望」についてこれまでほとんど書かれてこなかったからと冒頭で断っていても。

ところが本書は、誕生以来、年齢を重ねつつも比較的最近にわかに若返りはじめた。いまなぜ「希望」かについて誰一人疑う者はいないであろう現在、本書は、読者に、語られる内容を一字一句を聞き漏らすまいとさせる切迫性すらにじませるようになった。本書は、今まさに時代と世界に出現を要請されたかのように装いを一変させた。出口なきコロナ禍のまっただなかで、本書は、本日(出版される今この日、読者が手に取るこの日)、真の誕生日を見出したかのようだ。

ただし急いで付け加えないといけない、本書のタイトルには「オプティミズムぬきで語る(原題では without Optimism)」とサブタイトルが付いていることを。パンデミックの苦境のさなかにある読者を慰撫する安易な希望を語る本ではない。今、さまざまな楽観的予測が、それを示すだけでパンデミックが収まるといわんばかりに、新型コロナウイルス以上に蔓延しながらも事態は一向に改善されない状況に私たちはうんざりしている。「ウィズ(with)コロナ」の時代に私たちはオプティミズムの詐術に翻弄されたくはない――「ウィズアウト(without)オプティミズム」こそ求められている。

とはいえ希望について考えはじめると、多くの場合オプティミズムと希望との同一視が起こる。本書の立脚点のひとつに、希望は徳であるという考え方がある(キリスト教では希望が愛と信仰とともに三つの基本的徳目となっている)。なるほど、どんなときにも希望を失わないというのは美徳かもしれないが、ただ能天気に明るい未来を思い描くことのどこに徳があるのかとの思いも強い。もし希望を徳として捉えるのなら、オプティミズムとは明確に一線を画すべきであろう(もちろん希望は気質なのか意志行為なのかなど他にも明確にすべきことは多いが)。そのため本書は希望について、まずオプティミズムと対照するかたちで考察を進める。

ただし第一章は、希望とオプティミズムを混然一体化するドグマ的まどろみから読者を覚醒させるためだけにあるのではない。興味深いのは第一章の中盤における、マット・リドレー著『繁栄』に対する批判的読解である。『繁栄』の原題は「合理的楽観主義者」であり、楽観主義批判の第一章で選ばれるべくして選ばれた著書ではあるが、それだけではない。『繁栄』批判によって、本書『希望とは何か』が目指すポレミックの射程がみえてくる。

リドレーの『繁栄』以後(『繁栄』と同じ年に刊行されたスティーヴン・ピンカーの『暴力の人類史』以後か

もしれない）、同様の著書の刊行が目につくようになった。たとえばハンス・ロスリング他の『FACTFULNESS』とかルトガー・ブレクマンの『Humankind 希望の歴史』（類書のなかで評価の高い二例）は、事実を尊重し、現実の悲惨に眼をそむけず、好ましい未来の実現可能性を熱く説いている。だが問題は、これら「合理的楽観主義者」たちの本が現実逃避を促すことにある。

かつて「現実逃避」といえば現実を回避し夢や観念の世界へ逃避する「現実からの逃避」のことだった。それが、いまや複数の分野で「現実への逃避」が指摘されつつある。著者イーグルトンの見解ではなく、あえて訳者の私見を述べさせてもらえれば、合理的楽観主義は、悲惨な現実や事実（ファクト）を忌避することなく見据えることで、悲惨な現実そのものを、消滅する媒介者として利用し、現実の諸問題がいずれ確実に改善される未来を保証するのだが、この言説戦略こそが「現実への逃避」なのである。現実を信頼すれば、明るい未来が到来する以外の展望などありえない。ネガティヴな姿勢は退けられ悲観的展望は却下される。現実は希望を疑わせるものではなく、希望を育むものとなる……。

この楽観的展望に私たちが批判的検討を試みるとき、リドレー『繁栄』に対する本書の分析はポレミックのまさに規範的モデルである。しかもそこでは合理的楽観主義者の言説がただ明るい二一世紀を謳いながらも、描かれる現実の悲惨が読者に楽観主義からの離脱を促し別の選択肢への省察に向かわせる可能性もまた示唆されている。

楽観主義からの離脱――第二章では、いよいよ希望について真正面から語られることになる。ここで訳者として指摘したいのは、それがメニッポス的諷刺の言説となっていることである。紀元前三世紀の諷刺家メニッポスの名を冠するこの諷刺形式は、二〇世紀になって、物語ジャンルの名称のみならず言説形式を特定する批評用語にまでなった。その典型的な結構はといえば、主人公が、叡智を求めて旅し、賢者と目されている人びとに出逢い、その人生観や世界観の一端に触れるが、いずれの観点も限界があることがわかり、ただ落胆して旅を終える(多くの場合元の場所への回帰となる)というものだ。ヴォルテールの『カンディード』とかサミュエル・ジョンソンの『ラセラス』が思い浮かぶ。幸せを求めて放浪する兄と妹の物語であるメーテルリンクの戯曲『青い鳥』もまた同様の構成を内包している。また語られる世界観の限界は、それを体現する人物たちの奇人変人ぶりと連携する。たとえば奇人変人列伝であるルイス・キャロルの『不思議の国のアリス』もまたメニッポス的諷刺ジャンルに属するといえよう(これ以外にもエラスムスの『痴愚神礼讃』とかラブレーの『ガルガンチュワ物語』やスウィフトの『ガリヴァー旅行記』からジョイスの『ユリシーズ』にいたるまで、メニッポス的諷刺作品は予想外に多い)。

この特異な物語形式が言説形式に変貌をとげるとき、それらはポリフォニー形式(バフチン)、解剖(アナトミー)形式(ノースロップ・フライ)、百科全書形式といった記述用語を付与される。そこではさまざまな観点が包括的に俯瞰的に語られるが、いずれも絶対視されることなく相対化され限界を指摘される。この総覧的諷刺こそが、このジャンルの真髄である。

本書第二章で、希望についての定義や考え方が多様な角度から検討される。私たちの常識的理解に立脚しつつも、時に英語の"hope"の語源や語用に即して意味を深化させ、さらには哲学的・神学的次元にも議論が及ぶ——アウグストゥス、アクィナス、カント、マルセル、ヴィトゲンシュタイン、ベンヤミン(救済に関して)、そしてキェルケゴール(絶望に関して)ら。と同時に歴史的挿話や文学的主題や事例にも触れられる、そこでの議論は私たちに知的刺激を与えることを決してやめることはない。

そしてこれをメニッポス的諷刺の言説というのは、議論が、希望についての多様な観点を確定的絶対的基点へと収斂させるのではなく、多様性を、ときには矛盾対立までも温存しながら、悪くいえば総花的な、良く言えば包括的な議論を提示するからである。

そうであるがゆえに第二章の最後で語られるアントニーとクレオパトラの例(シェイクスピアの戯曲に基づく)は、希望論の結論とはならない。なぜなら第二章における希望をめぐる俯瞰的考察は、第三章の『希望の原理』(エルンスト・ブロッホ著)をめぐる議論を経たうえでないと完結しないからであって、アントニーとクレオパトラの事例は一時的な脱線ともいえる。ただそれにしてもこのカップルの出現は気がかりではある。そう、このカップルは、希望もないが、また絶望もないまま、享楽的人生に身をゆだね、救いを放棄し、うらやましいほどの自由な堕落を楽しんでいる。ヘレニズム時代末期のこの度し難き「バカップル」を著者イーグルトンはその記述からして嫌ってはいない。ある意味、ポストモダン時代の「バカップル」の典型ともいえるこの二人は、希望などという前時代的問題圏に属する議論を嘲笑し消去するブラックホールのような存在と化している——だがいまパンデミックというもうひとつのブラックホールが彼らを呑み込むことになるのだが。

エルンスト・ブロッホの大著『希望の原理』をめぐる比較的短い第三章は、大著読解に必要な重要な指針に満ちていて読者を裨益するところ大であり、最後の第四章は、そこまでの記述の延長線上にありながらも、同時に、独立した希望論（論であるとともにエッセイでもある）として読めるもので、そこに著者の希望観が開示される。

メニッポス的諷刺において最終的に問題となるのは著者自身のポジションである。語られる対象をすべて諷刺で捨象するとき、語り手自身は（あるいは物語における主人公＝探求者は）どうなるのか。他人ごととして自身を隔絶するのか、嘲笑する主体としての自己を超越的存在に高めるのか。ドグマのまどろみへの後退か、無自覚な自己尊大化か。

メニッポス的諷刺が陥りやすいこうした愚を回避するために、たとえばいまひとつのメニッポス的諷刺言説であるイーグルトンの『文学とは何か――現代批評理論への招待』（岩波文庫）のふるまいを思い出してもいい。各批評理論を解説しつつ同時に埋葬しながらも、最終的にマルクス主義批評とフェミニズム批評は解説しない（だから埋葬もしない）ことで、自己の立場を明確にする。各理論の限界とは、それらがマルクス主義とフェミニズム理論になりきれなかったことでもあったのだ。だがこの二つの超越的理論は、それまで語られた諸理論を、ただ捨象するのではなく、いいとこ取りの対象とすることで、実は救済し、みずからの可能性と視野を拡大することになる。

『希望とは何か』は、メニッポス的諷刺の陥りやすい愚を、著者自身の希望観が語られる第四章を出現させることで回避している。ただそうなると、ここまでで語られてきた希望をめぐる考え方の総覧的俯瞰図における従来の希望観の相対化は、たとえそこに破壊的批判性はなかったとしても、著者自身の希望観もまた相対化してしまうのではないか。

第四章冒頭でジョナサン・リアの『ラディカルな希望』に依拠して語られる、伝統的慣習的生活様式と決別せざるをえない文化的大変動を経由する悲劇に襲われたアメリカ先住民クロウ族とその族長プレンティ・クーズの過酷な運命は、パンデミック下にある私たちにとっても他人ごとではない。従来の文化的認識的基盤が失われるとき、未来は予測できなくなる。いまポスト・コロナの言説が語られているが、コロナ禍のまっただなかで、過去の生活様式への回帰の可能性が失われたとき、ポスト・コロナ世界への展望など、現段階では無根拠な幻想にすぎないのではないか。奇しくもクロウ族が直面したのと同じ大変動に、今まさに私たちがグローバルな規模で直面している。古い文化基盤に取って代わる新たな基盤は、まだ見えていない。

第四章では偶然か意図的かわからないものの、議論がジョナサン・リアからシェイクスピアのリア王へと移行する。『リア王』の冒頭、王を愛する証拠となるスピーチを求められて「何もない Nothing」と答えるリアの末娘コーディーリアの苦境は、著者の苦境と重なるところがある。すべてが語られたあと、語ることが何もないのである。つまりメニッポス的諷刺の言説は、辛辣な批判を展開しなくとも、包括・網羅性と多様性を維持しながら各種の思想や世界観を提示することで、思想や世界観の飽和状態、相殺化される意味の廃墟を出現させかねないのだ。語りつくされたあとの廃墟、何を語っても新機軸は失われる荒地——この希望なき状況のなかで、あえて語るこの言語行為そのものが、希望の意志行為と重なりはじめる。まさに希望なきところの希望、最後のたったひとかけらの希望の残滓。

思えばメニッポス的諷刺は、諷刺する者が無傷のままただ嘲笑するだけの鼻もちならない言説に帰結しがちだったが、すぐれたメニッポス的諷刺は原点に立ちかえり、つつましやかな始まりを志向する――ヴォルテールの『カンディード』における末尾、主人公が自分の畑を耕しはじめたように。

しかし本書はこのメニッポス的諷刺の結構を悲劇的宇宙に昇華したのではないか。すべてが失われ、絶望の淵において、まさに絶望の淵だからこそ、それゆえに、あるかなきかの希望の極小の種子が発芽しはじめる。本書の希望は、オプティミズムとは無縁だが悲劇にはなじむ。もちろん、そのようなぎりぎりの希望にすがるしかない極限状況に遭遇した人間は、人類全体からみれば数は少ないだろう――と数年前までは書いていられた。しかし、コロナ禍の今、私たち自身が、グローバルな極限状況に、その底知れぬ深淵に、未曽有の破局に直面することは避けられなくなっている。それにたちむかうとき私たちに与えられるかもしれない唯一の生存の条件、それが希望ではないか、それもオプティミズムなき希望ではないかと、著者は私たちに問いかけているのである。

*

翻訳について。本書には「希望」に関するさまざまな名言や発言がちりばめられている。とくに出典を示されていないものも多い。本書は、気を引き締め緊張せずとも、一気に読める長めのエッセイでもあるために、明示されていない典拠があってもかまわないのだが、〈Traduttore, traditore〉(「翻訳者(トラドゥットーレ)は裏切り者(トラディトーレ)」)――出典を明示したり、読者に対して課題として残されているようなものをあえて説明したりと、訳者は、裏切り者の汚名覚悟のうえで、やや暴走している。翻訳者の裏切りを好まない読者は、もちろん訳注などの注記は読み飛ばしていただいてかまわない。

また多くの引用は、それだけで希望論の小アンソロジーともなっていて、読書の快楽と醍醐味を保証してくれる。日本語に翻訳されているものは、今回、参照するだけでなく、可能なかぎりそのまま使用させていただいた。そのため本文と引用文との間に表記や言葉遣いのずれが生ずることになったが、諒とされたい。本文中にも引用があるエンリーケ・ビラ＝マタスの本文では触れられていない『バートルビーと仲間たち』——書けなくなった詩人・作家に関するまさにメニッポス的諷刺的総覧——に影響を受けた訳者は、既訳をただ書き写すことに、無上の喜びと、先達への業績への畏敬と感謝の念をいだいていた。

このコロナ禍のさなか、一時は本書の刊行は不可能ではないかとあきらめかけていた時期もあった——希望なきときに希望をつないだことで、本書刊行の日をこうして迎えたことに対して、感に堪えない。また、とりわけ本書の翻訳を企画され、訳者に声をかけていただいただけでなく、本書の読み方についても貴重な示唆をいただいた編集部の奈倉龍祐氏と、丁寧に訳文を検討され貴重な助言をいただいた編集部の北城玲奈氏のお二人には、どれほど感謝しても感謝したりない。私にとっては、お二人は、希望なきときのかけがえのない希望であった。

訳者識す

索　引

- 本文中の人名と作品・著作名を 50 音順に掲載している．
- 原注と訳注における人名と作品・著作名は含まれていない．
- 原語表記はすべてローマ字化している．
- 人名のあとの括弧内の数字は生没年．本翻訳書で独自に付記．紀元前は BCE．紀元後を明記する場合には CE．
- 作品・著作名のあとの括弧内の数字は，創作年・発表年・出版年．複数ある場合は，創作年と発表年・刊行年が離れている場合．本翻訳書で独自に付記．紀元前は BCE．紀元後を明記する場合は CE．
- 索引は，本文中の記述を補完する簡単な訳注もかねている．著名な人名，ならびに本文中に説明のある人名については説明を簡略化するか省いている．

あ 行

か 行

さ行

た行

な 行

は 行

ま 行

や 行

ら 行

原　注

はじめに

(1) Raymond Williams, *The Politics of Modernism* (London, 1989), 103.〔レイモンド・ウィリアムズ『モダニズムの政治学――新順応主義者たちへの対抗』加藤洋介訳(九州大学出版会, 2010), p. 111(第6章 『近代悲劇』後記)〕

第1章　オプティミズムの陳腐さ

(1) "The Art of Fiction," *Henry James: Selected Literary Criticism*, ed. Morris Shapira (Harmondsworth, 1963), 97.〔ジェイムズ「小説の技法」岩元巌訳,『ヘンリー・ジェイムズ作品集8　評論・随筆』工藤好美(監修)中村真一郎(序)青木次生(編)(国書刊行会, 1984)所収, p. 118. 訳文はそのまま使用させていただいた〕

(2) 楽観主義に対して一定の哲学的な価値をあたえる数少ない学者のひとりにM. A. Bodenがいる．その論文 "Optimism" (*Philosophy* 41 (1966): 291–303)が私たちにあらためて思い起こさせてくれるのは，楽観主義は，私たちの時代において知的評価にあたいするものとは一般にみなされていないのだが，18世紀では高い知的評価をえるにふさわしいものと考えられていたことだ．

(3) Erik Erickson, *Insight and Responsibility* (New York, 1994), 118.〔エリクソン『洞察と責任――精神分析の臨床と倫理』(改訳版)鑪幹八郎訳(誠心書房, 2016), p. 115(第4章1). 訳文はそのまま使用させていただいた〕

(4) Victor F. Frankl, *Man's Search for Meaning* (London, 2004), 140.〔本書はフランクルの『夜と霧』の英訳だが，本文で言及されているのは同書に収録されている1984年のあとがきであり，これは日本版『夜と霧』には訳出されていない〕

(5) Henry James, *Literary Criticism, vol. 2: European Writers: Prefaces to the New York Edition* (New York, 1984), 931.

(6) Walter Benjamin, *One-Way Street and Other Writings* (London, 1979), 238(英語訳の訳文は少し変更した).〔ベンヤミン「シュルレアリスム」,『暴力批判論　他十篇――ベンヤミンの仕事1』野村修編訳(岩波文庫, 1994)所収, p. 218. 訳文はそのまま使用させていただいた．日本語訳は他に「シュルレアリ

スム」,『ベンヤミン・コレクション 1──近代の意味』浅井健二郎編訳・久保哲司訳(ちくま学芸文庫, 1995)所収など〕

(7) Gareth Stedman Jones, *Outcast London: A Study in the Relationship between Classes in Victorian Society*(Harmondsworth, 1976)ならびに Marc Angenot, *Le centenare de la Révolution 1889*(Longueuil, 1989)参照.

(8) 進歩と啓蒙主義に関する(無批判的ではない)擁護として Raymond Tallis, *Enemies of Promise*(Basingstoke, 1997)参照.

(9) Richard Swinburne, *The Existence of God*(Oxford, 1979), 219.

(10) Kenneth Surin, *Theology and the Problem of Evil*(London, 1986), 32.

(11) 未来の廃棄はこれまでも左翼側の論者によって主張されてきた. T. J. Clark, "For a Left with No Future," *New Left Review*, no. 74(March/April, 2012)参照.

(12) Lionel Tiger, *The Biology of Hope*(London, 1979), 282.

(13) Anthony Scioli and Henry B. Biller, *Hope in the Age of Anxiety*(Oxford, 2009), 235.

(14) William James, *Pragmatism and Other Writings*(London, 2000), 129.〔ジェイムズ『プラグマティズム』桝田啓三郎訳(岩波文庫, 1957, 2010), pp. 295–296(第 8 講　プラグマティズムと宗教). 訳文はそのまま使用させていただいた〕

(15) Gabriel Marcel, *Homo Viator*(London, 1953), 34.〔ガブリエル・マルセル『旅する人間』,『マルセル著作集　第 4 巻』山崎庸一郎・白井健三郎・伊藤晃訳(春秋社, 1968)所収, p. 43(「希望の現象学と形而上学にかんする草案」山崎庸一郎訳). 訳文はそのまま使用させていただいた〕

(16) Matt Ridley, *The Rational Optimist*(London, 2011), 353.〔リドレー『繁栄──明日を切り拓くための人類 10 万年史』大田陽子・鍛原多惠子・柴田裕之訳, ハヤカワ・ノンフィクション文庫(早川書房, 2013), pp. 535–536(第 11 章). 訳文はそのまま使用させていただいた. 以下同じ〕この著作のさらなる引用ページの表記は括弧内に数字で示す〔日本語訳の該当頁は〔 〕に漢数字で示す〕

(17) この論題に関するウィリアムズの議論については以下の文献を参照. Raymond Williams, *The Country and the City*(London, 1973), chap. 2.〔レイモンド・ウィリアムズ『田舎と都会』山本和平・増田秀男・小川稚魚訳(晶文社, 1985), 第 2 章〕

(18) Josef Pieper, *Hope and History*(London, 1969), 75.

(19)T. J. クラークは以下の論考において，伝統的な進歩主義思想について「終わりなき政治的・経済的ミコーバーイズム」と書いている．T. J. Clark, “For a Left with No Future,” 72.

(20)Steven Pinker, *The Better Angels of Our Nature*(London, 2011), 250.〔スティーブン・ピンカー『暴力の人類史』(上・下)幾島幸子・塩原通緒訳(青土社，2015)，上，p. 444(第5章　長い平和―長い平和　いくつかの数字)，訳文はそのまま使用させていただいた〕

(21)Leon Trotsky, *Literature and Revolution*(New York, 1957), 254–256.〔トロツキイ『文学と革命』(上・下)桑野隆訳(岩波文庫，1993)，上，pp. 342–345. 訳文はそのまま使用させていただいた．なおこの著書の英語訳は前半(岩波文庫版では上巻)のみの翻訳であるため，引用文は著書の末尾からと語られている〕

(22)Walter Benjamin, “Theses on the Philosophy of History,” *Illuminations*, ed. Hannah Arendt(London, 1999).〔ベンヤミン「歴史の概念について」，『ボードレール　他五篇――ベンヤミンの仕事 2』野村修編訳(岩波文庫，1994)所収．日本語訳は他に「歴史の概念について」，『ベンヤミン・コレクション 1――近代の意味』浅井健二郎編訳・久保哲司訳(ちくま学芸文庫，1995)所収，「歴史の概念について」，『ベンヤミン・アンソロジー』山口裕之編訳(河出文庫，2011)所収など〕．ペーター・ゾンディは「未来の記念品が埋もれていた子供時代の瞬間」に対する関心こそ，ベンヤミンの自伝『一九〇〇年前後におけるベルリンの幼年時代』〔『暴力批判論　他十篇――ベンヤミンの仕事 1』野村修編訳(岩波文庫，1994)所収，抄訳．『一九〇〇年頃のベルリンの幼年時代』，『ベンヤミン・コレクション 3――記憶への旅』浅井健二郎編訳・久保哲司訳(ちくま学芸文庫，1997)所収，全訳など〕における方法に特徴的なものとみている．Peter Szondi, *On Textual Understanding*(Manchester, 1986), 154.

(23)Giorgio Agamben, *The Time That Remains: A Commentary on the Letter to Romans*(Stanford, 2005), chap. 2.〔アガンベン『残りの時――パウロ講義』上村忠男訳(岩波書店，2005)〕

(24)Alain Badiou, Costas Douzinas and Slavoj Žižek, eds., *The Idea of Communism*(London, 2010), 10.〔バディウ「共産主義の〈理念〉」長原豊訳，コスタス・ドゥズィーナス，スラヴォイ・ジジェク(編)『共産主義の理念』長原豊監訳，沖公祐・比嘉徹徳・松本潤一郎訳(水声社，2012)所収，p. 29. 訳文はそのまま使用させていただいた〕

(25) Antoine Compagnon, *The Five Paradoxes of Modernity* (New York, 1994), 44–45.〔コンパニョン『近代芸術の五つのパラドックス』中地義和訳(水声社, 1999), p. 93(第2章　未来信仰). 訳文はそのまま使用させていただいた〕

(26) Michael Lowy, *Fire Alarm: Walter Benjamin's "On the Concept of History"* (London, 2005), 32 に引用されている.

(27) 同書 p. 84 に引用されている.

(28) Ernst Bloch, *The Principle of Hope*, translated by Neville Plaice, Stephen Plaice, and Paul Knight, 3 vols. (Cambridge, Mass., 1995), 1: 200.〔ブロッホ『希望の原理』(全3巻)山下肇・瀬戸鞏吉・片岡啓治・沼崎雅行・石丸昭二・保坂一夫訳(白水社, 1982), 第1巻, p. 269(第17章). 訳文はそのまま使用させていただいた. なお本翻訳には同じ訳者ならびに出版社による全6巻版もあり, そちらの版では『希望の原理』第1巻(白水 i クラシックス, 2012), p. 319(第17章)である. 以後, 全3巻版と全6巻版(白水 i クラシックス版)の該当ページを併記する〕

(29) Lowy, *Fire Alarm*, 65–66.

(30) Karl Marx, *Theories of Surplus Value* (London, 1972), 134(強調は原著のまま).〔マルクス『剰余価値学説史』岡崎次郎・時永淑訳,『マルクス＝エンゲルス全集第26巻第2分冊　剰余価値学説史 II』(大月書店, 1970)所収, p. 143(第9章2). 訳文はそのまま使用させていただき, 英語訳における強調箇所に傍点を付加した. 日本語訳は他に『剰余価値学説史〈第4〉――『資本論』第4巻』岡崎次郎・時永淑訳, 国民文庫(大月書店, 1970)など〕

(31) Fredric Jameson, *Marxism and Form* (Princeton, 1971), 134.〔ジェイムスン『弁証法的批評の冒険――マルクス主義と形式』荒川幾男・今村仁司・飯田年穂訳(晶文社, 1980), p. 98(第2章 III　エルンスト・ブロッホと未来). 訳文はそのまま使用させていただいた〕

(32) Lowy, *Fire Alarm*, 31.

(33) George Steiner, *The Death of Tragedy* (New York, 1961), 129.〔スタイナー『悲劇の死』喜志哲雄・蜂谷昭雄訳(ちくま学芸文庫, 1995)p. 159(第4章). 訳文はそのまま使用させていただいた. なおここで言及・引用されている一文は, スタイナーの言葉ではなく, スタイナーが引用している I. A. リチャーズの言葉である(スタイナーのこの著書に詳細な引用箇所情報は記されていない)〕

(34) Avery Dulles, "An Apologetics of Hope," *The Great Experiment: Essays in Hope*, ed. Joseph Whelan (New York, 1971), 134.

第2章　希望とは何か

(1) George Steiner, "'Tragedy,' Reconsidered," in *Rethinking Tragedy*, ed. Rita Felski (Baltimore, 2008), 40.

(2) たとえば Roger Scruton, *The Uses of Pessimism and the Danger of False Hope* (London, 2010) 参照.

(3) Peter Geach, *The Virtue* (Cambridge, 1977), 48.

(4) Rebecca Coleman and Debra Ferredy, eds., *Hope and Feminist Theory* (London, 2011), 16.

(5) Raymond Williams, *Modern Tragedy* (London, 1966), 59 参照.

(6) Augustine, *Enchiridion: On Faith, Hope, and Love* (Washington, D. C., 1906), 8.〔アウグスティヌス『信仰・希望・愛(エンキリディオン)』,『アウグスティヌス著作集4　神学論集』赤木義光訳(教文館, 1979)所収, p. 203(序言, 末尾), 訳文はそのまま使用させていただいた〕

(7) Patrick Shade, *Habits of Hope* (Nashville, 2001), 70.

(8) Denys Turner, *Thomas Aquinas: A Portrait* (New Haven, 2013), 161.

(9) Erik Erikson, *Insight and Responsibility* (New York, 1994), 115 and 117.〔エリクソン『洞察と責任――精神分析の臨床と倫理』(改訳版)鑪幹八郎訳(誠心書房, 2016), p. 112, p. 114(第4章1). 訳文はそのまま使用させていただいた. なおこの引用文中の「望み」とは, この翻訳書(『洞察と責任』)が採用している hope の訳語である〕

(10) Dominic Doyle, *The Promise of Christian Humanism: Thomas Aquinas on Hope* (New York, 2011), 76 に引用されている. アクィナスがここで念頭に置いているのは神学的美徳としてではなく日常的な情念という意味での希望である.

(11) Karl Rahner, "On the Theology of Hope," in *Theological Investigations*, vol. 10 (New York, 1977), 254.

(12) David Nokes, *Samuel Johnson: A Life* (London, 2010), 133 に引用されている.

(13) *The Yale Edition of the Works of Samuel Johnson*, vol. 4 (New Haven, 1969), 192.

(14) Robert M. Gordon, *The Structure of Emotions* (Cambridge, 1987), 85.

(15) Gabriel Marcel, "Desire and Hope," in *Existential Phenomenology*, ed., Nathaniel Lawrence and Daniel O'Cornnor (Englewood Cliffs, H. J., 1967),

280 参照.

(16) Colin Radford and J. M. Hinton, "Hoping and Wishing," *Proccedings of the Aristotelian Society* 44(1970): 78.

(17) こうした問題や他の問題にかんする優れた考察としては，以下を参照. James L. Muyskens, *The Sufficiency of Hope*(Philadelphia, 1979).

(18) 不可能なものへの願望については以下を参照. J.M.O. Wheatley, "Wishing and Hoping," *Analysis* 18, no. 6.

(19) Paul Ricoeur, *Essays on Biblical Interpretation*(Philadelphia, 1980), 161.

(20) Stan van Hooft, *Hope*(Durham, N. C., 2011), 25 を参照.

(21) Robert Audi, *Rationality and Religious Commitment*(Oxford, 2011), 74.

(22) Ibid.

(23) Thomas Aquinas, *Summa Theologiae*, vol. 33(London and New York, 1966), 7.〔トマス・アクィナス『神學大全 9　第 II-1 部　第 1 問題〜第 21 問題』高田三郎・村上武子譯(創文社，1996)，第 17 問題第 2 項〕アクィナスの希望論にかんする簡潔な論評として以下を参照. Hans Urs von Balthasar, *Dare We Hope "That All Men Be Saved"?*(San Francisco, 1988), chap. 4.

(24) Aquinas, *Summa Theologiae*, vol. 33, 13.〔アクィナス『神學大全 9』，第 17 問題第 3 項〕

(25) Ibid., 5.〔アクィナス『神學大全 9』，第 17 問題第 1 項〕

(26) カントの希望論にかんする有益な解説として，以下を参照. Curtis H. Peters, *Kant's Philosophy of Hope*(New York, 1993).

(27) C. Peterson and Martin, E. P. Seligman, *Character Strengths and Virtue: A Handbook and Classification*(Oxford, 2004), 570.

(28) ブロッホの非同時代性概念については，とりわけブロッホの以下の文献を参照せよ. Bloch, *Heritage of Our Times*(Cambridge, 1991), part 1.〔ブロッホ『この時代の遺産』池田浩士訳(ちくま学芸文庫，1994)，「非同時代性と陶酔」の章(第 1 部)を参照〕

(29) Ernst Bloch, *The Principle of Hope*, translated by Neville Plaice, Stephen Plaice, and Paul Knight, 3 vols.(Cambridge, Mass., 1995), 1: 188.〔ブロッホ『希望の原理』(全 3 巻)山下肇・瀬戸鞏吉・片岡啓治・沼崎雅行・石丸昭二・保坂一夫訳(白水社，1982)，第 1 巻，p. 253(第 16 章). 訳文はそのまま使用させていただいた. なお全 6 巻版では第 1 巻，p. 301〕

(30) Ludwig Wittgenstein, *Philosophical Investigations*(Oxford, 1983), part 2(1), 174e.〔ルートヴィヒ・ヴィトゲンシュタイン『哲学探究』丘沢静也訳(岩波

書店，2013)，p. 338(第 2 部 i)．訳文はそのまま使用させていただいた〕
(31)私はこの情報を，アイルランド西部のロス・ロウ村の漁師たちから聞いた．晩年の一時期，その村で過ごしたヴィトゲンシュタインは，村の伝説によると，隣人たちに，『哲学探究』執筆中は犬を吠えさせないよう求めたという．
(32)Colin Radford, "Hoping, Wishing and Dogs," *Inquiry* 13(Spring 1970): 100–103 を参照．
(33)Jurgen Moltmann, *Theology of Hope*(London, 1967), 35 に引用されている．〔モルトマン『希望の神学——キリスト教的終末論の基礎づけと帰結の研究』高尾利数訳(新教出版社，1968), pp. 31–32(序　希望についての瞑想)．ルターからの引用は，この翻訳書の訳文をそのまま使用させていただいた〕
(34)Jurgen Moltmann, "Hoping and Planning," *Cross Currents 18,* no. 3(Summer 1989): 310.
(35)Moltmann, *Theology of Hope,* 16.〔モルトマン『希望の神学』，p. 4(序)．なお本文中のモルトマンの引用文の英語訳は，日本語訳とやや異なるところがあるが，日本語訳のほうが正確であると判断し，日本語訳をそのまま使用させていただいた〕
(36)Wolfhart Pannenberg, "The God of Hope," *Cross Currents 18,* no. 3(Summer 1989): 289 and 290.
(37)Paul Ricoeur, "Hope and the Structure of Philosophical Systems," *Proceedings of the American Catholic Philosophycal Associations* 44(1970): 60.
(38)Nicholas Royle, *Who Are We Now?*(Notre Dame, Ind., 2998), 178.
(39)Aristotle, *Rhetoric*(Cambridge, Mass., 1994), 117–118.〔アリストテレス『弁論術』戸塚七郎訳(岩波文庫，1992)，pp. 114–115(第 1 巻第 11 章　快楽)〕
(40)John Locke, *An Essay Concerning Human Understanding*(New York, 1959), 2: 9.〔ジョン・ロック『人間知性論』(全 4 冊)大槻春彦訳(岩波文庫，1973, 74, 76, 77)第 2 分冊，p. 122(第 2 巻第 20 章 9)，訳語はそのまま使用させていただいた〕
(41)David Hume, *A Treatise of Human Nature*(Oxford, 1958)参照．〔デイヴィド・ヒューム『人性論(一)第一篇　知性に就いて(上)』『人性論(二)第一篇　知性に就いて(下)』『人性論(三)第二篇　情緒に就いて』『人性論(四)第三篇　道徳に就いて』大槻春彦訳(岩波文庫，1948, 49, 51, 52)．翻訳は他にデイヴィッド・ヒューム『人間本性論 1　知性について』木曽好能訳(法政大学出版局，普及版 2019)，『人間本性論 2　情念について』石川徹・中釜浩一・伊勢俊彦訳(法政大学出版局，普及版 2019)，『人間本性論 3　道徳について』

伊勢俊彦・石川徹・中釜浩一訳(法政大学出版局，普及版 2019)など〕
(42) J. Day, "Hope," *American Philosophical Quarterly* 6, no. 2 (April 1969).
(43) Hooft, *Hope*, 16.
(44) Jayne M. Waterworth, *A Philosophical Analysis of Hope* (London, 2004), 54.
(45) Day, "Hope," 98 参照.
(46) Aquinas, *Summa Theologiae*, vol. 33, 3.〔アクィナス『神學大全 9』，第 17 問題第 1 項〕
(47) John Stuart Mill, *Theism* (New York, 1957), 163.
(48) Martin Luther, *What Luther Says* (St. Luis, 1959), 668.
(49) Alain Badiou, *Saint Paul: The Foundation of Universalism* (Stanford, 2003), 93.〔バディウ『聖パウロ——普遍主義の基礎』長原豊・松本潤一郎訳(河出書房新社，2004)，p. 168(第 9 章　希望)〕
(50) この点にかんする議論として，Rudolf Bultmann and Karl Heinrich Rengstorf, *Hope* (London, 1963)，4–5 を参照のこと.
(51) Turner, *Thomas Aquinas*, 175.
(52) Waterworth, *A Philosophical Analysis of Hope*, 74.
(53) Hooft, *Hope*, 102.
(54) Gabriel Marcel, *Homo Viator: Introduction to a Metaphysic of Hope* (London, 1951), 32.〔マルセル『旅する人間——マルセル著作集第 4 巻』山崎庸一郎・白井健三郎・伊藤晃訳(春秋社，1968)，p. 41(「希望の現象学と形而上学にかんする草案」山崎庸一郎訳)〕以下，この著書の引用ページは，括弧内に数字で示す〔日本語訳の該当ページは〔 〕に漢数字で示す〕
(55) Josef Piper, *On Hope* (San Fransisco, 1986), 38.
(56) Wayne Hudson, *The Marxist Philosophy of Ernst Bloch* (London, 1982), 108.
(57) Gabriel Marcel, *The Philosophy of Existentialism* (New York, 1995), 28.
(58) Andrew Benjamin, *Present Hope: Philosophy, Architecture, Judaism* (London, 1997), 128.
(59) Ibid., 125.
(60) ダレン・ウェブ(Daren Webb)は，同様に，特定の対象に対する希望と，より一般的な，開かれた形式の希望とを区別している．おそらく後者の希望が，「希望にみちた」というときに意味されるものである．Daren Webb, "Modes of Hope," *History of the Human Sciences* 20, no. 3 (2007).
(61) Immanuel Kant, *Religion within the Limits of Reason Alone* (New York, 1960), 159–160.〔カント『たんなる理性の限界内の宗教』北岡武司訳，『カント全集

10』(岩波書店, 2000)所収, p. 230(第 4 編第 2 部第 2 節), 訳文はそのまま使用させていただいた〕カーティス・H. ピーターズは, 希望の理念がカントの思想において, 一般に考えられているよりもはるかに中枢に位置すると考え, カントの観点では希望は宗教哲学の主要な論題であると論じている. Curtis H. Peters, *Kant's Philosophy of Hope*(New York, 1993)参照.

(62)合衆国の外交政策について語るなかで, ラムズフェルド〔元〕国務長官は, 以下の 3 つを区別した. 私たちが知っていて, 私たちが知っていることを知っていることがら〔known knowns〕. 私たちが知らないでいて, その知らないでいるということを私たちが知っているところのことがら〔known unknowns〕. そして私たちが知らないでいて, その知らないでいることを知らないでいるところのことがら〔unknown unknowns〕, と. 彼は, さらなる組み合わせを見過ごしている——私たちが知っているのだが, その私たちが知っていることを私たちが知らないでいるところのことがら〔unknown knowns〕. おそらくこうしたことはイデオロギー理論にとって裨益するところ大であろう.〔2002 年 2 月 12 日, 当時のアメリカ国務長官ドナルド・ラムズフェルドが記者会見で, イラク政府による大量破壊兵器供与の証拠がないのではという質問にたいしておこなった有名な珍回答で, known と unknown を, それぞれ分詞と名詞あつかいして組み合わせ 3 つのフレーズを提示した. 形容詞あつかいの known と unknown は「既知の」「未知の」と考え, 名詞あつかいの known と unknown を「既知情報」「未知情報」と置き換えて考えるとわかりやすいかもしれない. またイーグルトンの指摘どおり組み合わせは全部で 4 つある. この表現はラムズフェルドのドキュメンタリー映画のタイトル *The Unknown Knowns*(2011)にも使われ, さらに回顧録のタイトル *Known and Unknown*(日本語タイトル『真珠湾からバグダッドへ——ラムズフェルド回想録』江口泰子・月沢李歌子・島田楓子訳(幻冬舎, 2012)にも使われた〕

(63)キリスト教の曖昧さにかんしては, Louis Dupre, "Hope and Transcendence," in *The Great Experiment: Essays in Hope*, ed. Joseph P. Whelan(New York, 1971), 219.

(64)Erich Fromm, *The Revolution of Hope*(New York, 1968), 13〔フロム『希望の革命——技術の人間化をめざして』作田啓一・佐野哲郎訳(紀伊國屋書店, 1969), pp. 23–24(第 2 章 2)〕

(65)Fredric Jameson, *Marxism and Form*(Princeton, 1971), 155.〔ジェイムスン『弁証法的批評の冒険——マルクス主義と形式』荒川磯男・今村仁司・飯田

年穂訳(晶文社，1980)，pp. 111–112(第2章III　ブロッホと未来)〕

(66) Ludwig Feuerbach, *The Essence of Christianity* (New York, 1957), 236.〔フォイエルバッハ『キリスト教の本質』(上・下)船山信一訳(岩波文庫，1937, 65)下，p. 92(第26章　秘蹟における矛盾)，訳文はそのまま使用させていただいた〕

(67) フロムが信念〔＝信仰〕と希望との関係を適切に把握しそこねているといえるのは，希望を「信念に伴う気分」として書いているからだ．Fromm, *The Revolution of Hope*, 15〔フロム『希望の革命』，p. 31(第2章3)〕参照．

(68) Raymond Williams, *Culture and Society, 1780–1950* (Harmondsworth, 1985), 320.〔レイモンド・ウィリアムズ『文化と社会　1780〜1950』若松繁信・長谷川光昭訳(ミネルヴァ書房，1968)，p. 276(結論　共通文化の発展)，訳文はそのまま使用させていただいた〕

(69) Rahner, "On the Theology of Hope," 257.

(70) Ibid., 258.

(71) Moltmann, *Theology of Hope*, 22.〔モルトマン『希望の神学』，p. 13(序)〕

(72) John Macquarrie, *Christian Hope* (London, 1978), 27. 希望の神学にかんする有益な概観として，以下を参照．Reuben A. Alves, *A Theology of Human Hope* (St. Meinrad, Ind., 1972).

(73) Bultman and Rengstorf, *Hope*, 17に引用されている．〔エピクロス『教説と手紙』出隆・岩崎允胤訳(岩波文庫，1959)，p. 69(メノイケウス宛の手紙I–1)，訳文はそのまま使用させていただいた〕

(74) Søren Kierkegaard, *The Sickness unto Death* (Harmondsworth, 1989), 92.〔キェルケゴール『死に至る病』斎藤信治訳(岩波文庫，1939, 57)，p. 121(第1編3-α-2)，訳文はそのまま使用させていただいた〕

(75) Gabriel Marcel, *Being and Having* (New York, 1965), 91.〔マルセル『存在と所有　第一部存在と所有』渡辺秀・広瀬京一郎訳，『存在と所有・現存と不滅——マルセル著作集2』(春秋社，1971)所収，p. 93(第1部1，4月12日，原注1)，訳文はそのまま使用させていただいた〕

(76) Joseph J. Godfrey, *A Philosophy of Human Hope* (Dordrecht, 1987), 3 and 34.

(77) John Gray, *Straw Dogs* (London, 2002), 151.〔グレイ『わらの犬——地球に君臨する人間』池央耿訳(みすず書房，2009)，p. 159(第4章16　人類の彼岸)，訳文はそのまま使わせていただいた．なお原書の引用文では〈ホモ・サピエンス〉となっていたが，グレイの原書は，日本語の翻訳のように〈ホモ・ラピエンス〉とあるので，そのように訂正した．〈ホモ・サピエンス Homo

sapiens〉と一字違いの〈ホモ・ラピエンス Homo rapiens〉は，貪欲に略奪／強奪するヒトという意味．日本語訳の〈貪食種〉を参照〕

(78) Day, "Hope," 98–99.

(79) Søren Kierkegaard, *The Sickness unto Death*, 48.〔キェルケゴール『死に至る病』斎藤信治訳，p. 32〔第 1 編 1C〕．訳文はそのまま使わせていただいた．以下同じ〕

(80) この条件にかんするさらなる議論は，以下を参照．Terry Eagleton, *On Evil* (New Haven, 2010). テリー・イーグルトン『悪とはなにか』前田和男訳（ビジネス社，2017）．

(81) Kierkegaard, *The Sickness unto Death*, 105.〔キェルケゴール『死に至る病』斎藤信治訳，pp. 149–150（第 1 編 3B–α–2）〕

(82) Ibid., 88.〔同書，p. 117（第 1 編 3B–α–1）〕

(83) Ibid., 64.〔同書，p. 64（第 1 編 3A–β）〕

(84) たとえば Bernard Dauenhauer, "Hope and Politics," *Philosophy Today* 30 (Summer 1986): 93 参照．

(85) Antoine-Nicholas de Condorcet, *Sketch for a Historical Picture of the Progress of the Human Mind* (London, 1955), 173 参照．〔コンドルセ『人間精神進歩史 第一部・第二部』渡辺誠訳（岩波文庫，1951）第 1 部，pp. 247–248（第 10 期 人間精神の未来の進歩）参照〕

(86) Badiou, *Saint Paul*, 15〔バディウ『聖パウロ』，p. 29（第 I 章）〕を参照．

(87) Jean-Luc Nancy, *Adoration: The Deconstruction of Christianity II* (New York, 2013), (88)〔ジャン＝リュック・ナンシー『アドラシオン――キリスト教的西洋の脱構築』メランベルジェ眞紀訳（新評論，2014），pp. 193–194（「IV 補足，代補，断章　遠いところ――死」）．訳文はそのまま使用させていただいた．なおここで，「信」と訳されている語は，本書では「信仰」，また「信仰」と訳されているところは「信ずること」というように訳している〕

(88) Balthasar, *Dare We Hope?*, 87.

(89) Ricoeur, "Hope and the Structure of Philosophical Systems," 64.

(90) Nicholas Lash, *A Matter of Hope: A Theologian's Reflections on the Thought of Karl Marx* (Notre Dame, Ind., 1982), 62.

(91) C. S. Peirce, *Collected Papers* (Cambridge, Mass., 1965), 357.

(92) Bultman and Rengsdorf, *Hope*, 13.

(93) Aquinas, *Summa Theologiae*, vol. 33, 161. 注解者は明示されていない．〔『神學大全 9』第 18 問題（2a2ae. 18）第 4 項に対する注解〕アクィナスの希望論に

かんする学術的記述は以下を参照のこと．Walter M. Conlon, OP, “The Certitude of Hope (Part 1),” *The Thomist* 10, no. 1 (January 1947).

(94) Shade, *Habit of Hope*, 70.

(95) Erwin James,『ガーディアン』紙 *Guardian* (Manchester) 2013 年 7 月 8 日の記事.〔アーウィン・ジェイムズ・モナハン Erwin James Monahan (1957–) は 1984 年殺人罪で終身刑の判決を受けたが，刑期を 20 年勤め上げたあと 2004 年に釈放される．その間，1998 年より英国『ガーディアン』紙に「アーウィン・ジェイムズ」の名前でコラムを執筆，2000 年からは獄中生活に関する記事を執筆，英国ジャーナリズム史上，異色のコラムとなった〕

(96) Cicero, *On the Good Life* (London, 1971), 61.〔キケロー『トゥスクルム荘対談集』,『キケロー選集 12　哲学 V』木村健治・岩谷智訳(岩波書店，2002) 所収，p. 290 (第 5 巻第 6 節 16)．訳文はそのまま使用させていただいた〕

(97) Seneca, *Moral Essays* (Cambridge, Mass., 2006), 2: 215.〔セネカ「心の平静について」(*De Tranquillitate Animi*),『生の短さについて　他二篇』大西英文訳(岩波文庫，2010) 所収，p. 76 (第 2 章第 4 節)，訳文はそのまま使用させていただいた〕

(98) Arthur Schopenhauer, *The World as Will and Representation* (New York, 1969), 1: 87.〔ショーペンハウアー『意志と表象としての世界』(I・II・III) 西尾幹二訳，中公クラシックス(中央公論新社，2004)，I: p. 196 (第 1 巻第 16 節)．訳文はそのまま使用させていただいた〕

第 3 章　希望の哲学者

(1) Jurgen Habermas, “Ernst Bloch——A Marxist Romantic,” *Salmagundi*, nos. 10–11 (Fall 1969–Winter 1970): 316 (translation modified).〔ハーバーマス「エルンスト・ブロッホ——マルクス主義的シェリング(1960 年)」,『哲学的・政治的プロフィール——現代ヨーロッパの哲学者たち』(上・下) 小牧治・村上隆夫訳(未來社，1984, 99) 所収，上，pp. 213–214. 訳文はそのまま使用させていただいた．以下同じ〕

(2) Ernst Bloch, *The Principle of Hope*, translated by Neville Plaice, Stephen Plaice, and Paul Knight, 3 vols. (Cambridge, Mass., 1995), 1: 303 (この英語訳は，生硬な散文表現の責任の一端を担っていることはまちがいない)．〔エルンスト・ブロッホ『希望の原理』(全 3 巻)，山下肇・瀬戸鞏吉・片岡啓治・沼崎雅行・石丸昭二・保坂一夫訳(白水社，1982)，第 1 巻，p. 402 (第 20

章），訳文はそのまま使用させていただいた．全6巻版では第2巻，p. 134

(3) David Miller, “A Marxist Poetics,” in *The Privatization of Hope: Ernst Bloch and the Future of Utopia*, ed. Peter Thompson and Slavoj Žižek (Durham, N. C., 2013), 204.

(4) Vincent Geoghegan, *Ernst Bloch* (London, 1996), 4. ブロッホのスターリン主義については Oscar Negt, “Ernst Bloch——The German Philosopher of the October Revolution,” *New German Critique*, no. 4 (Winter 1975); ならびに Jan Robert Bloch, “How Can We Understand the Bends in the Upright Gate?,” *New German Critique*, no. 3 (Fall 1988) を参照のこと．

(5) Habermas, “Ernst Bloch,” 322.〔ハーバーマス「エルンスト・ブロッホ」，p. 225〕

(6) Perry Anderson, *Considerations on Western Marxism* (London, 1976), chap. 1. P. アンダースン『西欧マルクス主義』中野実訳(新評論，1979)第I章　マルクス主義の古典的伝統，参照．

(7) Habermas, “Ernst Bloch,” 319–320.〔ハーバーマス「エルンスト・ブロッホ」p. 221〕

(8) Leszek Kołakowski, *Main Currents of Marxism*, vol. 2: The Breakdown (Oxford, 1978), 421.

(9) Douglas Keller and Harry O'Hara, “Utopia and Marxism in Ernst Bloch,” *New German Critique*, no. 9 (Fall 1976): 16.

(10) 政治哲学者ロナルド・アロンソン〔Ronald Aronson〕は，この意見である．Geoghengan, *Ernst Bloch*, 45.

(11) Bloch, *The Principle of Hope*, 1: 198.〔ブロッホ『希望の原理』(全3巻)第1巻，p. 266／『希望の原理』(全6巻)第1巻，p. 316(第17章)〕

(12) Ibid., 1: 336.〔同書，第1巻，p. 448／第2巻，p. 189(第22章)〕

(13) Ibid., 1: 238.〔同書，第1巻，p. 316／第2巻，p. 29(第18章)〕

(14) Ibid., 1: 196.〔同書，第1巻，p. 264／第1巻，p. 313(第17章)〕

(15) Wayne Hudson, *The Marxist Philosophy of Ernst Bloch* (London, 1982), 95.

(16) Ibid., 157.

(17) この面におけるハーディにかんする，顧みられていないが独創的な論考として Roy Morrell, *Thomas Hardy: The Will and the Way* (Kuala Lumpur, 1965) を参照．

(18) Bloch, *The Principle of Hope*, 1: 225.〔ブロッホ『希望の原理』(全3巻)第1巻，p. 312／『希望の原理』(全6巻)第2巻，p. 25(第18章)〕

(19) Terry Eagleton, *On Evil* (London, 2010), chap. 2 を参照.〔テリー・イーグルトン『悪とはなにか』前田和男訳(ビジネス社, 2016)第2章〕

(20) この問題は, 以下の文献でうまく論じられている. S. H. Rigby, *Marxism and History* (Manchester, 1987).

(21) Fredric Jameson, *Marxism and Form* (Princeton, 1971), 133.〔ジェイムスン『弁証法的批評の冒険』荒川磯男・今村仁司・飯田年穂訳(晶文社), p. 97(第2章III　ブロッホと未来), 訳文はそのまま使用させていただいた, 以下同じ〕ジェイムソンがここでブロッホの主張を裏書きしているのか, たんに腹話術的に代弁しているのか定かではない. もっとも, これは指摘するに値することだが, ブロッホの著作にかんするジェイムソンの記述は, 無批判性が顕著である.

(22) Habermas, "Ernst Bloch," 312.〔ハーバーマス「エルンスト・ブロッホ」, p. 208〕

(23) Jameson, *Marxism and Form*, 120〔ジェイムスン『弁証法的批評の冒険』, p. 89(第2章III), 訳文はそのまま使用させていただいた〕

(24) Bloch, *The Principle of Hope*, 1: 285.〔ブロッホ『希望の原理』(全3巻)第1巻, p. 377／『希望の原理』(全6巻)第2巻, p. 103(第19章)〕

(25) Kołakowski, *Main Currents of Marxism*, vol. 2: 446.

(26) トム・モイランは以下の論考で, ブロッホの思想における歴史的時間の直線的概念と非直線的概念とのずれを探求している. Tom Moylan, "Bloch against Bloch: The Theological Reception of *Das Prinzip Hoffnung* and the Liberation of the Utopian Function," *Not Yet: Reconsidering Ernst Bloch*, ed. Jamie Owen Daniel and Tom Moylan (London, 1997). この有益な論文集〔*Not Yet* のこと〕が, 〈巨匠〉に対する本格的批評をひとつとして集めることができていないことは留意すべきである. ほぼ同じことが, 以下の, いまひとつの最近の論集にもあてはまる――Peter Thompson and Slavoj Žižek, eds., *The Privatization of Hope: Ernst Bloch and the Future of Utopia* (Durham, N. C., 2013)

(27) Bloch, *The Principle of Hope*, 1: 3〔ブロッホ『希望の原理』(全3巻)第1巻, p. 17／『希望の原理』(全6巻)第1巻, p. 17(まえがき)〕

(28) Ibid., 3: 1358.〔同書, 第3巻, p. 585／第6巻, p. 395(第55章)〕

(29) Ibid., 1: 311.〔同書, 第1巻, p. 412／第2巻, p. 146(第20章)〕

(30) Ibid., 1: 312.〔同書, 第1巻, p. 413／第2巻, p. 147(第20章)〕

(31) Ibid., 1: 309.〔同書, 第1巻, p. 410／第2巻, p. 143(第20章)〕

(32) Ibid., 1: 310.〔同書，第 1 巻，p. 411／第 2 巻，p. 145（第 20 章）〕
(33) Ibid., 3: 1173.〔同書，第 3 巻，p. 331／第 5 巻，p. 339（第 52 章 IV）〕
(34) Ibid., 3: 1182.〔同書，第 3 巻，p. 344／第 5 巻，p. 415（第 52 章 IV）〕
(35) Ibid., 1: 288.〔同書，第 1 巻，p. 382／第 2 巻，p. 109（第 20 章）〕
(36) Ibid., 3: 1192.〔同書，第 3 巻，p. 359／第 6 巻，p. 23（第 53 章 I）〕

第 4 章　希望なき時の希望

(1) Jonathan Lear, *Radical Hope*（Cambridge, Mass., 2006）, 92.
(2) Ibid., 97.
(3) Ibid., 2.
(4) Ibid., 101.
(5) Ibid., 101.
(6) Ibid., 76.
(7) Stanley Cavell, *Disowning Knowledge in Seven Plays of Shakespeare*（Cambridge, 2003）, 112.〔カヴェル『悲劇の構造――シェイクスピアと懐疑の哲学』中川雄一訳（春秋社，2016），pp. 181–182（第 2 章 II），訳文はそのまま使用させていただいた〕
(8) Quentin Meillassoux, *After Finitude*（London, 2008）を参照．〔メイヤスー『有限性の後で――偶然性の必然性についての試論』千葉雅也・大橋完太郎・星野太訳（人文書院，2016）〕
(9) Graham Harmon, *Quentin Meillassoux: Philosophy in the Making*（Edinburgh, 2011）121 に引用されている．
(10) Walter Stein, *Criticism as Dialogue*（Cambridge, 1969）, 144.
(11) Bertolt Brecht, *The Messingkauf Dialogues,* translated by John Willet（London, 1965）, 47.〔ブレヒト「真鍮買い」，『真鍮買い・演劇の弁証法・小思考原理――ベルトルト・ブレヒト演劇論集 1』千田是也訳（河出書房新社，1973）所収，p. 97，訳文はそのまま使用させていただいた〕
(12) Raymond Williams, *Modern Tragedy*（London, 1966）176 に引用されている．〔ウィリアムズのこの著作には引用箇所の情報がないが，これはカミュのエッセイ集『夏』*L'Eté*（1954）のなかの「謎」'L'Enigme' と題された文章からの引用．カミュ『夏』滝田文彦訳，『新潮世界文学 48　カミュ I』高畠正明ほか訳（新潮社，1968）所収，p. 142. 訳文はそのまま使用させていただいた．同作品は，以下の文献にも収録されている．『十字架への献身・精霊たち・

夏　カミュ全集7』(新潮社，1973)所収，p. 166. なお引用されている一節の英語訳は，以下のようなニュアンスと論理を展開する——「もし絶望が言葉や理由づけを促すのなら，そしてとりわけそれが結果として執筆行為につながるのなら，友愛関係は樹立され，自然の事物は正当化され，愛が生まれる．絶望の文学は，用語上の矛盾である」〕

(13) Michael Lowy, *Fire Alarm: Walter Benjamin's "On the Concept of History"* (London, 2005), 83 に引用されているホルクハイマーの発言．

(14) Malcolm Bull, *Anti-Nietzche* (London, 2009), 123.

(15) Paul Celan, *Collected Prose* (Manchester, 1986), 34.〔ツェラン「ハンザ自由都市ブレーメン文学賞受賞の際の挨拶」，『パウル・ツェラン詩文集』飯吉光夫編・訳(白水社，2012)所収，p. 101，訳文はそのまま使用させていただいた〕

(16) Friedrich Nietzsche, *The Portable Nietzsche*, ed. Walter Kaufmann (New York, 1982), 125.〔ニーチェ『ツァラトゥストラはこう言った』(上・下)氷上英廣訳(岩波文庫，1967, 70)上，p. 15. 訳文はそのまま使用させていただいた〕

(17) Søren Kierkegaard, *The Sickness unto Death* (Harmondfsworth, 1989), 56. キェルケゴール『死に至る病』斎藤信治訳(岩波文庫，1957)，pp. 48–49(第1編2)，訳文はそのまま使わせていただいた．以下同じ．

(18) Ibid., 60.〔同書，p. 57(第1編3–A-a–α)〕

(19) Ibid., 74.〔同書，p. 86(第1編3–B-a)〕

(20) Ibid., 91.〔同書，p. 119(第1編3–B-b–α–2)〕

(21) Ibid., 70.〔同書，p. 77(第1編3–A-b–α)〕

(22) Victor E. Frankl, *Man's Search for Meaning* (London, 2004), 71.〔フランクル『夜と霧　新版』池田香代子訳(みすず書房，2002)，p. 139. 訳文はそのまま使用させていただいた〕

(23) St. Augustine, *Enchiridion: On Faith, Hope, and Love* (Washington, D. C., 1996), 8.〔アウグスティヌス『信仰・希望・愛(エンキリディオン)』，『アウグスティヌス著作集4　神学論集』赤木義光訳(教文館，1979)所収，p. 201(序言，第2章8)，訳文はそのまま使用させていただいた〕

(24) Žižek, *Living in the End of Times* (London, 2010), xiv-xv.〔ジジェク『終焉の時代に生きる』山本耕一訳(国文社，2012)，p. 18. 訳文はそのまま使用させていただいた〕

(25) Peter Szondi, *An Essay on the Tragic* (Stanford, 2002), 8 に引用されている．

〔引用はシェリングの哲学書簡の最終書簡，冒頭より．「独断主義と批判主義に関する哲学書簡（1795–1796 年）」古川周賢訳，『シェリング著作集　第 1a 巻　新装版』高山守編（文屋秋栄，2020）所収，p. 336，訳文はそのまま使用させていただいた〕

(26) Theodore Adorno, *Minima Moralia*（London, 1974），227.〔Th. W. アドルノ『ミニマ・モラリア――傷ついた生活裡の省察』三光長治訳（法政大学出版局，1979），p. 391（断章 153　終わりに），訳文はそのまま使用させていただいた〕

(27) Peter Thompson and Slavoj Žižek, eds., *The Privatization of Hope: Ernst Bloch and the Future of Utopia*（Durham, N. C., 2013），91 に引用されている．

(28) Alberto Toscano, *Fanaticism*（London, 2010），244.〔引用されているのは Fredric Jameson, "Marx's Purloined Letter," Michael Sprinker ed. *Ghostly Demarcations*（London: Verso, 1999），62. この *Ghostly Demarcations* にはイーグルトン自身が寄稿しているので，孫引きではなく，この論集を文献情報として提示してもよかったと思われるのだが，Toscano の刺激的な本を紹介するという戦略的意図があったのかもしれない〕

(29) Herbert McCabe, *Hope*（London, 1987），15.

(30) Raymond Williams, *The Politics of Modernism*（London, 1989），104.〔ウィリアムズ『モダニズムの政治学――新順応主義者たちへの対抗』加藤洋介訳（九州大学出版会，2010），p. 112（第 6 章　『近代悲劇』後記），訳文はそのまま使用させていただいた〕

(31) Steven Pinker, *The Better Angels of Our Nature*（London, 2011），chap. 2 を見よ．ピンカーのこの著書は，本文に記載されている他の歴史的事件の材源である．〔スティーブン・ピンカー『暴力の人類史』（上・下）幾島幸子・塩原通緒訳（青土社，2015）．第 2 章を参照とあるが，これは第 5 章のまちがい．とりわけ上巻，p. 357 の一覧を参照．歴史的事件の名称は，翻訳書のこの一覧にあわせた〕

(32) Erik Erickson, *Insight and Responsibility*（New York, 1994），118.〔エリクソン『洞察と責任――精神分析の臨床と倫理』（改訳版）鑪幹八郎訳（誠心書房 2016），p. 115（第 4 章 1），訳文はそのまま使用させていただいた〕

訳　注

はじめに

〔1〕コップの中の液体をみて，半分も残っているとみるか，半分しか残っていないとみるかによって楽観的性格か悲観的性格かがわかるという考え方．すでによく知られ格言ともいえるものになっていて，このあとすぐ，第1章のはじめでも触れられているので，注を付ける必要もないが，念のため．

〔2〕「食べて，飲んで，楽しくやろう，どうせ明日は死ぬ身だから」(eat, drink, and be merry, for tomorrow we die)は享楽的な世界観・人生観を示すものとして英語圏でよく使われるフレーズで，出典は聖書といわれるが，聖書に，まったく同じ表現があるわけではなく，また聖書のなかでは否定的な含意をもって使われている．「イザヤ書」22: 13,「コーヘレト書」8: 15,「ルカによる福音書」12: 19,「コリント人への第一の手紙」15: 32 参照(聖書の各書のタイトルは岩波書店・聖書翻訳委員会訳の旧約・新約聖書の表記に従っている)．

〔3〕これらの書物は実在する．『半分入っている』Azriela Jaffe, *Half Full: Forty Inspiring Stories of Optimism, Hope, and Faith*(Fair Winds Pr, 2003)は，ジャーナリスト，コラムニストの著者の一般読者向けの選集．『わずかな信仰，希望，そして大騒ぎ』Mary Cane, *A Little Faith, Hope and Hilarity*(Arthur. Stockwell, 1999)は短い詩集．『希望の歳月──ケンブリッジ，南海諸島植民地行政，そしてクリケット』Philip Snow, *The Years of Hope: Cambridge, Colonial Administration in the South Seas and Cricket*(Tauris Academic Studies, 1997)は，科学者・作家 C. P. スノウの弟で，クリケット選手でもあった著者フィリップ・アルバート・スノウ Philip Albert Snow(1915–2012)の回顧録的著作．

〔4〕ボブ・ホープ Bob Hope(1903–2003)は，一世を風靡したアメリカの喜劇俳優．苗字のホープ Hope は「希望」と同綴り．

〔5〕ペイジ＝バーバー講演(Page-Barbour Lecture)は 1907 年にヴァージニア大学に設立された講演．人文学や科学分野における最新の考え方あるいはその分野の最新の諸相を，大学出版局から出版可能なまとまった原稿を提供できる講師に依頼される講演ということになっている．

第１章　オプティミズムの陳腐さ

〔1〕チャールズ・ディケンズ『マーティン・チャズルウィット』(全３巻)北川悌二訳(ちくま文庫，1993)．登場人物名表記は，この翻訳に従った．

〔2〕神の存在と可能世界のなかで最善の可能世界の創造をめぐるライプニッツの所説は，大部な『弁神論』(第１章，訳注〔7〕参照)に詳しいが，ライプニッツが自説を簡潔に説明した論文『モナドロジー』でも最善説の概要を知ることができる．ライプニッツ『モナドロジー　他二篇』谷川多佳子・岡部英男訳(岩波文庫，2019)参照．なお，この世界が最善のものという説は，現在の世界にはびこる悪と不正をみるにつけても，この世界のどこが最善なのかと疑われてしかるべきだが，現在の世界のありようは必然的なものではなく，偶然によるものであり，無数の可能的世界と，現実にはひとつしか存在しえない世界との関係から，神は偶然的可能世界から，最良のものを選んだという考え方．そしてこの世にある悪にも存在理由があると考えると弁神論へとつながっていく．

〔3〕フリードリッヒ・ニーチェ「教育者としてのショーペンハウアー」，『反時代的考察――ニーチェ全集 4』小倉志祥訳(ちくま学芸文庫，1993)所収，第3篇．

〔4〕ニーチェ『この人を見よ』手塚富雄訳(岩波文庫，1969)，p. 88(「なぜわたしはこんなによい本をかくのか」3)．訳文はそのまま使用させていただいた．日本語訳は他に『この人を見よ』丘沢静也訳(光文社古典新訳文庫，2016)，『この人を見よ／自伝集――ニーチェ全集 15』川原栄峰訳(ちくま学芸文庫，1994)，『この人を見よ』西尾幹二訳(新潮文庫，1990)など．

〔5〕ニーチェ『悲劇の誕生』第 18 節参照．日本語訳には『悲劇の誕生』秋山英夫訳(岩波書店，2016)，『悲劇の誕生』西尾幹二訳，中公クラシックス(中央公論社，2004)，『悲劇の誕生――ニーチェ全集 2』塩屋竹男訳(ちくま学芸文庫，1993)，『悲劇の誕生――ニーチェ全集 1』浅井真男訳(白水社，1979)など．

〔6〕Perfectibilism には「完璧主義 pefectionism」と同じ意味もあるが，ここでは，哲学用語として「人間が完全な存在になりうるか否か」という問題に関する，古くからある思想や信念につながるものであり，また英語としては 19 世紀に考案された語であることを勘案して，Perfectibilism を人間の「自己完成主義」，Pefectibility を人間の「自己完成能力信仰」と訳すことにした．

〔7〕弁神論(英語 theodicy／独語 Theodizee)「神義論」とも表記．ドイツの哲学

者ライプニッツによる造語で，悪の存在が神の存在と善にとって意味があることを論ずるもの．本論では以後頻出する．ライプニッツ『弁神論』(上・下)佐々木能章訳，『ライプニッツ著作集第1期　新装版第6巻　宗教哲学』ならびに『ライプニッツ著作集第1期　新装版第7巻　宗教哲学』(工作舎，2019)所収，参照．

〔8〕理神論(deism)キリスト教から神秘性や非理性的伝承を除去し，自然現象を神の介在や超自然的原因によって説明することをせず，理性や自然と両立するかたちの合理的なキリスト教を容認・擁護する議論．17世紀から18世紀にかけてヨーロッパにおける自由思想家に支持された．なお英国の詩人ポウプ(Alexander Pope, 1688–1744)の長詩『人間論』(*An Essay on Man*, 1733–34)は，詩の形式をとりながら論述をおこなうもので，通常の叙情詩や物語詩とは異なる．

〔9〕『ダントンの死』，ビューヒナー『ヴォイツェク　ダントンの死　レンツ』岩淵達治訳(岩波文庫，2006)所収，p. 268(第4幕6場)，訳文はそのまま使用させていただいた．

〔10〕これは「チンパンジーに近い候補者が選出されそうになった事例が過去に一，二度あった」というふうにとれないことはないのだが，選挙制度や政治に対する批判・抗議ならびにおふざけで，ヒト以外の動物を立候補させることは西洋では伝統と化している．なおアメリカのカントリーシンガー作詞作曲による「大統領になった猿」(1972)という曲もある．

〔11〕「シラ書」(「集会の書」とも)〔Ecclesiasticus〕第34章第1節．旧約聖書続編にあたるもの．訳文は聖書協会共同訳のものを少しアレンジして使用．なお原著の本文では出典を「コーヘレト書」〔Ecclesiastes〕としているが，これは著者の記憶違いか，類似した題名のために生じた印刷上のミスであろう――いかにも「コーヘレト書」にありそうな文言でもあるし．

〔12〕ジョゼ・サラマーゴ『白の闇』雨沢泰訳(河出文庫，2020)．原題は *Ensaio sobre a cegueira*(盲目論)．英語訳タイトルは映画化作品のタイトルと同じ『ブラインドネス』*Blindness*(映画はフェルナンド・メイレレス監督，2008年，ブラジル・カナダ・日本合作映画，使用言語英語，出演ジュリアン・ムーア，ガエル・ガルシア・ベルナルら，日本から伊勢谷友介，木村佳乃が参加)．

〔13〕ノーザン・ロック(Northern Rock)は英国の銀行で，住宅金融大手．2007年のサブプライム住宅ローン問題で資金繰りが悪化し，取り付け騒ぎが起こり，イングランド銀行(英国の中央銀行)からの特別融資をうけるまでになり，

2008年には国有化された．マット・リドレーは2004年から2007年まで非常勤の会長であった．『繁栄』のなかでリドレーは，雇用契約上辞任にいたる事情を語ることはできないとしているが，会長としての責任を問う声はある．

〔14〕チャールズ皇太子が有機栽培農法に力をいれ，1990年オーガニック食品ブランドであえるダッチーオーガニックをたちあげ(2015年よりスーパーのウェイトローズと提携しウェイトローズ・ダッチーオーガニックとなる)，そのほかハイグローブなどのオーガニック食品ブランドももっている．なお特筆すべきは，著者イーグルトンが自伝『ゲートキーパー』(滝沢正彦・滝沢みち子訳，大月書店，2004)で，チャールズ皇太子によるイーグルトンへの批判的コメントを紹介していることである．2人は天敵どうしみたいなものか．

〔15〕以下の文章を参照のこと——「愛と友情というゆたかで暖かな感情を，わたしたちは個人に対してしか感ずることができないのだ．そのことは最善最強の意志をもってしても，いかんともすることができない．けれど，かの偉大な設計者たちにはそれができる〔遺伝子を操作できる神のごとき存在のこと——引用者〕．わたしたちはかれらがそれをやるだろうと信じている」，『ローレンツ——悪の自然誌』日高敏隆・久保和彦訳(みすず書房，1985)，pp. 378–379(第14章　希望の糸)．

〔16〕楽天家と訳した原文はPollyanna. 村岡花子訳で著名になったエレナ・ポーターの小説『少女パレアナ』(1916)の主人公の名前．どんなことからも喜ぶことを探し出す「何でも喜ぶゲーム」(The Glad Game)に興ずる楽天的な性格の主人公は，(パングロス，ミコーバーと並んで)常に希望を失わない楽天家の代名詞となった．英語の発音に限りなく近づけた「パレアナ」という表記はなつかしいが，現在では「ポリアンナ」のタイトルで翻訳が数種ある(『少女ポリアンナ』『ポリアンナの青春』(ともに岩波少年文庫版，谷口由美子訳)など．村岡花子訳『少女パレアナ』も入手可能)．

〔17〕一度しか起こらないものは起こったことにならないという，ドイツ語のことわざ．以下の引用を参照——「トマーシュはドイツの格言を繰りかえし自分に言い聞かせる．Einmal ist keinmal(アインマール・イスト・カインマール)(一度はものの数に入らない)，一度とは一度も，ということにひとしい」ミラン・クンデラ『存在の耐えられない軽さ』西永良成訳，『世界文学全集 I–03』(河出書房新社，2008)，p. 13(第1部3)．トマーシュはこの小説の主人公．

〔18〕マルクスの『哲学の貧困』における表現．以下の引用を参照——「封建的

生産も，二つの対立する要素をもっていた．それらもやはり，封建制の立派な面と悪い面と名付けられるが，その際，最終的には，悪い面がつねに立派な面に勝利したことが考慮されてはいない．闘争を構成して，歴史をつくる運動を生み出すのは，悪い面のほうなのである」塚原史・今村仁司訳，『マルクス・コレクションII　ドイツ・イデオロギー(抄)／哲学の貧困／コミュニスト宣言』今村仁司ほか訳(筑摩書房，2008)，p. 278(第2章第1節・第7)．訳文はそのまま使わせていただいた．

第2章　希望とは何か

〔1〕『荒地』の冒頭の四行，「四月は最も残酷な月，リラの花を／凍土の中から目覚めさせ，記憶と／欲望をないまぜにし，春の雨で／生気のない根をふるい立たせる」(岩崎宗治訳)，T. S. エリオット『荒地』岩崎宗治訳(岩波文庫，2010)所収，参照のこと．

〔2〕キェルケゴール『死に至る病』斎藤信治訳(岩波文庫，1957)，p. 208(第2編Aの附論)，訳文はそのまま使用させていただいた．

〔3〕ウナムーノ『生の悲劇的感情〈新装版〉──ウナムーノ著作集3』神吉敬三・佐々木孝訳(法政大学出版局，2017)には，「われわれは希望するものを信ずるのである」(p. 228(第IX章　信・望・愛))と語られている参照．

〔4〕アレグザンダー・ポウプ『人間論』の有名なフレーズで，本文にあるように一見希望にみちた内容ながら，冷笑的な観点から述べられたもの．ポウプ『人間論』上田勤訳(岩波文庫，1950)には「希望は人間の胸中に尽きぬ泉だ．／人間は幸福ではない，然し常に将来に幸福を期待する存在なのだ」(p. 21(書簡1(3))とある．

〔5〕フロイト「ある錯覚の未来」高田珠樹訳，『フロイト全集第20巻』(岩波書店，2011)所収．

〔6〕エウリーピデース『ヒケティデス──嘆願する女たち』には「……希望というものは，いったいに頼りないもの．人の心を度外れに／引っかきまわして，たくさんの国を戦争に巻き込ませるものです」(橋本隆夫訳)とある(『ギリシア悲劇全集6　エウリーピデースII』(岩波書店，1991)所収，pp. 210–211)．別の翻訳では，「希望はまことに禍もので，多くの国が激しい怒りに駆られて，戦いを交えるに至ったのも，ひとえに希望のなせる業です」(中山恒夫訳)とある(エウリピデス『救いを求める女たち』，『ギリシア悲劇III　エウリピデス』(上)(ちくま文庫，1986)，pp. 431–432)．どちらの翻訳

も，イーグルトンが述べているような希望＝人間への呪いというニュアンスとは異なるように思われるが，エウリピデスのこの作品のやや古い英語訳 *The Suppliants*（嘆願者たち）では "Hope is man's curse; many a state hath it involved in strife..." とあって，人間への呪い／災禍と解釈している．

〔7〕プラトン『ティマイオス』には，「迷わされやすい「期待」〔希望〕」という表現をみることができる．プラトン『ティマイオス』種山恭子訳，『ティマイオス　クリティアス――プラトン全集 12』（岩波書店，1975）所収，p. 128（69D 第 31 章）．

〔8〕パスカル『パンセ』（上・中・下）塩川徹也訳（岩波文庫，2015, 15, 16）所収，上，p. 71（断章 47，ブランシュヴィック版断章 172），ならびに「『パンセ』アンソロジー」下，p. 296. 訳文はそのまま使用させていただいた．

〔9〕バイロン卿の言葉として名高い．1815 年 10 月 28 日付け，トマス・ムア宛ての手紙のなかの文面．「しかし，希望とは何か．〈存在〉の顔に塗られた塗料以外のなにものでもなく，ほんの少しの真実で，塗料ははがれ，私たちがみるのは，頰のこけた老婆で，それを私たちは希望として把握しているのだ」．トマス・ムア（Thomas Moore 1779–1852）はアイルランドの詩人，1811 年以降バイロンと親交を結んだ．

〔10〕キルケゴール『反復』桝田啓三郎訳（岩波文庫，1983），p. 9――「期待は追う手をすり抜けてゆくかわいい娘である」（訳文は，そのまま使用させていただいた．ここで「期待」と訳されている語は英語訳では Hope である）．なお，この『反復』の翻訳では著者名が「キルケゴール」であり，この表記も一般化しているが，本文では「キェルケゴール」の表記で統一した．

〔11〕〈汚い希望〉というのは，サルトルではないが，ジャン・アヌイの戯曲『アンチゴーヌ』にある表現としても有名である．『アンチゴーヌ』芥川比呂志訳，『アヌイ作品集 3』（白水社，1957），p. 284 では「薄汚い希望なんか！」とある（長い一幕物なので，場面の区切りはない）．

〔12〕パンドラの箱の故事．ギリシア神話で，天の火を盗んだプロメテウスを罰するためにゼウスが，プロメテウスの弟のもとに，地上で最初の女パンドラを，あらゆる災いを封じ込めた小箱をもたせて送り込んだが，パンドラがこの箱を開けたために，ありとあらゆる災いが飛び出して地上にひろまった．パンドラは急いで箱の蓋をし，希望だけが箱に残った．希望が残ったために最悪の結果は免れたというのが，このエピソードの説明だが，希望というのは災いのひとつ，それも最後まで残った最悪の災いという説もある．

〔13〕チェーホフ『三人姉妹』湯浅芳子訳（岩波文庫，1950），p. 53，p. 58（とも

に第2幕)．訳文は旧字を新字に替えた以外は，そのまま使用させていただいた．翻訳は他に『チェーホフ全集11『桜の園』『三人姉妹』』松下裕訳(ちくま文庫，1993)，チェーホフ『ワーニャ伯父さん／三人姉妹』浦雅春訳(光文社古典新訳文庫，2009)など．

〔14〕ロバート・レヴェト(Robert Levet 1705–82)は，独学で医療を学び，庶民や貧民の病気治療に従事，ジョンソンの家に40年近く寄宿していたが，著名人ではない．その死を悼んだ，9連36行からなる短詩は，英米圏ではジョンソンの詩の代表作のひとつとみなされ，諸種の詩のアンソロジーに収録され，ネット上でも簡単に読むことができる．希望が人をあざむくというのは，冒頭の一行にある表現．

〔15〕アイスキュロス『縛られたプロメーテウス』伊藤照夫訳，『ギリシア悲劇全集2　アイスキュロスII』(岩波書店，1991)所収，p. 20，訳文はそのまま使用させていただいた．

〔16〕サミュエル・ジョンソンの唯一の小説(1759)．アビシニアの「幸福の谷」で暮らす王子ラセラスは外の世界を旅し，賢者たちに意見を求め，幸福とは何か答えを得ようとするが，真に幸福な人間はどこにも見出せぬまま帰還，生まれ故郷の谷がもっとも幸せな場所だったと悟る．メーテルリンクの『青い鳥』とかヴォルテールの『カンディード』のようなメニッポス的諷刺作品．日本語訳ジョンソン『幸福の探求――アビシニアの王子ラセラスの物語』朱牟田夏雄訳(岩波文庫，1949, 2001)．『アビシニアの王子ラセラス』中村賢一訳(朝日出版，2019)．

〔17〕スコット・フィッツジェラルド『グレート・ギャツビー』村上春樹訳，村上春樹翻訳ライブラリー(中央公論社新社，2006)，pp. 11–12(第1章)，訳文はそのまま使用させていただいた．なお以下の引用も同書の訳文をそのまま使用させていただいた．〔 〕内にページ数と章番号を明記．

〔18〕ポール・オースター『ガラスの街』柴田元幸訳(新潮文庫，2013)，p. 78(第6章)，訳文はそのまま使用させていただいた．

〔19〕願望をあらわす英語表現では“I wish I were Mick Jagger”は，可能ではないことを望んでいる，いわゆる「反実仮想」なので，that節(I wish表現ではthatは省略されるのがふつう)のなかは仮定法になるが，hopeは可能なこと，可能と信ずることができるものに対する願望なので，直接法での表現となる．

〔20〕ホッブズ『リヴァイアサン1』水田洋訳(岩波文庫，1992)，p. 103(第6章)，訳文はそのまま使用させていただいた．

〔21〕ユダヤ教の過越祭(すぎこしさい)(毎年3月か4月)の食卓で主宰者が祈る言葉のなかにある表現.「今年は異郷の地にあっても，来年こそはイェルサレムで唱える」の文言を毎年唱え，シオニズム運動の根拠となったとされる.

〔22〕新約聖書「ローマ人への手紙」第8章第24節〜25節で，パウロはこう述べている──「[24] 目に見える希望は希望ではない．なぜならば〔現に〕見ているものを誰が〔なお〕望むであろうか．[25] もしも私たちが見ていないものを望むなら，私たちは忍耐(にんたい)をもって待望する」『新約聖書　第5分冊　パウロの名による書簡・公同書簡・ヨハネの黙示録』青野太潮訳／新約聖書翻訳委員会訳(岩波書店，1996)，p. 30.

〔23〕英語表現として“He has no hope of succeeding”は,「彼は成功する希望を抱いていない」という意味にとれないこともないが,「彼には成功する希望がない，彼には成功の見込みがない」という意味が一般的．希望をもつ，もたないという意志の問題ではなく，見込みや可能性があるかどうかを伝える表現．ここでの hope は，of, of doing, that 節と結びつき,「見込み，可能性，期待」という意味になる.

〔24〕デカルト『情念論』谷川多佳子訳(岩波文庫，2008)参照．原題は「魂の情念」*Les Passions de l'âme*／英語 *The Passions of the Soul*. またデカルトは基本的情念／基本感情を「愛，憎しみ，欲望，喜び，悲しみ，驚き」の6つとしている．基本的情念あるいは基本的感情の数は，5つから10くらいまで幅がある.

〔25〕イギリスの国歌は法律で定められていないが，もっともよく国歌として使われるのが‘God Save the Queen’(「ゴッド・セイヴ・ザ・クィーン」あるいは「女王陛下万歳」と訳される)であり，そのなかに,「おお主よ，われらが神，立ち上がり／彼女の敵を蹴散らし／倒されんことを，／姑息な策を粉砕し……」(第2番)とか「あらゆる伏兵や暗殺者らの攻撃から／神よ女王を守りたまえ……」(第4番)，そして「ウェイド元帥が／主の力強い助力によって勝利をもたらされんことを／彼が反乱を鎮め／激流の如きスコットランドの反乱者らを潰されんことを／神よ我等が国王を救いたまえ！」(第6番)といった歌詞が存在する.

〔26〕フランスの文豪ロマン・ロランが座右の銘としていた「知性のペシミズム，意志のオプティミズム」に感銘を受けたアントニオ・グラムシが1920年以降,『獄中ノート』を含む著作全体で使うようになったフレーズ．片桐薫編訳『グラムシ・セレクション』平凡社ライブラリー(平凡社，2001)などを参照.

〔27〕十字架上のイエスが大声で発した「エリ，エリ，レバ，サバクタニ」という叫び．「わが神よ，わが神よ，なぜ私をお見棄てになったのか」という意味だと「マタイによる福音書」では説明されている(27: 46)．なお「マルコによる福音書」(15: 34)では「エロイ，エロイ，レマ，サバクタニ」とあり，これも「わが神，わが神，どうして私をお見棄てになったのか」という意味だと説明している．『新約聖書　第1分冊　マルコによる福音書　マタイによる福音書』佐藤研訳(岩波書店，1995)，pp. 84–85(マルコ)，p. 225(マタイ)．

〔28〕「ヘブル人への手紙」小林稔訳，『新約聖書　第5分冊　パウロの名による書簡・公同書簡・ヨハネの黙示録』新約聖書翻訳委員会訳(岩波書店，1996)所収，pp. 99–100. 訳文は，そのまま使用させていただいた．次の引用は，pp. 117–118.

〔29〕ライプニッツ派とは，ラムズフェルドのインタヴューでにわかに有名になったこの論法が，人間の知覚における無意識の認識を想定していたライプニッツの認識論に似ている面があることを揶揄的に指摘したものか．ライプニッツ『人間知性新論』などにおける議論を参照．

〔30〕以下の引用を参照のこと．「わたしは自分の魂に言った，静まれ，望むことなく待て．／望むことは悪(あ)しきを望むこと．愛することなく待て．／愛することは悪しきを愛すること．もう一つ，信があるが／信も愛も望みも，すべて待つことのうちにあるもの．」エリオット『四つの四重奏』岩崎宗治訳(岩波文庫，2011)，p. 67(「イースト・コーカー」)．

〔31〕放下(ほうげ) Gelassenheit は，もともとキリスト教神秘主義・ドイツ神秘主義で用いられる概念で，我性を捨て己を無となしてイエス・キリストにすべてを委ね，そのことによってキリストの受難と復活にあずかること．ハイデガーは，それを敷衍して，ものごとの不確定性や神秘をあるがままに受け入れる心的姿勢として使った．ハイデッガー『放下』辻村公一訳，『ハイデッガー選集15』(理想社，1963)参照．

〔32〕キーツ「ナイチンゲールによせるオード」，『キーツ詩集』中村健二訳(岩波文庫，2016)，pp. 307–308(第5連)，訳文は，そのまま使用させていただいた．

〔33〕ブロッホ『希望の原理』(全3巻)山下肇・瀬戸鞏吉・片岡啓治・沼崎雅行・石丸昭二・保坂一夫訳(白水社，1982)第1巻，p. 93(第12章)／『希望の原理』(全6巻)(白水ｉクラシックス，2012)第1巻，p. 107(第12章)．「男根詩人」の表現は，そのまま使用させていただいた．

〔34〕エドワード・トマスの34行の詩“The Glory”の最終行より．トマス「輝き」，『エドワード・トマス訳詩集』吉川朗子訳(春秋社，2015)所収，pp. 34–36，訳文はそのまま使用させていただいた．

〔35〕日本語で「体験」と訳されるドイツ語のErfahrungは，個別(特殊)的で主観的・直観的な一回的な出来事の受容における生き生きとした意識過程や内容のこと．いっぽう「経験」と訳されるドイツ語のErlebnisは，外界の知的認識という客観的な意味合いをもち，体験を秩序づけ普遍化したものとされる．

〔36〕2つ前のパラグラフで触れられているロレンスの闇のなかの待機を指しているが，それを「魂の暗夜 dark night of soul」として，スペインの聖職者・神秘思想家である十字架の聖ヨハネ(Juan de la Cruz, 1542–91)の代表作『暗夜』*La noche oscura del alma/Dark Night of the Soul*(8編の詩からなる)のタイトルへのやや遊戯的言及のかたちで示した．

〔37〕ロレンスのエッセイ「書物」のなかにあるフレーズで，原文は“the long endless venture into consciousness”，以下の翻訳文献では「意識の中への長々とした果てしない冒険的試行」と訳されている．D. H. ロレンス『不死鳥』(上・下)(*Phoenix*, 1936)西田稔・吉村宏一訳(山口書店，1986)，下，p. 496. なおレイモンド・ウィリアムズは『文化と社会』(本章，原注(68)参照)のなかで，このフレーズを鍵語としてロレンスを論じているが，ウィリアムズの文献に，このフレーズの出典情報はない．

〔38〕ジョゼ・サラマーゴ『リカルド・レイスの死の年』岡村多希子訳(彩流社，2002)，p. 136(第6章)．訳文はそのまま使用させていただいた．

〔39〕シェイクスピア『マクベス』木下順二訳(岩波文庫，1997)．訳文はそのまま使用させていただいた．

〔40〕マックス・ブロートがカフカの伝記のなかで紹介している1920年におけるカフカとの対話のなかの言葉．マックス・ブロート『フランツ・カフカ』辻瑆・林部圭一・坂本明美訳(みすず書房，1972)参照．

〔41〕ダス・マン(Das Man)マルティン・ハイデガーによる哲学の概念であり，「世人」「人」と訳される．主体的に生きることが運命付けられている存在であるにもかかわらず，このことを考えずに紛らわして過ごしている人間のこと，さらに誰でもありうるような中性的な他者である変哲もない世間の他人をいう．

〔42〕自己欺瞞とは，自分自身に対する不誠実，自分自身に真実を隠すこと，自分自身をむりやり正当化することを意味する，サルトルの用語．原語の“la

mauvaise foi" は「悪しき信仰／信念」を意味．英語では self-deception のほか，オリジナルのフランス語の直訳 "bad faith" あるいはフランス語のままで示すことが多い．

〔43〕ニカイア信条　第1回コンスタンティノープル公会議(381年)で定められたキリスト教の基本信条であり礼拝で使われる．第1回ニカイア公会議(325年)で定められたニカイア信条(原ニケア信条)と区別するため，ニカイア・コンスタンティノープル信条というが，ニカイア信条(ニケア信条)とのみ呼ばれることも多い．日本語訳にして400字くらいの文書であり，またキリスト教各派に共通した日本語訳は存在しない．引用は，アーメンで締めくくられる全文の直前の一文より．ここでは，日本カトリック司教協議会認可の訳文を，そのまま使用させていただいた．

〔44〕ジャック・デリダ『マルクスの亡霊たち』増田一夫訳(藤原書店，2007)，「第Ⅴ章　現れざるものの出現」参照．

〔45〕カール・R・ポパー『歴史主義の貧困——社会科学の方法と実践』久野収・市井三郎訳(中央公論新社，1961)参照．

〔46〕ジェーン・オースティン『説きふせられて』富田彬訳(岩波文庫，1998)，p. 46(第4章)に，「……青春時代の熱愛と将来に対する明るい希望を大切にして……」とある．

〔47〕トリエント公会議　宗教改革時代の1545年から63年にイタリアのトリエントでおこなわれた宗教会議．会期は諸事情により，断続的で3期に及んだ．宗教改革に対抗し，カトリック教会の改革と教義の強化をめざしたもので，ニカイア・コンスタンティノープル信条(本章，訳注〔43〕参照)を信仰の基礎として認めたのもこの会議であった．

〔48〕シェリー『鎖を解かれたプロメテウス』石川重俊訳(岩波文庫，2003)，p. 259(作品の最後のしめくくるデモゴルゴンの言葉)．訳詩はそのまま使用させていただいた．

〔49〕「高い希望」("High Hopes")は，1959年のアメリカ映画『波も涙も暖かい』(*A Hole in the Head* 1959, フランク・キャプラ監督，フランク・シナトラ主演の喜劇映画)の劇中歌にして主題歌(サミー・カーン作詞，ジェームズ・ヴァン・ヒューゼン作曲)のことで，同年度アカデミー賞歌曲賞を受賞し，翌年にはジョン・F. ケネディ陣営で大統領選のキャンペーン・ソングとして使われた．

その大意(逐語訳ではない)は，以下のとおり——一敗地にまみれても周囲をみて教訓を学ぼう．小さなアリがゴムの木を動かそうという不可能なこと

を試みている．アリにはとても高い希望があるのだ．気が滅入ったら，あのアリのことを思い出そう，いまゴムの木が動いているのだから．

トラブルに見舞われ逃げ場がなくなっても学ぶべきことはある．雄羊(ラム)がダムにぶつかっている．彼には高い希望がある．気が滅入ったときには，あの雄羊を思い出せ．いま大きなダムが決壊している．

あらゆる問題は，おもちゃの風船のようなもの，破裂し消えてなくなる．ほら，いままた風船が破裂している．

本文の言及は，この歌のなかでリフレインとなっている“He's got high hopes, he's got high hopes/ He's got high apple pie in the sky hopes”に対するもの．前の行の長さをあわせるために，high hope に apple pie in the sky という修飾句を挿入している．「高い，空いっぱいに浮かぶ大きなアップルパイのような，大いなる希望」という意味だが，「高い，純アメリカ的な(アップルパイ)，高邁な，希望」という含意があり，さらに歌曲では in the| sky hopes と区切るので，「空高い希望」の含意もある．本文にあるようにコミカルで幼児的ファンタジー的な歌詞が，希望の奇跡的実現よりも荒唐無稽さを際立たせることになる．

〔50〕スピノザ『エチカ――倫理学』(上)畠中尚志訳(岩波文庫，1951)「我々は希望，恐怖，安堵，絶望，歓喜および落胆の何たるかを理解する．すなわち希望とは我々が結果について疑っている未来または過去の物の表象像から生ずる不確かな喜びにほかならない」(定理 18，備考 2)ならびに『エチカ――倫理学』(下)畠中尚志訳(岩波文庫，1951)「安堵，絶望，歓喜および落胆もまた無能な精神の標識である．なぜなら安堵および歓喜は喜びの感情であるといはいえ，それは悲しみ――すなわち希望および恐怖――の先行を前提としているからである．だから我々が理性の導きに従って生活することにより多くつとめるにつれ我々は希望にあまり依存しないように，また恐怖から解放されるように，またできるだけ運命を支配し，我々の行動を理性の確実な指示に従って律するようにそれだけ多く努める」(定理 47，備考)参照．

〔51〕引用は，ウェルギリウス『アエネーイス』第 2 巻 450 行あたり．日本語訳(ウェルギリウス『アエネーイス』(上・下)泉井久之助訳(岩波文庫，1976))，ウェルギリウス『アエネーイス』岡道男・高橋宏幸訳(京都大学学術出版会，2001)，ウェルギリウス『アエネーイス』杉本正俊訳(新評論，2013)は，いずれも本文で引用されている英語訳の比喩表現を使っていないので，ここでは使用していない．

〔52〕カミュ『シーシュポスの神話』清水徹訳，『カミュ II　新潮世界文学 49』

所収(新潮社，1969)所収，pp. 277–406，とりわけ「不条理な論証――不条理と自殺，哲学上の自殺」「《付録》フランツ・カフカの作品における希望と不条理」参照．翻訳は他に清水徹訳(新潮文庫，1969)，高畠正明訳，『カミュ全集 2』(新潮社，1972)がある．

〔53〕トマージ・ディ・ランペドゥーサ『山猫』小林惺訳(岩波文庫，2008)，p. 103(第 2 章)．訳文はそのまま使用させていただいた．

〔54〕ソポクレース『ピロクテーテース』片山英男訳，『ギリシア悲劇全集 4 ソポクレース II』(岩波書店，1990)所収，p. 301. 訳文はそのまま使用させていただいた．

〔55〕オニールのこの戯曲は，古くはべつのタイトルで翻訳されていたが，2007 年 6 月から 7 月にかけて新国立劇場での上演時のタイトル『氷屋来たる』を使用させていただく(演出，栗山民也，翻訳，沼澤洽治，出演，市川正親，岡本健一，中嶋しゅう他)．なお翻訳は現時点では単行本化されていない．

〔56〕イェイツ「内戦時代の省察」，高松雄一編『対訳　イェイツ詩集』(岩波文庫，2009)，p. 191. 訳詩は，そのまま使用させていただいた．

〔57〕シェイクスピア『アントニーとクレオパトラ』本多顕彰訳(岩波文庫，1958)．以下，この作品からの引用は，すべて，この翻訳を使用させていただいた．

〔58〕シェイクスピア『冬物語』松岡和子訳，シェイクスピア全集 18(ちくま文庫，2009)．訳文はそのまま使用させていただいた．

第 3 章　希望の哲学者

〔1〕西欧マルクス主義は，1920 年代，ルカーチ，コルシュ，グラムシに始まり，フランクフルト学派，さらにはアルチュセール派にいたる，革命を経ることのない西欧・中欧社会において発展したマルクス主義思想を指す．ロシア・ソヴィエト的マルクス主義の全体主義化傾向に反対し，マルクス主義以外の哲学思想を積極的に取り入れる柔軟性をもつ．アンダーソンの本は薄い本ながら，この西欧マルクス主義を概観し，西欧マルクス主義の名前を広めることにも貢献した基本的文献のひとつ．本章，原注(6)参照．

〔2〕「コリント人への第一の手紙」第 13 章のなかの有名な一節，「[10] 完全なるものが到来する時には，部分的なものは壊されるであろう．……[12] 実際私たちは，今は鏡において謎〔のようなかたち〕を見ているが，しかし，その時には，顔と顔とを合わせて〔見るであろう〕」(13: 10, 12)への言及．『新約聖書　第 4

分冊　パウロ書簡』青野太潮訳(岩波書店，1996)，p. 106，訳文はそのまま使用させていただいた．また訳文中の〔 〕は，パウロ書簡の翻訳者による挿入．

〔3〕エルンスト・ブロッホ『ユートピアの精神』(*Geist der Utopie,* 1918)好村冨士彦訳(白水社，1997，新装復刻版 2011)参照．1918 年に刊行されたブロッホの最初の著作．

〔4〕「なにかが軌道を過ぎて行く」ベケット『勝負の終わり』は，車椅子に座ったままのハムと，その身の周りの世話をするクロブとのやりとりでおおむね進行するが，そのなかで次のようなやりとりがある——

ハム　(苦悩に満ちて)いったい，何が起こっているんだ？　何が起こっているんだ？

クロブ　なにかが軌道を過ぎて行く

(安堂信也・高橋康也訳，サミュエル・ベケット『勝負の終わり／クラップ最後のテープ(ベスト・オブ・ベケット 2)』(白水社，1990)，p. 20)

クロブはこの謎めいた台詞をこのあとも時折くりかえす．意味は文字通りの意味で，なにかが進行しているということ．その解釈は観客にまかされる．

〔5〕ヘーゲルの「時代精神」，ベルクソンの「生の跳躍」　時代精神(Zeitgeist)とは，ある時代に支配的で，その時代を象徴する精神傾向のことだが，すでにヘルダーやゲーテに見出されるこの語をヘーゲルは哲学的に深化させ，『歴史哲学講義』においては，世界史を世界精神の理性的で必然的なプロセスとし，それを，民族精神との結びつきから 4 つに区分した．

“élan vital”(「生の躍動」，「生命の跳躍」「エラン・ヴィタール」などの表記もある)は，ベルクソンが『創造的進化』のなかで提唱した，生命の進化を推進する根源的な力と想定されるもの．

〔6〕自然の弁証法　自然弁証法ともいう．ヘーゲルの自然哲学に由来し，エンゲルスの遺稿『自然の弁証法』(1925)によって有名になった概念．機械論的な自然観に対して，物質が弁証法的運動(「量から質への転換」「対立物の統一と闘争」「否定の否定」という三法則にのっとった)を示すとみる唯物論的弁証法的自然観．エンゲルス『自然の弁証法』(上・下)田辺振太郎訳(岩波文庫，1957)，『新メガ版　自然の弁証法』秋間実・渋谷一夫訳(新日本出版，1999)などを参照．

〔7〕次に引用する，ミルトンの政治論文『アレオパジティカ』(1644)のなかにある有名な一文への言及．「出陣して敵と戦い，ちりと汗にまみれてこそ不滅の名誉が得られる戦場から脱落するような，実際に使われず鍛錬もされない

逃避，隠遁の徳を私は称揚できません」，ミルトン『言論・出版の自由――アレオパジティカ　他一篇』原田純訳(岩波文庫，2008)，p. 29. なお「アレオパジティカ」は，古代ギリシアのアテネの最高の司法府であるアレイオパゴスにおける演説という意味．論文の内容は言論・出版の自由を訴えるもの．

〔8〕ヴィトゲンシュタイン『哲学探究』には，こうある――「「『最後の説明』なんてない」とは言わないでほしい．ちょうどそれは，「この街路には最後の家なんてないよ．いつでももう1軒，建てることができるんだから」と言おうとするようなものだ」(丘沢静也訳)，『哲学探究』(岩波書店，2013)，p. 30(第I部29)．「村」ではなく「道路」の話だが，修辞的には村のほうがわかりやすい．

〔9〕21世紀の日本で，「悟性」という訳語は死語になりつつあるかもしれないが，「理性」と対比させられる哲学用語として言及されているので，「悟性」をあえて使用している．「悟性」はドイツ語のVerstand，英語のunderstandingの訳語として使われ，カント的／カント以後的の意味で使われることが多い．すなわち理性(Vernunft)と感性の2つの認識能力の中間にあるのが悟性で，感性によって提供される素材を加工し普遍的な認識にまで仕上げるものだが，その認識は相対的かつ有限なもので，最終的に理性による補完をまって完成するとされる．

〔10〕ベンヤミンのブレヒトにかんする文章を集めたロルフ・ティーデマン(Rolf Tiedemann)編の選集(*Versuche über Brecht,* 1966)の英語訳版*Understanding Brecht*(1998)において，編者・翻訳者のスタンリー・ミッチェル(Stanley Mitchell)は，その序で，ベンヤミンもブレヒトも時代を新氷河時代として捉えていたと述べている．日本語訳『ブレヒト――ヴァルター・ベンヤミン著作集9』石黒英雄編集解説(晶文社，1971)所収の「ブレヒトとの対話」(川村二郎訳)でブレヒトは「彼ら〔ファシスト〕は氷のような規模をもった荒廃を企画している」と語っている(p. 217)．

〔11〕これは『希望の原理』の最終章である第55章の最後のパラグラフにある一文への言及．「……人間はまだいたるところで前史である．いや，いっさいがまだ正しい世界としての世界の創造以前にある，ということになる．真の創世記は初めにではなく終わりにある」(傍点は翻訳書にあり)，『希望の原理』(全3巻)第3巻，p. 610／『希望の原理』(全6巻)第6巻，p. 325.

〔12〕マルクスの一文「死せるすべての世代の伝統が夢魔のように生ける者の頭脳をおさえつけている」(『ルイ・ボナパルトのブリュメール十八日』伊藤新一・北条元一訳(岩波文庫，1954)，p. 17)への言及．

〔13〕このラテン語の成句は17世紀イタリアで作られたとされるが，一説にはバロックの画家グエルチーノの画題ならびに画中の成句が初出ともいわれる．絵画ではのちにこの成句を作品中の石棺に刻んだニコラ・プッサンの作品も有名(『アルカディアの牧人たち』)．グエルチーノ，プッサンの2つの絵画からも「われ Ego」は死を意味していることがわかる．また，このラテン語の成句には動詞がないが，存在を意味する「いた，いる」が省略されたものとして解釈され，冒頭の Et はたんに英語の and に相当する接続詞であるだけではなく，冒頭に置かれることで「〜もまた」の意味が強調される．この用法で有名なものとして，“Et tu Brute”「おまえもか，ブルータス」がある．したがって「われもまたアルカディアにあり／ありき」「われアルカディアにもあり／ありき」という意味になる．

〔14〕死をめぐるエピクロスの次の有名な文章を参照のこと．「……死は，もろもろの悪いもののうちで最も恐ろしいものとされているが，じつはわれわれにとって何ものでもないのである．なぜかといえば，われわれが存するかぎり，死は現に存せず，死が現に存するときには，もはやわれわれは存しないからである」，『エピクロス——教説と手紙』出隆・岩崎允胤訳(岩波文庫，1959)，p. 67.

〔15〕「コリント人への第一の手紙」のなかに，「[55]死よ，汝の勝利は何処にあるのか．／死よ，汝の棘は何処にあるのか．／[56]さて，死の棘は罪であり，罪の力は律法である」(『新約聖書　第4分冊　パウロ書簡』青野太潮訳(岩波書店，1996)所収，p. 120)とある．死の棘とは罪のことであり，罪を自覚させるのが律法であると一般に解釈されている．

第4章　希望なき時の希望

＊本章のタイトルの原文“Hope against Hope”は，英語の慣用句で名詞句にも動詞句としても使い，「希望や見込みがないのに希望する(こと)」「せめてもの希望をつなぐ(こと)」を意味する．典拠は，新約聖書「ローマ人への手紙」(4: 18)．「アブラハムは，希望に抗いつつ，〔しかもなお〕希望に基づいて信じた」，『新約聖書　第4分冊　パウロ書簡』青野太潮訳(岩波書店，1996)，p. 17，「彼は望むべくもあらぬ時になほ望みて信じたり」(『ロマ書』4: 18)，『文語訳新約聖書』(岩波文庫，2014)，p. 345などの訳文がある．章題は名詞句として「希望なき時の希望」としたが，原文を動詞句としてとれば，「希望なき時に希望する／せよ」とも訳すことができる．

〔1〕クロウ族　北米先住民．正式名は「アプサロケ」，これはクロウ語で「大きなくちばしの鳥の子どもたち」を意味，そこから，その意味をくんだ英語名クロウ Crow（＝カラス）が部族の通称となった．アメリカのモンタナ州を中心にワイオミング州からサウスダコタ州に定住するネイティヴ・アメリカン．農耕を捨て，バッファローの狩猟に依存する部族だったが，白人入植後，「インディアン居留地」に強制的に定住させられるまで幾多の苦難を経ることになる．

族長プレンティ・クーズ Plenty Coups（1848–1932）は山岳クロウ族の族長で，その名前は，「数多くの偉業をなしとげる」というクロウ語での名前を英語訳したもの（Plenty「多い，たくさんの」Coups「大業績，偉業」）．彼が子どもの頃にみた，みずからの生存中にクロウの文化が終わるという夢が，正夢であることが部族で認識されるにおよんで，崇敬の念を集めることになり，最後の偉大な族長となった．

スー族は，大平原（グレート・プレインズ）に住む 3 氏族（ダコタ族，ラコタ族，ナコタ族）からなる部族連合で，クロウ族とは敵対関係にあった．白人との融和を目指したクロウ族は，1876 年のリトルビッグホーンの戦い（スー族がカスター将軍率いる第 7 騎兵隊を全滅させたことで有名）では白人側の斥候として働き，敵対するスー族と戦った．

ブラックフット族は，北米の 3 先住民族の総称．大平原ではクロウ族，シャイアン族，スー族と敵対関係にあった．

〔2〕旧約聖書「ヨブ記」第 13 章第 15 節．既訳では「希望」の語を使っていないことが多いため，ここでは英語訳にあわせて訳文を作成した．既訳のひとつでは，「たとえ彼がわたしを殺すともわたしは彼をまつ」，『旧約聖書　ヨブ記』関根正雄訳（岩波文庫，1971）とある．「彼がわたしを殺すであろうゆえ，私は待っていられない」並木浩一訳，『旧約聖書 XII　ヨブ記　箴言』（岩波書店，2004），p. 4，という訳文からは，原文の解釈が分かれる箇所であることがわかる．また『文語訳旧約聖書 III　諸書』（岩波文庫，2015）では「彼われを殺すとも我は彼に依頼まん」（「ヨブ記」，p. 25）とあって，「希望」あるいは「待つ」，ならびにその同義語は使われていないのだが，これは底本となった英語訳聖書が 17 世紀につくられた欽定訳聖書（King James Bible, Authorized Version）であり，そこでは hope（「希望」）ではなく trust（「信頼」「依頼」）の語が使われているためである．なお現在一般に流布している現行のほとんどの英語訳聖書では，hope の語が使われている．

〔3〕ミネルヴァの梟　ヘーゲルが『法の哲学』(1821)の序文の最後で述べたもので，出来事や事象の本質なり全体像は，それが完結・終了する(間際)まで学問は把握できないことを意味している．ミネルヴァは，ローマ神話における学問の神(ギリシア神話におけるアテナに相当)，彼女が従えているのが梟で，知恵の象徴であった．

〔4〕マルクス『ルイ・ボナパルトのブリュメール十八日』からの以下の一節を参照——「一九世紀の社会革命は，その詩を過去からではなく，ただ未来からのみくみとることができる．それは，過去にたいするあらゆる迷信をとりさってしまわぬうちは，自分の仕事をはじめることができない．以前の革命は，自分の特有の内容に目をつむるために世界史を回想する必要があった．一九世紀の革命は，自分特有の内容にたっするために，死者をして死者をほうむらしめなければならない．以前は文句が内容にまさっていた．いまは内容が文句にまさる」(伊藤新一・北条元一訳(岩波文庫，1954)，p. 21)．

〔5〕『リア王』からの引用は，すべて，シェイクスピア『リア王』野島秀勝訳(岩波文庫，2000)より．訳文はそのまま使用させていただいた．なお〔 〕によって原語を表記した．

なお本文理解のためには『リア王』を読まれていることが望ましいが，未読の読者の参考のために，登場人物とその運命・役割を掲げておく(太字は本文中で言及される人物)．

リア王　ブリテン王．高齢で娘3人に領土を分割し隠居生活を考えるが，愛情テストにおいて，最愛の末娘コーディーリアに裏切られたと思い，彼女を追放処分とするが，2人の娘ゴネリルとリーガンに冷遇され正気を失う．

ゴネリル　リア王の長女．オールバニー公と結婚．領地はスコットランド．コーディーリアを追放したリア王を妹リーガンとともに冷遇．のちに妹リーガンとエドガーの取り合いとなる．

リーガン　リア王の次女．コーンウォール公と結婚．夫の死後，エドガーを愛人にする．

コーディーリア　リア王の末娘．愛情テストにおいて「何もない」と答えてリア王の怒りを買い，追放処分を受け，フランス王の妃として大陸に渡る．のちにリア王の窮状を知り，フランス軍を率いてブリテンに上陸するが，戦いに負けブリテン軍の捕虜となる．

オールバニー公　リア王の長女ゴネリルの夫．妻ゴネリル，その妹のリーガ

ンのリア王に対する仕打ちを快く思わず，妻とエドマンドとの関係も疑う．

コーンウォール公　リア王の次女リーガンの夫．グロスターがリア王と通じていることを知り，グロスターの目をえぐり取るが，その非道な行いを見かねた自分の家来に致命傷を負わされ死亡．

フランス王　最初，コーディーリアの求愛者としてバーガンディー公と争うが，リア王に追放されたコーディーリアをフランス王妃として迎え入れる．

道化　中世から近代初期にかけて，君主や貴族が，身近に置き忌憚ない意見なり辛辣な意見を自由に言わせていた宮廷道化師の伝統につらなる人物．嵐の荒野にまでリア王に付き従い，リア王との問答で，リア王の愚行を責める．荒野の場面以後，登場しなくなる．

ケント　リア王の忠臣．コーディーリアの追放についてリア王を諫めたことから，リア王によって追放処分を受けるが，変装して，最後までリア王に付き従う．またフランスにいるコーディーリアともひそかに連絡をとりあっている．

グロスター　リア王の家来．ケントの友人．リア王追放後も，リア王と接触し，そのためコーンウォール公らに裏切り者と責められ，両目をえぐり取られる．失明後は，世をはかなみ自殺を試みるが，乞食のトム(実は息子のエドガーが変装)に助けられ，トムとともに戦禍のなかを放浪する．

エドガー　グロスターの嫡子．弟エドマンドの陰謀によって父グロスターから誤解され恨まれることに．乞食のトムに身をやつして荒野でリア王や失明した父グロスターを助ける．

エドマンド　グロスターの庶子．嫡子エドガーのことを妬み，エドガーを陥れて，父親ならびにリア王の娘たちの寵愛を得る．弱肉強食の自然の論理に忠実に生きることを誓う，極悪人として暗躍する．

なお文庫本などで読める『リア王』の翻訳には，岩波文庫版以外にも，以下のものがある．『リア王』福田恆存訳(新潮文庫，1967)，『リア王』小田島雄志訳(白水Uブックス，1983)，『リア王』松岡和子訳，シェイクスピア全集 5(ちくま文庫，1997)，『リア王』安西徹雄訳(光文社古典新訳文庫，2006)，『新訳リア王の悲劇』河合祥一郎訳(角川文庫，2020)など．いずれも名訳である．

〔6〕恐怖　『リア王』第5幕第2場で，コーディーリアの死体を抱いて登場したリア王をみての忠臣ケントとエドガーの反応――

ケント　これが約束された終わりなのか〔Is this the promised end?〕

エドガー　あるいは，その恐怖のイメージか〔Or image of that horror?〕

ケントのいう「約束された終わり」は，黙示録でいう最後の審判，世界の終末を意味するが，同時に「これが予定されていた悲劇の結末か」という観客の驚きと落胆をメタ演劇的に代弁しているところがある．エドガーは，この光景が，世界の終末の恐怖(horror)の画像かと嘆く．

〔7〕リアの最後の台詞(第5幕第2場)を参照のこと．

リア　そして哀れなやつは絞め殺されてしまった！　もう，もう，命はない！／犬が，馬が，鼠が生きているというのに，／なぜ，お前には息がないのだ？　お前はもう戻って来ない，／絶対に，絶対に，絶対に，もう絶対に！／頼む，このボタンをはずしてくれ．ありがとう．／これがあんたに見えるか？　娘(これ)の顔を見ろ，見ろ，この唇を，／ほら，ほら！〔息絶える〕(野島秀勝訳)

〔8〕「悲劇のなかでは人は決して死なない，なぜなら人は常に語っているからだ」と，ロラン・バルト『ラシーヌ論』渡辺守章訳(みすず書房，2006)，p. 13(第1部ラシーヌ的人間，I　構造，外界の3つの空間――死，逃走，事件)にある．

〔9〕イェイツ「ラピス・ラズリ」，高松雄一編『対訳　イェイツ詩集』(岩波文庫，2009)所収，p. 291. 訳文はそのまま使用させていただいた．

〔10〕詩人ジェラード・マンリー・ホプキンズ(1844–89)は，晩年イエズス会士としてアイルランドに派遣された1885年以降，信仰と職務上の問題や周囲との軋轢によって苦悩の日々を送ることになるが，その時期に，集中的にソネットを創作．絶望に苦悩する詩人の精神を語るそれらの作品はダーク・ソネットとして知られることになる．本文で言及されているのは，おそらく1885年のソネット“No worst, there is none”であろう(このソネット群にはタイトルがないので，通常，最初の一行をタイトルの代用としている)．「苦しみの絶頂」，『ホプキンズ詩集』安田章一郎・緒方登摩訳(春秋社，1994)所収，pp. 208–209.

〔11〕エンリーケ・ビラ＝マタス『ダブリン風』Enrique Vila-Matas, *Dublinesca* (2010)(英語訳は2012年出版，現時点で日本語訳はない)より，引用は「7月」の章より．「もう怖いものなしだ」の英語訳‘...not live in fear’が，先のエドガーの台詞の「もう怖いものなしだ」‘live not in fear’と響きあっている．

〔12〕著者はここでパスカルの『パンセ』のさまざまな断章で語られる論理をパラフレーズしているので，この一文あるいは一節というかたちで該当箇所を引用することはできないこと，諒とされたい．

〔13〕バーナダインはシェイクスピアの『尺には尺を』に登場する囚人．ウィーンの公爵が，厳格な法の施行によって死刑にされそうな若者を助けるために，若者の処刑を偽装すべく別の死刑囚を処刑しようとするが，この死刑囚は，二日酔いで，説得に応ずることなく処刑されることも拒む．後悔もせず処刑も恐れず救いを拒むこの度しがたい死刑囚がバーナダイン．出番も台詞も少ないがきわめて印象的な人物．シェイクスピアのこの作品は以下の文庫本などで読むことができる．『尺には尺を』小田島雄志訳(白水 U ブックス，1983)，『尺には尺を』松岡和子訳，シェイクスピア全集 28(ちくま文庫，2016)．

〔14〕ピロクテーテースはトロイ戦争に参加したが，トロイアへの途上，毒蛇に嚙まれ，その傷が治らず，ひどい悪臭を放ったためレームノス島に置き去りにされる．10 年後，彼のもつヘラクレスの弓なくしてトロイア陥落は不可能との予言があり，オデュッセウスとネオプトレモスが迎えにくる．ピロクテーテースは傷が治っておらず，傷の痛みの発作に襲われると，言葉を発することができず，前後不覚になる．ソポクレース『ピロクテーテース』片山英男訳，『ギリシア悲劇全集 4　ソポクレース II』(岩波書店，1990)所収，参照．

〔15〕「フォイエルバッハに関するテーゼ」は，1845 年マルクスが 26 歳のとき亡命先のブリュッセルで書いたもので，これをみつけたエンゲルスが，その『フォイエルバッハ論』の改訂版に付録として収録したもの(エンゲルス『フォイエルバッハ論』松村一人訳(岩波文庫，1960)参照)．ただし，このテーゼに，エンゲルス『フォイエルバッハ』論ではじめて接する読者はまれで，多くは，アンソロジーのなかで，あるいはマルクス／エンゲルスの『ドイツ・イデオロギー』の付録などで読んできた．なかでも最後の第 11 番テーゼ「哲学者たちは，世界をさまざまに解釈してきた．肝心なのは，それを変革することである」はもっとも有名で，たとえばロンドン郊外のハイゲイト墓地にあるマルクスの墓碑の上部には「万国の労働者よ，団結せよ」のスローガンが，そして下部には，この第 11 番テーゼが，ともに英語で刻まれている．

〔16〕シェイクスピア『冬物語』松岡和子訳，シェイクスピア全集 18(ちくま文庫，2009)．訳文は，そのまま使わせていただいた．なお〔 〕内に原語表記を追加した．

〔17〕エリオット「空ろな人間たち」については，エリオット『四つの四重奏』岩崎宗治訳(岩波文庫，2011)所収，pp. 9–19 参照.

〔18〕イプセン『ブラン』,『原典によるイプセン戯曲全集　第2巻』原千代海訳(未來社，1989)所収では教区長の台詞は「人生の戦いでそいつを神が倒そうと思われたら，／神はそいつを単独になさるんだ」(p. 378，第5幕)とある.

〔19〕『ブライトン・ロック』はグレアム・グリーンの長編小説で，主人公の不良少年ピンキーの無軌道な行動と，その結末を語る娯楽小説でありながら，カトリックでもある主人公の罪の意識と絶望を描き神の問題に迫る宗教的次元をもつ(グリーン『ブライトン・ロック』丸谷才一訳(ハヤカワ epi 文庫，2006)). ここで「ブライトン・ロック・シンドローム」と命名されているのは，罪人や悪人のほうが，その罪業をとおして，道徳と神の問題に切迫したかたちで向きあうようになること.

〔20〕「コリント人への第一の手紙」第7章第31節——「そしてこの世を利用している者たちは，あたかもそれを十分には利用していないかのように〔なりなさい〕」,『新約聖書　第4分冊　パウロ書簡』青野太潮訳(岩波書店，1996)所収，p. 85. パウロの忠告は,「切迫している危機」(26)(キリストの再臨)ゆえに，そして「この世の姿かたちは過ぎ去るから」(31)，現状を維持しつつ現状に距離を置いて接することを説く.

〔21〕ブレヒト「あとから生まれるひとびとに」野村修訳,『ブレヒトの詩　ベルト・ブレヒトの仕事3』野村修責任編集(河出書房新社，1972, 2007)所収，pp. 337–342 のなかに,「なんという時代——いまは／木々についての会話が，ほとんど犯罪に類する，／なぜなら，それは無数の非行について沈黙している！」(p. 337),「じじつぼくたちは，靴をよりもしばしば国をはきかえて／絶望的に，階級間のたたかいをくぐっていったのだ／不正のみあって，怒りが影をひそめているときに」(p. 341)などの表現がある.

〔22〕記述にいちいち訳注を付けるのは，読みにくいことにかんがみ，ここでは，ピンカーの本を典拠にして，内容を整理してみる.

8世紀中国における安史の乱とそれにつづく内乱——推計死者の実数は3600万人，これを20世紀中盤の人口比に換算すると推計4億2900万人.

13世紀のモンゴル帝国による征服支配による推計死者——実数，4000万人，換算値，2億7000万人.

死者数の第1位は第二次世界大戦——実数，換算値ともに5500万人(20世紀の出来事は実数と換算値は同じになる. 以下同じ).

死者数の第 2 位は毛沢東の政策が原因の飢饉——実数，換算値ともに 4000 万人.

死者数の第 3 位はモンゴル帝国の征服——実数，4000 万人，換算値，2 億 7000 万人.

ティムール大帝による死者——実数，1700 万人，換算値，1 億人.

スターリンによる死者——実数，換算値ともに 2000 万人.

三十年戦争による死者——実数，700 万人，換算値，3200 万人.

第一次世界大戦——実数，換算値ともに 1500 万人.

アメリカ先住民に対する殺戮——実数，2000 万人，換算値，9200 万人.

〔23〕シェイマス・ヒーニー『トロイの癒し——ソポクレス『ピロクテテス』の一変奏』*The Cure at Troy*(1990)小沢茂訳(国文社，2008)のなかで，訳者の小沢茂氏が「おそらく，ヒーニーの作品中で最も引用されるようになった有名な一節」(p. 142)と注記するのが以下の一節——「歴史は語る「墓の／こちら側で希望を抱くな」／だが，生涯で一度，／待ち望まれた正義の／津波が巻き起こり，／希望と歴史が一致することがありうる」(p. 130)

この最後の「希望と歴史が一致することがありうる」と小沢氏が訳されているところの原文は，‘And hope and history rhyme’ で希望(hope)と歴史(history)が韻をふむ(rhyme)というのが直訳となる．もちろん，この 2 つの英単語は頭韻でも脚韻でも押韻しない．無韻詩の詩行の最後の語が，前後の詩行の末尾の語と押韻しないのと同じように．しかし，完全な押韻ではない不完全な押韻，「半ば奇跡的押韻」によってつながるであろう 2 つの語を，現実の希望と歴史のつながりに詩人は重ねている．小沢氏によると「ヒーニーは 1988 年から 1990 年にかけて相次いで起こった，ベルリンの壁の崩壊(1989 年 11 月)，チェコスロヴァキアのビロード革命(11 月)，ルーマニア革命(12 月)，ネルソン・マンデラの釈放(1990 年 2 月)といった出来事の中で，「抑圧された現実」が「歴史の中に噴出してきた」ように感じ，こうした楽観的とも言える一節を書くに至ったと述べている」(pp. 142–143).

〔24〕トーマス・マン『ファウスト博士』(上・中・下)関泰祐・関楠生訳(岩波文庫，1974)，下，p. 248(第 47 章)．訳文は，そのまま使用させていただいた．以下，訳文の該当頁は本文中に〔　〕で記載.

テリー・イーグルトン (Terry Eagleton)
1943年生まれ．現代イギリスを代表する文学・文化理論家．オックスフォード大学教授，マンチェスター大学教授を経て，現在，ランカスター大学教授．著書に，『文学とは何か』(岩波書店)，『文学という出来事』『シェイクスピア』(平凡社)，『ポストモダニズムの幻想』(大月書店)，『宗教とは何か』『文化と神の死』(青土社)など多数．

大橋洋一
1953年生まれ．東京大学大学院人文科学研究科修士課程修了．東京大学名誉教授．英文学専攻．著書に『新文学入門』(岩波書店)，『現代批評理論のすべて』(編，新書館)，訳書にイーグルトン『文学とは何か』『シェイクスピア』，サイード『知識人とは何か』(平凡社)，A. C. ドイルほか『クィア短編小説集』(監訳，平凡社)など多数．

希望とは何か――オプティミズムぬきで語る
テリー・イーグルトン

2022年3月10日　第1刷発行

訳　者　大橋洋一（おおはしよういち）

発行者　坂本政謙

発行所　株式会社 岩波書店
〒101-8002 東京都千代田区一ツ橋2-5-5
電話案内 03-5210-4000
https://www.iwanami.co.jp/

印刷・三陽社　カバー・半七印刷　製本・牧製本

ISBN 978-4-00-061522-8　　Printed in Japan